P9-AOF-170

FÈS

JOYAU DE LA CIVILISATION
ISLAMIQUE

DU MEME AUTEUR

En Français

— *A travers l'Afrique blanche,* Julliard, 1955.
— *Sur les traces de Marco Polo,* Julliard, 1955.
— *A la recherche des îles ignorées,* Julliard, 1956.
— *Epiques et douces Canaries,* Julliard, 1958 (Prix « L'Universo »).
— *Le Pakistan, 90 millions de Musulmans,* Julliard, 1959.
— *La révolution des femmes en Islam,* Julliard, 1957.
— *Le Sahara des Africains* (mention de l'Académie des Sciences d'Outre-mer), Julliard, 1960.
— *Rif, terre marocaine d'épopée et de légendes,* Julliard, 1962.
— *Les empires de la mer,* Julliard, 1962.
— *Les civilisations du Sahara,* Marabout Université, 1967.
— *En Méditerranée, dans le sillage d'Ulysse* (Prix Meurand de la Société de Géographie Commerciale, Prix européen de la littérature pour la jeunesse de l'Université de Padoue), F. Nathan, 1967.
— *Les Etrusques,* Marabout Université, 1969.
— *Allal el Fassi ou l'histoire de l'Istiqlal,* Alain Moreau, 1972.
— *Sahara espagnol, fin d'un mythe colonial,* Arrissala, Rabat, 1975.
— *Dossier du Sahara Occidental,* Nouvelles Editions Latines, 1978 (Prix « Louis Marin » de l'A.D.E.L.F.).
— *Dossier de la Mauritanie,* Nouvelles Editions Latines, 1979.
— *Femmes d'Islam : le sexe interdit,* Denoël/Gonthier, 1980.
— *Maroc du Nord, cités andalouses et montagnes berbères,* Nouvelles Editions Latines, 1980.

En Italien

— *Maghreb,* Universo, Florence, 1963.
— *La via del Sahara,* Universo, Florence, 1968.
— *Viaggi in Africa,* (Prix Universo), Universo, Florence, 1969.
— *Viaggi in Asia,* Universo, Florence, 1970.
— *La Corsica,* Universo, Florence, 1970.
— *I Berberi,* Universo, Florence, 1971.

Attilio GAUDIO
Journaliste-Ethnologue

FÈS

JOYAU DE LA CIVILISATION ISLAMIQUE

Préface de Mohammed El Fasi
Président de la Commission Nationale Marocaine de l'UNESCO

Publié avec le concours des Presses de l'UNESCO

LES PRESSES DE L'UNESCO

Nouvelles Editions Latines
1, Rue Palatine - PARIS 6e

I.S.B.N. 2-7233-0159-1

REMERCIEMENTS

Qu'il me soit permis de remercier ici pour leur aide et collaboration à la réalisation de mes recherches et de cet ouvrage les personnes suivantes :

— M. *Mohammed El Fasi,* Président de la Commission Nationale Marocaine pour l'Unesco ;
— M. *Driss Basri,* Président de la Commission Ministérielle Marocaine pour la Sauvegarde de Fès ;
— M. *Ahmed Douiri,* Ministre de l'Equipement et de la Promotion Nationale du Maroc ;
— M. *Moulay Ahmed Alaoui,* Ministre du Tourisme du Maroc ;
— S.E. *Mahdi M'Rani Alaoui,* Gouverneur de la Province de Fès ;
— M. le *Docteur Bensalem El Kohen,* Président de la Municipalité de Fès ;
— M. *J.P. Ichter,* architecte-urbaniste, Président de l'Association « Hadara » pour le développement et la sauvegarde de Fès ;
— M. et Mme *Ali Amahan,* Conservateurs du Musée de Batha (Fès) ;
— M. *Ahmed Lamarti,* Vice-Président de la Chambre de Commerce et Industrie de Fès ;
— M. *Moustapha El Kasri,* Secrétaire Général du Ministère de l'Information du Maroc ;
— M. *Michel Terrasse,* Professeur à l'Institut d'Art et d'Archéologie de l'Université de Paris-Sorbonne.
— Mlle *Michèle Gayral,* Attachée de Presse de la Fédération Mondiale des Villes Jumelées-Cités Unies (Paris).
— M. *Mohamed El Mokhtar Ould Bah,* Conseiller Culturel régional de l'Unesco pour les pays du Maghreb.

PREFACE

FÈS LA MYSTERIEUSE

On a tellement répété cette association du mystère à la ville de Fès qu'il fallait bien qu'il se trouvât un jour un magicien pour dévoiler ce mystère. C'est chose faite grâce au talent de Attilio Gaudio, l'auteur de ce livre. Ce n'était pas chose facile d'entrer dans le secret de cette ville unique au monde par sa beauté, la splendeur de ses palais, de ses médersas, de ses minarets, de ses fontaines, par la finesse de ses habitants et leur affabilité, par son passé prestigieux et surtout par l'atmosphère intellectuelle due à l'Université Qaraouiyine, la plus ancienne du Monde.

Si l'on surplombe du haut Bordj Nord cette ville on subit vraiment cette impression de mystère : on ne voit ni rues ni places ni passants, mais uniquement des minarets, des terrasses collées les unes aux autres et pas le moindre signe de vie. C'est en réalité un des lieux du monde où le mouvement est le plus intense dans tous les domaines, commercial, artisanal, intellectuel, politique et spirituel. Et ce sont ces aspects qui font l'originalité de Fès. Il faut dire que les circonstances historiques de sa fondation, il y a douze siècles, ont joué un rôle primordial sur son développement. Ayant été peuplée au début de son existence essentiellement par les réfugiés venus de Cordoue et de Kairouan, elle acquit son caractère spécifique : hospitalité et non ostracisme. Elle ouvrit ses portes à tous ceux qui venaient des horizons les plus divers pour tenter leur chance, surtout parmi les personnes qui avaient conscience de leur supériorité dans une discipline scientifique, un art plastique ou une branche de l'artisanat.

Ainsi la grande Université Qaraouiyine accueillait les meilleurs professeurs. Les chancelleries des différentes dynasties s'enorgueillissaient des secrétaires les plus cultivés, les différents ateliers de Fès regorgeaient des plus habiles artisans et la ville s'embellissait des plus beaux monuments qui encore aujourd'hui font sa gloire.

Il résulta de tout cela une caractéristique spéciale à la ville de Fès. Sa population est composée de familles venues de presque tous les pays arabes et même d'autres pays musulmans. Les Siqalli (de Sicile), les Chami (de Syrie), les Iraqui (de l'Irak), les Yamani (du Yémen), et j'en passe, sont parmi les familles les plus illustres. D'autres familles sont venues des différentes villes du Maroc : les Tazi, les Sebti, les Slaoui, etc... ou bien des tribus du Nord et du Sud du pays comme les Chaoui, les Doukkali, les Jayyi, les Seghroucheni. Ce qui fait que, lorsque quelqu'un prétend être plus authentiquement Fassi que d'autres, on lui rétorque que personne n'est sorti de la fontaine de la Qaraouiyine et qu'il est venu d'ailleurs comme tout le monde.

Cette société sélective se donna des traditions très raffinées et des règles de vie d'une haute valeur morale, ce qui fit de Fès l'exemple à suivre dans tous les domaines. D'ailleurs elle a eu tous les atouts pour être ce qu'elle a été au cours de sa longue histoire ! L'eau, sans parler de la rivière qui la traverse, wadi al Jawàhir (la rivière des Perles), jaillit des très nombreuses sources qui se trouvent à l'intérieur de ses remparts. Cette eau abondante a fait de Fès par ses maisons fleuries et par les jardins qui l'entourent un véritable paradis, ce qui fit dire à l'un de ses historiens : « Si le Paradis est sur terre c'est Fès ; s'il est au ciel, Fès est en dessous ; s'il est sous terre, Fès est au dessus ».

Quant à son rôle de centre d'où a rayonné la civilisation il est rappelé dans un numéro du bulletin « Informations de l'Unesco » par ces phrases : « Ainsi, situé au carrefour des grands itinéraires intellectuels et religieux, que les fameuses routes commerciales font souvent oublier, Fès a constitué un des nœuds d'un réseau intellectuel qui a profondément marqué la trame des relations entre diverses régions du continent africain, de l'Orient islamique et de l'Occident européen. Elle a été l'un des principaux foyers d'étude, par où le savoir scientifique et la réflexion fondamentale, épanouis sous l'impulsion de l'Islam, allaient stimuler et parfois même susciter un développement sans précédent des connaissances au seuil du monde moderne ».

D'habitude les touristes, les auteurs de guides à l'usage de ceux-ci ne voient dans Fès que son côté touristique : monuments, produits de l'artisanat, sites panoramiques et lieux de villégiature aux environs de la ville. Mais Fès est bien autre chose, c'est une ville douée d'une personnalité. Elle n'est pas seulement un site, des paysages, un ensemble de demeures, de souks, de lieux de prière. Fès est liée à un destin, son des-

tin issu d'une expérience qu'elle transmet à qui veut y puiser et s'y retremper. Fès est une ville qui a une âme.

Mohammed El Fasi
Président de la Commission
Nationale Marocaine de l'Unesco,
Ancien Ministre de l'Education
Nationale du Royaume du Maroc.

FES, LUMIERE DE LA CIVILISATION MAGHREBINE

« O Fès ! qu'Allah fasse vivre ton sol par l'humidité ! Qu'il t'arrose de la pluie du nuage généreux !

O Paradis de ce monde ! toi qui surpasses Hims par ton panorama splendide, admirable.

Des maisons surplombant des maisons, aux pieds desquelles coule une eau plus agréable que le vin délicieux !

Des jardins (comme) de la soie décorée de dessins ressemblant à des serpents ou à des lions !

Dans la Mosquée d'El Qaraouiyine — que son nom soit ennobli — est une société — gardons-en les souvenirs — qui jette le trouble dans l'âme.

Son atrium, en été, est plein de bienfaits (par sa fraîcheur) ; c'est là que le soir les étrangers se rendent.

Va t'asseoir là près de la Vasque ; désaltère-toi et bois-y à longs traits de ma part, je t'en serai reconnaissant. »

Abou-Abdallah El Maghili

PREMIERE PARTIE

CHAPITRE I

L'APPEL AU MONDE DE L'UNESCO

Le 9 avril 1980 la ville de Fès, capitale spirituelle du Maroc et « lumière persistante » de la civilisation islamique, accueillait des centaines de journalistes, d'ambassadeurs, d'hommes politiques et d'intellectuels maghrébins et européens pour s'unir dans une grandiose manifestation de solidarité internationale au directeur général de l'Unesco, M. Amadou Mahtar M'Bow, qui lançait un appel au monde pour la sauvegarde de l'ancienne médina en péril, ainsi que pour la réhabilitation et la réanimation culturelle de la ville de Fès [1].

Au cours de la cérémonie qui s'est déroulée dans un décor de « Mille et une nuits », et dans un cadre humain et monumental qui faisait revivre aux yeux des visiteurs les splendeurs défuntes de Cordoue et de Bagdad, M. M'Bow a prononcé un discours. Il a déclaré entre autres que la cité marocaine, vieille de onze siècles, était un « symbole du génie créateur de l'Islam et un témoignage exemplaire de ce que des hommes, mus par la même foi et le même idéal, venus vers elle d'horizons divers, ont pu réaliser en commun ».

Le Directeur général a indiqué que l'on pourrait difficilement trouver dans l'agencement de l'ensemble de mosquées, de sanctuaires, de palais, de maisons, de caravansérails et de marchés qui la constituent, ordonnance mieux équilibrée, plus subtile ingéniosité. « Réalisant une parfaite symbiose entre son site et ses fonctions, entre ses ambitions et ses moyens, Fès est ainsi depuis mille ans, et à juste titre, l'une des cités les plus prestigieuses du monde islamique », a-t-il poursuivi.

L'Université Qaraouiyine — qui a pu maintenir son activité pendant dix siècles — ses mosquées et ses écoles, ont accueilli des étudiants

1. Lire en annexe le texte intégral de cet appel.

comme Ibn Khaldoun, le mathématicien Ibn Al-Yasamin, le savant Ach-Charif-Al-Idrissi, ainsi que des linguistes, des encyclopédistes et de grands initiateurs de la vie spirituelle. Au fil des siècles, l'influence de Fès a dépassé de loin le Maghreb. Fès a constitué le nœud d'un réseau intellectuel qui a profondément marqué la trame des relations entre diverses régions du continent africain, de l'Orient islamique et de l'Occident européen. Elle a été l'un des principaux foyers d'étude, par où le savoir scientifique et la réflexion fondamentale, épanouis sous l'impulsion de l'Islam, allaient stimuler et parfois même susciter un développement sans précédent des connaissances au seuil du monde moderne.

Mille ans d'histoire n'ont pas affecté le tissu urbain de la cité, ni entamé son homogénéité architecturale, ni même troublé son activité intellectuelle et artistique ; cependant, il n'en va plus de même aujourd'hui. La pression de contraintes démographiques, sociales et économiques a menacé l'originalité profonde qui fait de Fès l'un des joyaux les plus purs de la culture islamique : des ensembles d'une grande valeur achitecturale se délabrent, le système d'alimentation en eau et de drainage des eaux usées est saturé, l'artisanat et les arts traditionnels sont gravement menacés.

« Fès doit être sauvée », a poursuivi M. M'Bow. « Elle doit l'être pour ses populations dont le bien-être général est lié à sa rénovation. Elle doit l'être pour le Maroc, dont elle demeure la capitale spirituelle. Elle doit l'être pour le monde islamique dont elle constitue un témoignage unique de la permanence de ses multiples apports culturels ; elle doit l'être, enfin, pour l'ensemble de la communauté internationale, car, héritage précieux pour tous les hommes, elle appartient désormais au patrimoine commun de l'humanité ».

La campagne internationale lancée à cette occasion entre dans le cadre de la réalisation du « schéma directeur » élaboré par le gouvernement marocain aidé de l'Unesco et d'experts internationaux, pour réhabiliter la cité. Cette campagne répond aux mêmes préoccupations que celles qui ont conduit l'Unesco à lancer les campagnes de Nubie, de Venise, de Borobudur, de Sukhothai, de Moenjodaro, de Carthage et de l'Acropole ; elle n'en constitue pas moins une campagne sans précédent, car c'est la première qui soit menée en faveur d'une ville islamique. L'action à mener constitue, par son ampleur, l'exemple d'un des défis majeurs que l'humanité doit relever pour préserver et enrichir son héritage culturel, devant les contraintes que nous impose un processus de modernisation et d'industrialisation accélérées.

Faisant solennellement appel à la solidarité internationale, le Directeur général a invité les gouvernements de tous les Etats membres de l'Unesco, les organisations internationales, les organisations non gouvernementales, les institutions publiques et privées, ainsi que les peuples de toutes les nations, à participer par des contributions volontaires à la campagne de sauvegarde. Il a invité les responsables des galeries d'art, des musées et des bibliothèques à consacrer des expositions à la ville de Fès. Il a exhorté tous les intellectuels, écrivains, artistes et étudiants, de même que les professionnels de la presse, de la radio, de la télévision et du cinéma, à contribuer à la sensibilisation du public de tous les pays au problème de Fès.

En conclusion, M. Amadou Mahtar M'Bow a exprimé l'espoir que les contributions seront à la mesure de la vaste tâche à entreprendre, et qu'elles permettront de conserver pour toujours « l'un des environnements urbains les plus harmonieux que l'homme ait créés », en même temps que de préserver, pour le bonheur de ceux qui l'habitent et de ceux qui la visiteront, son âme collective qui, depuis plus de onze siècles, porte le plus actuel des messages : celui de la solidarité et de la fraternité de tous les hommes.

Le Premier Ministre marocain, M. Maa'ti Bouabid, a exposé ce qu'il était nécessaire de faire pour préserver ce « musée vivant » ; il a notamment parlé des opérations à entreprendre à l'intérieur même de la ville, et des logements à constuire dans sa périphérie pour 14 000 familles.

En faisant l'historique de la question de la préservation de cette cité qui est « le reflet de la civilisation et du génie de l'homme et qui appartient au patrimoine universel », le chef du gouvernement chérifien a souligné que, depuis près de dix siècles, biens immobiliers et sommes d'argent ont été généreusement offerts en donation à chacun de ses monuments ; des gravures sur marbre et des archives des habous attestent encore de ces dons. « L'un des premiers hommes illustres qui se soit à l'époque moderne préoccupé du patrimoine de la ville de Fès fut Sa Majesté Mohamed V dont le règne a été marqué par une renaissance des arts islamiques dans cette ville, à l'instar de ce qui advint sous le règne des dynasties Idrisside et Almoravide », a affirmé M. Bouabid, qui a poursuivi :

« L'intérêt porté à cette cité ancienne fut transmis au successeur de ce grand monarque disparu, Sa Majesté Hassan II. (...). Si jadis Idris II, le fondateur de Fès, a imploré le Tout Puissant pour faire de cette ville une « cité de la connaissance », aujourd'hui Sa Majesté Hassan II a pris la décision de doter cette cité des moyens, tant matériels que moraux, qui lui permettront de conserver sa vocation, de poursuivre son rayonnement culturel et artistique, et de remplir sa noble mission, en tant que l'un des principaux bastions de l'Islam dans le monde ».

« Lorsque nous considérons les soubresauts que le monde arabe et la nation musulmane ont subis et qui ont été à l'origine de la défiguration et la destruction de bon nombre de leurs monuments, et quand nous considérons comment le Maroc a su demeurer cette forteresse inexpugnable repoussant l'envahisseur, nous comprenons ce que représente la ville de Fès en tant que patrimoine universel. C'est un patrimoine qui reflète non seulement notre propre civilisation, mais également les apports des autres civilisations et par là même l'empreinte profonde du génie de l'homme ».

Le Premier Ministre a ensuite affirmé que la profusion des monuments historiques que renferme la cité de Fès constitue un musée universel et vivant. Ici se trouve la plus vieille université du monde. Ici sont les médersas, des merveilles d'architecture, dont le rayonnement a atteint les pays européens, africains et d'autres centres du monde. C'est de la ville de Fès qu'est parti en direction de la Sicile le géographe et explorateur Charif Al-Idrissi, qui a mis au point à l'intention du Roi Roger II de Sicile le premier planisphère de l'histoire. C'est ainsi que les chiffres arabes furent transmis au monde occidental par le Pape Sylvestre II à partir de l'université Al Qaraouiyine. Grâce à Fès l'Europe a pu avoir accès aux connaissances et aux théories des grands savants de l'Orient. Et c'est à Fès que l'historien et père de la sociologie Ibn Khaldoun a fait ses études, enrichissant le savoir humain.

C'est de la ville de Fès, a continué M. Bouabid, que l'Islam par le rite malékite a engagé sa conquête pacifique des terres d'Afrique et noué des liens indispensables, si bien que cette cité constitue une sorte de cordon ombilical entre le Maroc et le continent africain. A Fès existent deux horloges hydrauliques, dont l'une est considérée comme la plus ancienne du monde ; toutes deux sont encore préservées, l'une rue Talaa ou Grande rue, et l'autre au minaret de la mosquée Al Qaraouiyine. C'est à Fès que l'art architectural a connu son apogée. Corps de métiers et d'artisanats sont dispersés à travers les quartiers de la ville. Et plus de mille chaires universitaires ont existé à Fès.

Ici, la renaissance culturelle allait de pair avec un développement économique et social tel que Fès était devenue une grande métropole ; comparée à Baghdad, à Damas ou au Caire, Fès fut désignée en Europe comme l'Athènes de l'Afrique et de l'Islam. En évoquant le passé glorieux de cette ville et « la marque si profondément imprimée qu'elle a laissée dans le monde, nous ne faisons que réhabiliter, pour la mémoire des hommes, le nom d'une ville prestigieuse dans l'histoire universelle ».

Le Premier Ministre a ensuite rappelé qu'à l'occasion de l'ouverture des travaux du conseil de la Fédération mondiale des villes jumelées il avait déclaré que la sauvegarde des monuments de Fès impose des efforts gigantesques et que seule une solidarité internationale d'envergure était susceptible de faire face à la situation, « d'autant plus qu'il s'agit d'une responsabilité historique et culturelle qui dépasse le cadre marocain pour concerner la communauté internationale dans son ensemble ». Ainsi « notre projet de préservation et de sauvegarde de la médina de Fès se fonde sur un schéma directeur qui a fait l'objet d'études approfondies de la part d'éminents spécialistes. Les premières opérations que nous envisageons, conjointement avec l'Unesco, se placent à deux niveaux : à l'intérieur de la ville et hors de ses remparts ».

Pour atteindre d'une façon optimale les objectifs préfixés, a expliqué M. Bouabid, il faudra commencer par les opérations à entreprendre en dehors des remparts. C'est ainsi qu'un ensemble de quartiers sera édifié dans la périphérie pour pouvoir loger 14 000 familles, qui habitent actuellement la médina. L'architecture de ces quartiers s'inspirera de l'art marocain authentique, tout en s'adaptant aux nécessités de la vie moderne. D'autres ensembles destinés à l'artisanat seront construits pour abriter tous les corps de métiers installés actuellement au cœur de la médina, et dont la proximité avec des monuments historiques est néfaste.

De même, une cité ouvrière sera érigée pour loger les artisans. A l'intérieur de l'enceinte de la médina, des travaux seront entrepris sur l'Oued de Fès en vue de la réfection du réseau d'adduction d'eau qui dessert la ville depuis le Moyen-Age. C'est ainsi que les voies de communication seront réorganisées, les ponts reliant la rive gauche d'Al Qaraouiyine et la rive droite d'Al Andalous seront refaits, des gares routières, des châteaux d'eau et des centrales électriques seront construits. Les zones englobant le Bordj sud et le Bordj nord seront réhabilitées, des jardins publics seront aménagés, les remparts de la médina, ses mosquées, ses médersas, ses zawiyas, ses mausolées, ses bibliothèques et ses horloges hydrauliques seront restaurés. Un institut d'études islamiques et un centre culturel international doté de tout l'équipement nécessaire seront créés.

Dans ce programme de la réhabilitation de la médina, on n'a pas oublié la rénovation des fondouks qui furent des relais pour voyageurs et le siège de plusieurs légations diplomatiques, le réaménagement des souks, des métiers du cuir et du cuivre, la remise en marche des moulins à eau, la création d'une école des arts et métiers et d'une école culinaire, ainsi qu'un centre professionnel pour le bâtiment.

Le découpage administratif, a continué le Premier Ministre, sera revu de telle sorte que chaque corporation soit dotée des équipements nécessaires soit en services administratifs, sociaux, commerciaux et culturels, soit en espaces verts, foyers et terrains de sport. Dans ce cadre, la médina sera pourvue d'établissements d'enseignement secondaire et universitaire. Des dispensaires et des services administratifs, sociaux et économiques seront installés. Il faut en particulier mentionner l'ouverture de certaines facultés relevant de l'université Al Qaraouiyine ainsi que la création d'une école supérieure d'architecture. Enfin, un programme d'information et de vulgarisation sera mis au point permettant aux populations de saisir la portée nationale de ce projet grandiose.

M. Maâti Bouabid a conclu par un hommage à l'Unesco : « C'est avec une grande et légitime fierté que nous accueillons dans la ville de Fès le Docteur Mokhtar M'Bow, directeur général de l'Unesco, dont nous savons qu'il est lui-même un grand admirateur de cette cité et de son patrimoine. (...) Il a jugé que ces monuments historiques dont la cité de Fès foisonne constituent un patrimoine universel qui impose à la communauté internationale certains devoirs et certaines obligations.

« Fès, et avec elle les villes marocaines et les grandes cités de l'Islam, demeurera redevable à l'Unesco pour cette marque de considération. Elle attend des autres organismes similaires des initiatives propres à contribuer à la reconstitution de sa grandeur.

CHAPITRE II

LA FONDATION DE FÈS

La ville de Fès, fondée au 8ème siècle (2ème siècle de l'Hégire), est depuis un millénaire l'une des cités les plus prestigieuses du monde islamique. Encore aujourd'hui, elle demeure l'un des rares foyers vivants de la tradition islamique authentique, car elle a su maintenir et conserver les aspects les plus éblouissants de la civilisation arabe à son apogée.

Or, depuis quelques décennies, sous l'effet du surpeuplement de la Médina, de la négligence des habitants et de la politique de restauration sporadique mise en œuvre par les pouvoirs publics, on assiste à une dégradation accélérée de la ville. Ces menaces ont déclenché une campagne d'envergure, marocaine puis internationale, pour la sauvegarde de son riche patrimoine.

En l'an 172 de l'Hégire (788), arrivait au Maghreb el aqça (Maroc) un réfugié politique venu du Machrek, Idris Ben Abdalah. Fuyant le Calife abbasside Haroun er-Rachid, il s'installa à Walili (Volubilis) dans la région de Zerhoun. Sa qualité de descendant du prophète, sa sagesse et ses vertus firent que de tous côtés les hommes accouraient à lui, et bientôt les tribus de la région, les Awraba, le reconnurent comme leur chef. Cinq ans plus tard, lorsqu'il s'éteignit, il avait conquis à l'Islam tout le pays et laissait à son fils Idris II, un royaume qui s'étendait de Tlemcen à l'Atlantique, et de la Méditerranée au Sahara. En 805-806 (190 de l'Hégire), Idris II décida de fonder une capitale. Après deux tentatives infructueuses, il envoya en éclaireur son Vizir Omaïr qui, débouchant dans la plaine du Saïs, à l'ouest de l'emplacement actuel de Fès, fut frappé par son aspect fertile : poursuivant son chemin, il découvrit les sources qui donnent naissance à l'oued Fès, longea le cours de la rivière et parvint au vallon par où elle descend de la plaine du Saïs dans la val-

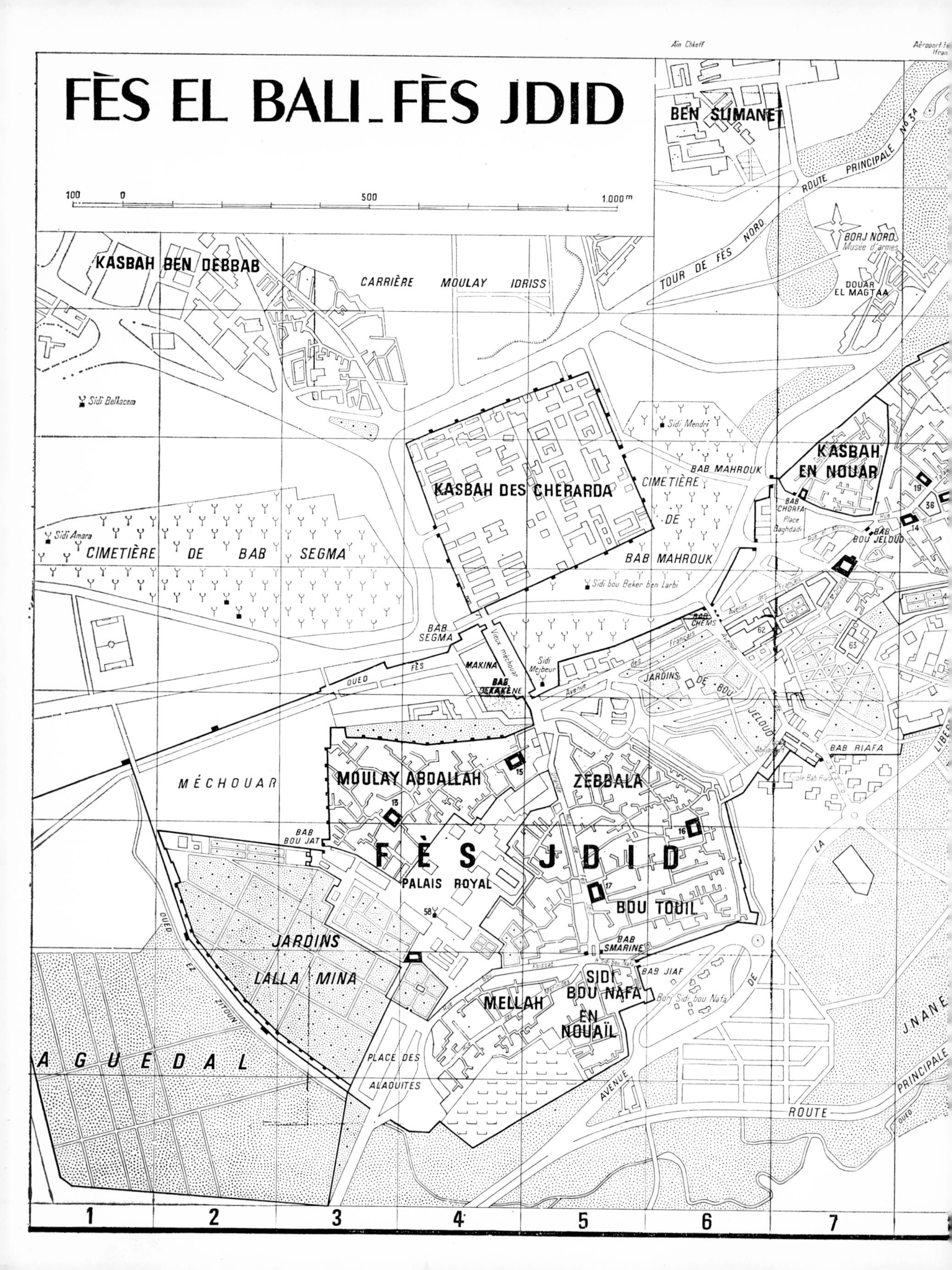
FÈS EL BALI_FÈS JDID
BEN SLIMANE
KASBAH BEN DEBBAB
CARRIÈRE MOULAY IDRISS
TOUR DE FÈS NORD
ROUTE PRINCIPALE Nº 34
BORJ NORD
Musée d'armes
DOUAR EL MAGTAA
Sidi Belkacem
KASBAH DES CHERARDA
Sidi Mendri
BAB MAHROUK
CIMETIÈRE DE BAB MAHROUK
KASBAH EN NOUAR
BAB CHORFA
Place Baghdadi
BAB BOU JELOUD
Sidi Amara
CIMETIÈRE DE BAB SEGMA
Sidi bou Beker ben Larbi
BAB SEGMA
BAB CHEMS
Avenue des Français
MAKINA
Vieux méchouar
OUED FÈS
Sidi Mejbeur
JARDINS DE BOU JELOUD
BAB RIAFA
MÉCHOUAR
MOULAY ABDALLAH
ZEBBALA
BAB BOU JAT
FÈS JDID
PALAIS ROYAL
BOU TOUIL
JARDINS LALLA MINA
BAB SMARINE
BAB JIAF
SIDI BOU NAFA
EN NOUAÏL
Borj Sidi bou Nafa
MELLAH
OUED EZ ZITOUN
AGUEDAL
PLACE DES ALAOUITES
AVENUE DE LA LIBERTÉ
ROUTE PRINCIPALE
JNANE
1
2
3
4
5
6
7

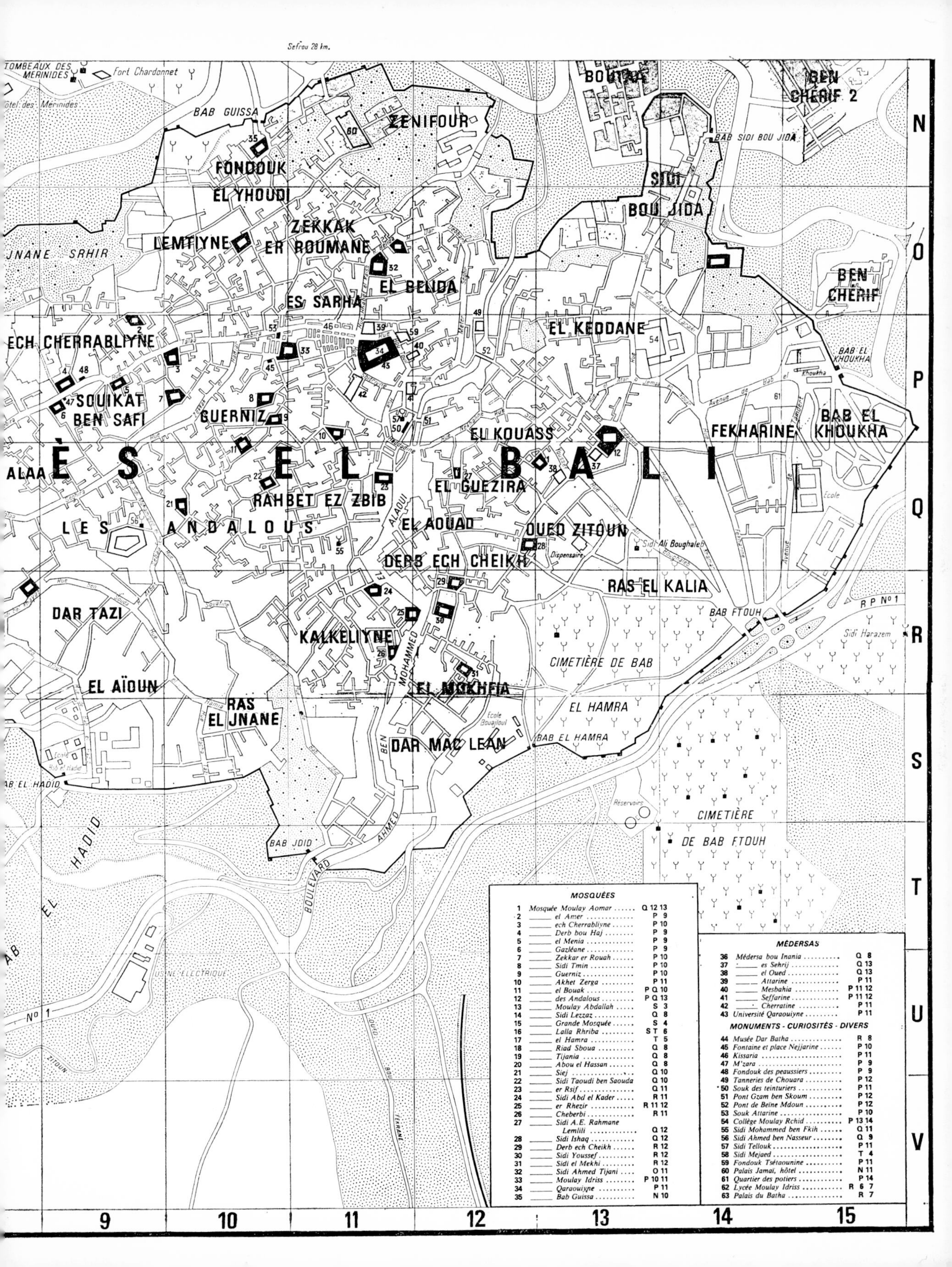
Sefrou 28 km.
TOMBEAUX DES MÉRINIDES
Fort Chardonnet
Hôtel des Mérinides
BAB GUISSA
ZENIFOUR
BOUTAA
BEN CHERIF 2
BAB SIDI BOU JIDA
FONDOUK EL YHOUDI
SIDI BOU JIDA
JNANE SRHIR
LEMTIYNE
ZEKKAK ER ROUMANE
EL BELIDA
BEN CHERIF
ES SARHA
ECH CHERRABLIYNE
EL KEDDANE
BAB EL KHOUKHA
SOUIKAT BEN SAFI
GUERNIZ
FEKHARINE
BAB EL KHOUKHA
EL KOUASS
FÈS EL BALI
ALAA
EL GUEZIRA
RAHBET EZ ZBIB
LES ANDALOUS
EL AOUAD
OUED ZITOUN
Sidi Ali Boughaleb
Dispensaire
DERB ECH CHEIKH
RAS EL KALIA
DAR TAZI
BAB FTOUH
R P N° 1
Sidi Harazem
KALKELIYNE
CIMETIÈRE DE BAB EL HAMRA
EL AÏOUN
EL MOKHFIA
RAS EL JNANE
Ecole Bouajloul
BAB EL HAMRA
DAR MAC LEAN
BEN MOHAMMED ALAOUI
Ecole Bab el Hadid
BAB EL HADID
Réservoirs
CIMETIÈRE DE BAB FTOUH
BAB JDID
BOULEVARD AHMED
USINE ÉLECTRIQUE
N° 1
OUED BOU FEKRANE
N
O
P
Q
R
S
T
U
V
9
10
11
12
13
14
15
MOSQUÉES
1 Mosquée Moulay Aomar ...... Q 12 13
2 ______ el Amer .... P 9
3 ______ ech Cherrabliyne ...... P 10
4 ______ Derb bou Haj .... P 9
5 ______ el Menia .... P 9
6 ______ Gazléane .... P 9
7 ______ Zekkar er Rouah ...... P 10
8 ______ Sidi Tmin .... P 10
9 ______ Guerniz .... P 10
10 ______ Akhet Zerga .... P 11
11 ______ el Bouak .... P Q 10
12 ______ des Andalous .... P Q 13
13 ______ Moulay Abdallah ..... S 3
14 ______ Sidi Lezzaz .... Q 8
15 ______ Grande Mosquée ...... S 4
16 ______ Lalla Rhriba .... S T 6
17 ______ el Hamra .... T 5
18 ______ Riad Sboua .... Q 8
19 ______ Tijania .... Q 8
20 ______ Abou el Hassan .... Q 8
21 ______ Siej .... Q 10
22 ______ Sidi Taoudi ben Saouda Q 10
23 ______ er Rsif .... Q 11
24 ______ Sidi Abd el Kader ..... R 11
25 ______ er Rhezir .... R 11 12
26 ______ Cheberbi .... R 11
27 ______ Sidi A.E. Rahmane Lemlili .... Q 12
28 ______ Sidi Ishaq .... Q 12
29 ______ Derb ech Cheikh ...... R 12
30 ______ Sidi Youssef .... R 12
31 ______ Sidi el Mekhi .... R 12
32 ______ Sidi Ahmed Tijani .... O 11
33 ______ Moulay Idriss .... P 10 11
34 ______ Qaraouiyne .... P 11
35 ______ Bab Guissa .... N 10
MÉDERSAS
36 Médersa bou Inania .... Q 8
37 ______ es Sehrij .... Q 13
38 ______ el Oued .... Q 13
39 ______ Attarine .... P 11
40 ______ Mesbahia .... P 11 12
41 ______ Seffarine .... P 11 12
42 ______ Cherratine .... P 11
43 Université Qaraouiyne .... P 11
MONUMENTS - CURIOSITÉS - DIVERS
44 Musée Dar Batha .... R 8
45 Fontaine et place Nejjarine ...... P 10
46 Kissaria .... P 11
47 M'zara .... P 9
48 Fondouk des peaussiers .... P 9
49 Tanneries de Chouara .... P 12
50 Souk des teinturiers .... P 11
51 Pont Gzam ben Skoum .... P 12
52 Pont de Beïne Mdoun .... P 12
53 Souk Attarine .... P 10
54 Collège Moulay Rchid .... P 13 14
55 Sidi Mohammed ben Fkih ...... Q 11
56 Sidi Ahmed ben Nasseur .... Q 9
57 Sidi Tellouk .... P 11
58 Sidi Mejaed .... T 4
59 Fondouk Tsétaounine .... P 11
60 Palais Jamaï, hôtel .... N 11
61 Quartier des potiers .... P 14
62 Lycée Moulay Idriss .... R 6 7
63 Palais du Batha .... R 7

lée du Sebou. « Il y vit, dit la chronique de Rawd el-Kirtas, entre deux collines, une forêt aux arbres serrés, arrosée par des sources et des cours d'eau, et, de ci de là, des tentes en poils de chèvre, habitées par des tribus Zénétas... Il revint auprès de l'Imam Idris et l'informa du terrain qu'il avait trouvé. Il lui exposa combien ce lieu lui avait plu, par l'abondance de ses eaux, la qualité du terrain, la douceur du climat, et par sa salubrité. L'Imam Idris en fut enchanté et décida alors d'acheter aux propriétaires les terres nécessaires pour y édifier sa ville. »

Ce qui détermina ce choix, c'est que le site de Fès est un carrefour des grandes voies de communication entre l'Atlantique et l'Orient d'une part, et entre la Méditerranée et l'Afrique Noire d'autre part. L'existence de cette rivière, l'oued Fès, source de vie et d'énergie pour toute l'agglomération, fut aussi décisive.

Idris établit son camp et fit aussitôt commencer les travaux de construction. Avant de donner le premier coup de pioche, il invoqua Allah en ces termes : « O mon Dieu ! Fais que cette ville soit la demeure de la Science et du Savoir. »

Il fit élever tout d'abord un rempart circulaire sur les bords de la rivière, qui allait abriter des familles venues d'Andalousie pour se réfugier au Maroc sous la protection de Moulay Idris El Akbar, et prendre le nom « *d'Adoua El Andalouss* ». L'Imam Idris se rendit ensuite sur la rive gauche et commença la construction d'une seconde cité. Elle prit le nom de « *Adoua des Karawyine* », car ses habitants étaient originaires de la ville de Kairaouan, en Tunisie.

On raconte que l'Imam Idris, lorsqu'il entreprit la fondation de la ville, y travailla lui-même avec les artisans et les ouvriers. On lui avait confectionné une pioche d'or et d'argent. C'est pour cette raison que la ville fut nommée Fès (pioche).

On prétend, sans doute avec plus de raison, que lorsqu'il se mit à creuser les fondations du côté de la qibla, on trouva dans la tranchée une grande pioche (fès) d'une longueur de quatre empans, d'une largeur d'un empan, du poids de soixante livres et d'un travail très ancien. La ville reçut son nom du nom de cette pioche, et c'est El-Modaffari qui a rapporté cette version.

On dit aussi que ce nom vient de ce que, lorsque l'Imam Idris eut achevé la fondation de la ville, on lui demanda : « Comment la nommeras-tu ? ». « Je lui donnerai, répondit-il, le nom de la ville qui fut avant elle sur cet emplacement, celle dont le dévôt m'a dit qu'elle existait autrefois, qu'elle avait été fondée par les Anciens, détruite mille ans avant l'Islam, et qu'elle s'appelait Sèf ; cependant je renverserai les lettres de cet ancien nom ». C'est ce qui a donné Fès. Cette version a été rapportée par Abou-l-Hasan ben Abdallah ben Abi Zar dans son ouvrage intitulé El-Anis.

Hormis deux expéditions guerrières à Nefis et à Tlemcen, Moulay Idris II ne quitta plus Fès jusqu'à sa mort, le 20 mai 828.

Par la suite, les différentes dynasties qui se sont succédé sur le trône, ont toutes tenu, sans aucune exception, à agrandir et à embellir la Ville Sainte. Chaque sultan a tenu à marquer de son sceau la cité, par des constructions, des embellissements, des réparations, des fortifications, des portes, des médersas, des fontaines, des ponts, des Qaïçarias, des fondouks.

Fès a été la capitale de la dynastie idrisside. C'est ainsi que sous Yahia ben Driss a été édifié, grâce au don de Fatima El Fihri, l'Université Qaraouiyine, en 895, véritable mosquée cathédrale et l'une des premières universités du monde. La sœur de Fatima, Maryam, fit un don pour construire la grande mosquée des Andalous.

C'est sous Ziri ben Atia, en 994, qu'est entreprise la construction des premières fortifications de la cité, avec l'édification de deux portes, Bab Ftouh à l'Est et Bab Guissa au nord. Ce souverain fait également construire le minaret de la Qaraouiyine.

Sous les Almoravides, Youssef ben Tachfine, réunit en une seule les deux villes jumelles séparées par l'oued Fès en 1062. Il agrandit la Qaraouiyine, construit Bab Chemaïne et édifie la casba de Boujeloud. Les Almoravides, bien que leur capitale soit Marrakech, apportent tous leurs soins à la ville. Il est vrai qu'on ne pouvait prétendre être roi du Maroc sans être reconnu par Fès, et la cérémonie de la beîâa devait être confirmée par le collège électoral de la cité. Cette dynastie agrandit la ville, et la ceinture de nouveaux remparts notamment au Nord.

La dynastie des Mérinides va faire de Fès sa capitale et Abou Youssef Yacoub El Mansour, le vainqueur de la bataille d'Alarcos, en Espagne (1195) met en chantier la ville blanche. Elle est achevée en 1276 et deviendra la résidence de tous les souverains Mérinides et Wattassides, jusqu'en 1508. Le palais royal actuel date de cette époque. Fès est véritablement à son apogée et au sommet de sa splendeur. Des médersas fameuses sont construites autour de la Qaraouiyine de nouveau agrandie et dotée d'une bibliothèque qui sera connue dans tout le monde civilisé de l'époque ; on viendra de toutes parts consulter ses innombrables ouvrages.

Les étudiants arrivent de partout, du Maghreb, de l'Orient, de l'Afrique, de l'Espagne, et même de l'Europe. Ils sont logés dans les médersas, collèges qui sont également des internats.

Les Saâdiens font de Marrakech leur capitale, mais continuent à embellir Fès, à agrandir la Qaraouiyine, à enrichir la bibliothèque et Ahmed el Mansour fait construire les deux plus importants ouvrages défensifs de la cité, les Bordjs Nord et Sud.

Les Alaouites maintiennent cette tradition. En 1670, Moulay Rachid (1666-1672) fait de Fès sa capitale ; il construit le palais royal alaouite à côté du vieux palais des Mérinides, bâtit la médersa Cherratine, la casba des Cherarda, le barrage de l'oued Zitoune. Il élève le célèbre pont sur le Sébou qui relie Fès au nord du pays et résistera à toutes les crues du fleuve. Sidi Mohamed ben Abdallah (1757-1790) construit le mausolée alaouite de Fès où sont ensevelis plusieurs rois et princes. Il fait également construire la médersa de Bab Guissa.

Moulay Slimane (1792-1822) bâtit la médersa El Oued, la mosquée de Ercif et celle de Diouane, la zawiya de Sidi Ali Boughaleb et la casba des Filala.

Moulay Hassan 1er (1873-1894) va inaugurer les constructions modernes et industrielles ; c'est lui qui fait construire la Makina, l'arsenal de Fès et agrandir Dar el Makhzen.

Moulay Abdelaziz fait construire, dans le palais de Fès, le petit palais de Dar el Fassia, et la première usine électrique.

Sa Majesté Mohamed V (1927-1961) enrichit la Qaraouiyine et construit la médersa Mohamadia.

Enfin, Sa Majesté Hassan II multiplie les constructions, les restaurations, les aménagements, notamment ceux du palais royal.

Fès a constitué de tous temps un centre de culture et de rayonnement exceptionnel. La Qaraouiyine s'enorgueillit d'être, avec celle de Bologne, la plus ancienne université du monde. Dans sa mosquée, au long des siècles, oulémas et savants ont dispensé leur savoir.

La ville a constitué à travers les âges le berceau de la culture marocaine. Les oulémas formés à la Qaraouiyine et dans les médersas de Fès avaient — et d'une certaine manière, ont toujours — sur la vie publique et la marche des affaires de l'état un impact décisif. De grands philosophes, penseurs, médecins, et savants y ont étudié et enseigné. Il suffit de rappeler les noms de l'historien Ibn Khaldoun, du médecin Ibn Rochd (Averroès), du philosophe Ibn Tofail, du mathématicien Ibn Al Yasamin...

Le développement de la ville et l'accroissement de ses habitants avaient nécessité l'édification d'un nombre de mosquées de plus en plus grand, à tel point que sous les Almohades, (Annacer et son fils Al Montacer, Fès comptait 785 mosquées. D'après Al Kanouni dans son « Chahirat Nisâ El Maghreb », la mosquée Al-Andalous de Fès constituait déjà au 10ème siècle (IVème siècle de l'hégire) un institut indépendant qui allait de pair avec la Qaraouiyine. Quatorze médersas ont été fondées à Fès à différentes époques. Le style est partout le même : la cour au centre, occupée par un bassin, est généralement encadrée par des galeries sur lesquelles s'ouvrent des cellules ; sur un des côtés s'étend la façade d'une grande salle pourvue du mihrâb, à la fois salle de cour et oratoire collectif ; une midha, courette bordée de latrines, est adjointe à ce bâtiment. La salle de prière de la Bou'Inania offre des particularités qui la distinguent de toutes les médersas connues au Maghreb; les cinq arcs qui séparent les nefs retombent sur quatre colonnes d'onyx; au milieu des faces latérales de la cour, deux grands arcs donnent accès à deux salles carrées de 5 m de côté, couvertes de coupoles de bois aux nervures entrelacées, et dont un couloir partant des galeries fait le tour. L'impression qui se dégage de l'ensemble fait de la Bou'Inania de Fès une des créations les plus heureuses de l'architecture hispano-mauresque. Il y eut plus de 200 écoles à Fès, d'après Marmol. Il semble que Fès ait été pourvue, à travers les âges, d'écoles scientifiques très spécialisées. Al-Kanouni cite, dans son ouvrage « Chahirat Nisâ El Maghreb », un travail consacré à l'histoire de « l'art dentiste au Maroc » prétendant qu'il y eut à Fès, au IVème siècle de l'hégire, c'est-à-dire à l'époque où le Maroc était une province omeyyade, « une école de médecine ».

La médersa mérinide de Dar El Makhzen à Fès-Jdid fut appelée vers 1844 « école des architectes », et Ibn Zaidan précise que les diplômés d'une « école polytechnique », fondée à Fès-Jdid par le Sultan Sidi Mohamed ben Abderrahman, ont été admis dans les écoles d'Angleterre ou d'Italie.

A Fès ont existé plus de mille chaires universitaires. Grâce à l'organisation des études, aux facilités incroyables que les habitants et les pouvoirs publics accordèrent, dès les débuts de la Qaraouiyine, aux étudiants et aux enseignants, à la haute qualification scientifique de ces derniers — qualification sur laquelle les différents sultans veillaient personnellement — grâce à tous ces facteurs et au respect remarquable dont jouissait l'université, il se produisit rapidement un afflux de plus en plus considérable d'étudiants venus tant du Machrec et de l'Asie que de l'Europe.

Au fil des ans, l'influence de Fès dépassa donc très largement le Maghreb. Elle s'exerça d'abord en Andalousie, à partir de la victoire de Zallaca, jusqu'à la chute de Grenade, et c'est par ce canal qu'elle rayonna jusqu'en Europe.

Fès fut un grand foyer d'expansion de l'Islam, notamment dans le continent africain et on rappellera qu'un grand savant, Ahmed Baba, originaire de Tombouctou, enseigna à Fès, sous Mansour Ed Dahbi. Il écrivit une « Histoire du Soudan ». On soulignera aussi que la plus grande confrérie islamique d'Afrique occidentale, la confrérie Tijania a été fondée par Ahmed Tijani dont le tombeau se trouve à Fès à côté de celui de Moulay Idris.

« Pour la plupart des Musulmans d'Afrique, affirme Gabriel Charmes, Fès est la première ville sainte après la Mecque. Sa sainteté provient de son origine et du rôle glorieux qu'elle a joué dans l'histoire de l'Islamisme. Tant que la puissance arabe s'est maintenue dans tout son éclat, Fès en a été en quelque sorte le centre et le foyer. »

Selon la légende, Christian Rosenkreuz, le fondateur des Rose-Croix, étudia à Fès. « Christian parcourut le Liban, la Syrie et le Maroc ; il fit un stage à Fès aux environs de 1370, sous les Mérinides. Des Fassis le conduisirent à la renaissance suprême ou « adeptats ». Désormais, dit la légende, Christian est nommé le Père et il reçoit de ses initiateurs mission de communiquer à la Chrétienté la sagesse qu'il vient d'acquérir et de fonder une société secrète qui aura à satiété or et pierres précieuses et qui enseignera les monarques ».

Fès, dit Al Marrakchi, est « la capitale où s'est accomplie la symbiose de la science de Kairouane et de Cordoue, par suite de l'immigration des Oulémas des deux villes ; c'est le Bagdad du Maghreb ».

Ali Bey El Abrassi considère Fès comme la « ville qu'on peut regarder, s'il est permis de se servir de cette comparaison, comme l'Athènes de l'Afrique, par le grand nombre de docteurs et de savants, et enfin du fait des écoles qui sont ordinairement fréquentées par 2 000 élèves à la fois ».

Les mosquées et zawiyas jouaient aussi et bénévolement leur mission didactique. Les « tolba » libres, sans attaches avec le gouvernement, ont toujours professé les sciences dans une dizaine d'autres mosquées moins importantes de Fès.

Monsieur Amadou Mahtar M'Bow a pu déclarer, à l'occasion de son appel à la solidarité internationale en faveur de la rénovation de Fès : « Située au carrefour des grands itinéraires intellectuels et religieux que les fameuses routes commerciales font trop souvent oublier, Fès a constitué un des nœuds d'un réseau intellectuel qui a profondément marqué la trame des relations entre diverses régions du continent africain, de l'Orient islamique et de l'Occident européen. Elle a été un des principaux foyers d'étude, par où le savoir scientifique et la réflexion fondamentale, épanouis sous l'impulsion de l'Islam, allaient stimuler et parfois même susciter un développement sans précédent des connaissances au seuil du monde moderne. »

Aujourd'hui, la Médina de Fès continue à représenter l'une des expressions les plus élevées de la civilisation arabo-islamique. « Si, depuis la méthode de nos écoles, estimait Delphin, ne résonnent plus les grands noms d'Avicenne, d'Avempace et d'Averroès, il ne faut pas en déduire que cet effacement se soit produit dans les centres musulmans. Là, l'influence de Fès n'a pas subi d'amoindrissement sensible. Fès est toujours le Dar El Ilm, « la maison de la science », l'asile des sciences musulmanes, la mosquée de Qaraouiyine, la première école du monde ».

En quelques heures, le visiteur peut embrasser les témoins et vestiges de douze siècles d'histoire et de culture, il parcourt, en quelques instants, les témoins des sommets d'une grande civilisation.

Il peut admirer l'équilibre de l'organisation urbaine, la perfection artistique de l'artisanat traditionnel et toutes les sculptures sur bois dont sont ornées les mosquées et les médersas.

CHAPITRE III

FÈS, DE SA FONDATION JUSQU'AU XVIIème SIECLE

La ville de Fès, fondée par Idris le père, démarrait avec la tare d'une dualité marquée non seulement sur le terrain, mais encore dans son peuplement, car à la « ville » d'Idris le père était venue s'ajouter celle d'Idris le fils [1].

Mais dès son jeune âge, Idris II fit preuve d'énergie et d'intelligence. Il consacra trois années à l'unification de Fès, sa capitale, et partit en expédition en 812-813 (197) vers le sud du Maroc ; il s'empara des villes de Nfis et d'Aghmat en bordure du haut Atlas et soumis à son autorité les rudes montagnards Masmouda. Après un bref retour, il repartit vers l'est et conquit la ville de Tlemcen. Ainsi, en quelques années, il avait constitué un véritable Empire, qui comprenait tout ce que le maréchal Lyautey a appelé plus tard « le Maroc utile ». A peine née, Fès devenait donc la capitale d'une grande construction politique.

Idris II fut soucieux d'apporter à la ville de *nouveaux éléments de peuplement*. En 818 (202), elle reçut un important contingent d'émigrés cordouans réfugiés politiques. En effet, à la suite d'une révolte, l'émir El-Hakam Ier avait décidé d'exercer une terrible répression ; plusieurs milliers de personnes durent s'exiler, dont 8 000 atteignirent Fès. Idris II leur offrit de s'installer dans l'agglomération créée par son père. Ils apportèrent, en même temps que leur expérience de la vie citadine, leurs techniques ancestrales du jardinage, de la bâtisse et de l'artisanat. Dès lors, l'ancienne Madinat Fas prit le nom de Madinat al-Andalosiyin : il est pro-

1. Extrait de Roger Le Tourneau : « Fès avant le Protectorat » dans « Etude Economique et Sociale d'une ville de l'occident musulman ». Publication de l'I.M.E.M., TXLV, Rabat, 1949.

bable qu'en peu de temps les nouveaux venus transformèrent la physionomie de cette ville berbère.

Quelques années plus tard, en 825 (210) un autre groupe d'émigrés politiques, venant de Kairouane ceux-là, vint chercher refuge à Fès. Idris II établit leurs 300 familles dans la ville d'el-Aliya, celle qu'il avait lui-même fondée ; on l'appela souvent, à partir de ce moment-là, Madinat el-Qaraouiyine, la cité des Kairouanais.

Grâce à ces nouvelles populations, les Berbères de Madinat Fas et aussi les Arabes d'el-Aliya s'enrichirent de techniques et de modes de vie plus évolués ; ils évitèrent les tatônnements inutiles. C'est grâce à ces nouveaux peuplements que Fès s'épanouit sur le plan industriel et artistique.

Sous les successeurs d'Idris II, Fès réussit à maintenir sa grandeur. Idris II mourut en 828 (213), laissant de nombreux fils. L'empire idriside fut partagé entre eux, selon les conseils de Kenza, la mère d'Idris II, qui, ce faisant, obéit au vieil atavisme berbère du morcellement politique : Fès devenait une tête sans corps. Bien que sa vie politique eût connu de telles éclipses, Fès continuait à jouer un rôle civilisateur, économique et religieux : elle était alors la seule véritable grande ville du Maroc continental, c'est-à-dire de la région qui s'étend entre l'Atlantique et la Moulouya dans un sens, le Moyen-Atlas et la Méditerranée dans l'autre. Fès offrait les produits de son industrie naissante en échange des produits de la terre qu'on lui apportait de partout. Peut-être même un courant commercial s'était-il établi entre Fès et l'Andalousie, par l'intermédiaire des Cordouans émigrés.

Elle n'était pas encore une ville universitaire, mais un îlot de culture arabe, de raffinement et de luxe, au milieu des régions berbères qui l'entouraient.

Enfin, grâce à Fès, l'Islam tenait bon dans tout le nord marocain, en dépit des vicissitudes politiques et des tendances anarchiques des tribus. Les Idrissides apparaissaient comme d'authentiques descendants du prophète ; tous les chroniqueurs s'accordaient pour vanter leur piété. Rien n'en témoigne mieux que la fondation de la mosquée des Kairouanais et de la mosquée des Andalous sous le règne de Yahya, le petit-fils d'Idris II, en 851, constructions dues à l'initiative privée. On peut supposer que dès le milieu du IXème siècle la ville de Fès était presque complètement islamisée ; les adorateurs du feu avaient certainement disparu ; les Chrétiens, s'il en restait, ne devaient pas être nombreux. La seule communauté non musulmane qui subsistait était celle des Juifs.

La double ville, ainsi armée sur le plan spirituel et temporel, put supporter de nombreux orages. Au pieux Yahya succéda son fils, un prince débauché, qui ameuta contre lui la population et fut privé de pouvoir. Les prétendants, nombreux, s'appuyaient, les uns sur la ville de la rive droite, les autres sur celle de la rive gauche, ce qui engendra une guérilla incessante, génératrice de ruines. En 904 (292), un arrière-petit-fils d'Idris II, nommé aussi Yahya, réussit à régner sans rival et restaura la puissance idriside. Hélas ! treize ans plus tard, en 917 (305), Obeïd Allah le Fatimide, maître de l'Ifrikiya, faisait attaquer le royaume idrisside par ses alliés, les Berbères Miknasa.

Dès lors, Fès se trouva au centre des conflits, qui, dans le Maroc du Nord, opposaient les Fatimides d'Ifrikiya, les Omeyyades d'Espagne, les Zénètes à la recherche d'un espace vital, les Idrissides qui n'avaient pas perdu l'espoir de reconstituer l'Empire de leurs ancêtres, avec Fès pour capitale.

En sus de cela, des tribus irréfléchies compliquaient encore ce jeu de forces embrouillées.

Fès était toujours vigoureuse, lorsqu'à la fin du Xème siècle, en 376 H, une dynastie zénète s'y établit jusqu'à l'arrivée des Almoravides. Vers 451-453 H, la rivalité des deux frères El-ftouh et 'Ajisa empêcha les deux villes de se rejoindre, car les maisons comblaient peu à peu l'intervalle entre elles, que rompaient 6 ponts, plus que maintenant.

C'est alors qu'arrivèrent les *Almoravides.* Ces Sahariens sortirent du désert occidental, au milieu du XIème siècle et envahirent le Maroc par le sud. Leur chef, Youssef Ben Tachfine, fonda Marrakech en 1062 (454) et s'empara de Fès en 462. Les vainqueurs massacrèrent leurs ennemis zénètes. A peine installé Youssef, sensible au paradoxe des deux villes acolées, ordonna la destruction des murailles qui les séparaient. Il hâtait par là l'unification, mais ne supprimait pas les divergences : les deux villes, peuplées d'éléments différents, avaient leur mosquée centrale, leur marché et leur atelier pour la frappe des monnaies.

A l'unification s'opposaient donc bien des intérêts moraux et matériels. Il ne fallait pas moins que la rude poigne de l'Almoravide pour les faire taire ; mais les faire taire n'était pas les supprimer !

Youssef Ben Tachfine favorisa nettement le centre de la ville des Kairouanais, en agrandissant la mosquée qu'il y trouvait, tandis qu'il laissait en l'état celle des Andalous. Les Almoravides se faisaient les champions d'un Islam rigoriste, abreuvé aux sources du rite malékite. En outre, le souverain favorisa l'essor économique de la cité ; il fit construire des fondouks et des moulins, attirant de nouveaux Cordouans.

Et le développement de sa politique transforma Fès en cité militaire. Jusqu'alors, les seuls ouvrages dignes de ce nom consistaient dans les deux forteresses et les remparts. La ville n'avait abrité que des garnisons modestes ; elle devint dès lors la principale base d'opérations d'un grand empire guerrier. On peut supposer que dès l'époque almoravide, des constructions s'étendaient en direction de la casba : la ville escaladait peu à peu les collines de l'ouest, tendant à prendre sa forme actuelle. L'animation de la casba a sans doute contribué au développement économique de la ville. On peut donc tenir pour certain que le premier souverain almoravide a été l'un des artisans du développement de Fès, bien qu'il ne l'ait pas prise pour capitale politique.

De tout cela, il ne reste malheureusement que des textes, car les Almohades, lorsqu'ils s'emparèrent de Fès, rasèrent les remparts de la ville et l'établissement militaire de leurs prédécesseurs, pour en bâtir un autre à la place.

En effet, en 540 (1145 J.-C.), Abd el Mumen, chef des *Almohades* et Commandeur des croyants, se présentait devant Fès : la garnison almoravide s'enferma dans la ville et le siège fut long et rude. Pas plus que les Almoravides, les Almohades ne prirent Fès pour capitale ; ils lui préférèrent Marrakech.Mais ils utilisèrent Fès comme une des principales bases d'opérations militaires vers l'Espagne : ils durent reconstruire ce qu'ils avaient détruit. Mohamed-en Naseur créa de nouveaux remparts (il était le quatrième calife almohade). Une nouvelle forteresse s'éleva de nouveau sur l'emplacement de la forteresse almoravide ; la mosquée des Andalous fut agrandie.

Sous les Almohades, comme sous les Almoravides, Fès connut une longue période de prospérité, interrompue seulement par une cruelle famine accompagnée de troubles, entre 1224 et 1232, quand la dynastie approchait de sa fin. Cette prospérité est attestée par le géographe el-Idrissi : « les alentours sont bien arrosés, l'eau y jaillit abondamment de plusieurs sources ; tout y a un air vert et frais ; les jardins et les vergers sont bien cultivés ; les habitants sont fiers et indépendants... Fès est le point central du Maghreb occidental, fréquentée par des voyageurs de tous les pays, c'est le but auquel tendent les caravanes... Les habitants y jouissent de toutes les recherches du luxe et de toutes les commodités de la vie ».

Cette description est aussi confirmée par les chiffres que l'on trouve dans le Zahrat-el-As et dans le Rawd el-Kirtas, copiés par le machrif, le surintendant des finances : ils indiquent « 785 mosquées ou oratoires, 42 salles d'ablution, 80 fontaines, 93 bains publics, 373 meules à grains intra-muros, 89 236 maisons, 467 fondouks, 9 082 boutiques, 2 qiçariya, 3 064 métiers à tisser, 47 fabriques de savon, 86 tanneries, 116 teintureries, 12 fonderies, 135 fours à pain, 11 verreries, 188 ateliers de poterie. » Cela signifie, même si ces chiffres sont gonflés, que Fès a connu au XIIIème siècle une authentique prospérité.

A défaut d'être la capitale almohade, Fès était l'un des principaux centres économiques, sinon le principal, d'un grand Empire qui comprenait tout le sud de l'Espagne et toute l'Afrique du Nord. La paix régnait et les liens avec les habiles ouvriers andalous étaient étroits : toutes les conditions se trouvaient réunies pour que Fès connût une croissance sûre.

La vie de l'esprit y connaissait certainement aussi un développement intense : les poètes y étaient moins nombreux qu'en Espagne ; les historiens n'y fleurissaient pas encore, non plus que les philosophes. Mais les juristes et les théologiens bénéficiaient déjà d'une solide renommée et donnaient vraisemblablement déjà des cours dans la mosquée des Kairouanais et celle des Andalous.

Avec les Almohades se terminait la première grande période du développement de Fès. La ville était solidement charpentée, non seulement sur le terrain, avec ses mosquées, ses marchés, son système d'irrigation, ses remparts et sa forteresse, mais aussi dans le domaine des Institutions, avec son organisation corporative coiffée par le mostasseb, et, dans le domaine des idées, avec son université naissante, ses docteurs et ses écrivains. L'Islam, un Islam orthodoxe et omnipotent, donnait au tout sa couleur et sa tenue. Mais cet Islam officiel n'exprimait probablement pas la complexité du sentiment religieux, si l'on songe qu'aujourd'hui encore, malgré des siècles de tradition islamique rigoureuse, l'on peut y voir des arbres-marabouts, que des cultes naturistes y subsistent et que le culte des saints y a pris une grande ampleur. On est invinciblement amené à se dire que dans la Fès du XIIIème siècle, où les Berbères exigeaient que l'on s'exprimât en berbère dans la mosquée des Kairouanais, les antiques croyances du pays fleurissaient bien davantage encore.

Les premiers rapports de la dynastie mérinide avec les habitants de Fès furent mauvais au début. Le chef mérinide était entré à Fès en 1250 (645) ; dix-huit mois après environ, en chawwal 647 H., il fut obligé de partir en expédition et les habitants en profitèrent pour se révolter en faveur des Almohades : après un nouveau siège, ils capitulèrent de nouveau neuf mois plus tard.

Pourtant, dans l'imagination populaire, la ville de Fès est très liée au souvenir des Mérinides ; il faut bien avouer qu'à chaque pas on bute sur un souvenir mérinide ! Fès Jdid toute entière est une création de cette époque ; les médersas sont aussi mérinides ; mérinide encore, le charmant minaret de la mosquée Chrabliyin, mérinide la mesure-étalon de longueur naguère exposée dans le marché central, mérinide le culte même de Moulay Idris, le fondateur de la ville.

Peut-être, ce mauvais souvenir inspira-t-il au sultan mérinide Abou Youssef ya'koub, l'idée de bâtir une ville nouvelle, distincte de l'autre et le dominant, lorsqu'en 674 (1276) il put enfin souffler, à la faveur de victoires sur les descendants almohades et les chrétiens d'Espagne. Jusqu'alors les Mérinides n'avaient jamais pu s'installer paisiblement. La première raison d'être de la ville blanche fut sans doute d'y établir une résidence pour les princes : les Mérinides y logèrent tous les organismes de leur pouvoir politique, toute leur cour, toute leur suite. Fès devenait capitale.

Voici comment Ibn-el-Ahmar dans le Rawdat en-Nisrin raconte la fondation de la nouvelle Fès :

« L'émir des croyants sortit à cheval de la kasba de Fès l'ancienne, au milieu de la matinée, le dimanche trois du mois de Chawwal 674 (le 21 mars 1276), accompagné de géomètres et de maçons. Il se dirigea vers le bord de l'oued Fès. Arrivé là, il commença à creuser les fondations. Ce fut le savant cosmographe Mohamed b.el-Habbak qui tira un horoscope à cette occasion... Après l'établissement des remparts, il fit construire son palais, la grande mosquée Jama' el-kbir, et le marché, qui partant de Bab el-Kantara (la porte du pont), appelée maintenant Bab el-oued, va jusqu'à Bab 'Oyoun Sanhaja et au grand bain. Il ordonna aux vizirs et aux cheikhs mérinides d'y construire des maisons. Ils y élevèrent des édifices spacieux et d'un bel aspect, qui reçurent différents noms. Ils alimentèrent cette ville par une source nommée 'aïn'Omaïr', située à quelques kilomètres de là. (Ainsi Fès Jdid n'empruntait pas une goutte d'eau à la rivière de l'ancienne Fès). La cité était traversée par l'oued el-Jawahir, la rivière des perles... »

Si certains chroniqueurs l'appellent Fès la blanche, c'est par opposition à la ville ancienne, dont le temps avait davantage patiné les constructions. Ainsi, les Mérinides répugnèrent à reprendre la casba à leurs prédécesseurs ; cela est un sentiment fréquent chez les dynasties africaines ; elle devint résidence du gouverneur.

Fès Jdid devenait donc, pour employer notre langage moderne, « une ville administrative ». Les habitants de la médina ne s'y installèrent pas, mais bien les gens de la tribu des Béni Merin qui venait de prendre le pouvoir et les serviteurs qui y furent appelés par la suite. Le peuplement de Fès se trouvait désormais fixé pour des siècles : jusqu'à nos jours, elle n'a cessé d'être une ville d'étrangers, une « cité-Makhzen ». Et, d'une certaine façon se trouvait reconstituée la dualité originelle de Fès : les deux villes se trouvaient même davantage séparées que les deux cités idrissides d'autrefois, car elles n'avaient ni les mêmes réactions, ni les mêmes intérêts, ni les mêmes préoccupations. La dynastie mérinide, puis wattasside, ayant duré trois siècles, la ville nouvelle a subi bien des transformations.

L'histoire de Fès Jdid est attestée par la fondation de diverses mosquées, celle de Jama' el-Hamra par exemple, « la mosquée de la femme ou du minaret rouge », ou encore celle dite Lalla Jama' ez-Zhar, « madame la mosquée de la fleur d'oranger », édifiée en 1457 (759).

A ce moment, il est probable que toute la partie orientale de Fès Jdid était occupée de silos, de magasins et d'espaces vides où campaient les troupes de passage. Mais bientôt cette région elle-même se transforma en quartiers d'habitations, comme en témoigne la construction de la mosquée dite Lalla Ghriba en 1408.

D'après la description de Fès composée par Ibn Fadl Allah el-Omari, la ville neuve se composait alors de trois quartiers nettement individualisés :

— le quartier du Palais, avec la grande mosquée et les habitations des principaux personnages du gouvernement, appelé proprement el-madina el-baida.

— le faubourg chrétien occupé par la milice chrétienne, nommé Rabat en-Nsara.

— une troisième agglomération construite postérieurement au reste et dénommée Hims parce qu'elle abritait les cantonnements d'archers originaires de cette région de la Syrie.

Au XVIème siècle, deux autres descriptions de la ville ont été données par Léon l'Africain et Marmol ; ils donnent sensiblement la même vue des choses, à quelques transformations près. L'ancien « faubourg des chrétiens » est devenu une cité musulmane, animée par un arsenal où travaillent des captifs chrétiens, pris sur des champs de batailles, ou par des corsaires. Enfin, les archers syriens de la troisième agglomération ont été remplacés par des Juifs.

Bref, au XVIème siècle, Fès Jdid se composait d'un quartier proprement musulman, les environs de Dar el-Makhzen, d'un quartier uniquement juif, qui portait le nom de Mellah et d'un quartier à la fois militaire, commerçant et international où se coudoyaient, sans trop se heurter, semble-t-il, les musulmans et les chrétiens captifs ou libres. Telle était la physionomie humaine de Fès. Quant à son aspect architectural, ce qui frappait le plus était son caractère militaire : ses portes et murailles, et ses tours lui donnaient une fière allure austère.

La porte dite Bab Sba a été popularisée autrefois par de nombreuses photographies et par les timbres-poste.

Aujourd'hui, on trouve encore de nombreux monuments de l'époque mérinide : en particulier la grande Mosquée et un bâtiment qui servit de magasin à grains puis de prison, le Habb Zebbala. Ces monuments gracieux ou majestueux témoignent de l'effort déployé par les Mérinides pour embellir leur cité. En outre, ils avaient créé, au nord de la ville, sur les pentes désormais dénudées d'une colline, un jardin orné de bassins carrés dont on peut voir encore le tracé sur le sol.

Quelques efforts qu'ils aient dépensés en faveur de la nouvelle ville, les Mérinides n'ont pas pour autant négligé la Médina. Chacun sait qu'on leur doit en particulier les Médersas.

A la différence des Almoravides ou des Almohades, ils étaient arrivés au Maroc en conquérants purs et simples, sans prétendre réformer des pratiques abâtardies. Mais, une fois installés dans le pays et notamment à Fès, ils avaient senti le besoin de se poser en champions de l'Islam. D'où leurs expéditions en Espagne, pour s'opposer à la Reconquête chrétienne, d'où leur zèle pour le développement de la religion musulmane.

Jusqu'à leur venue, l'enseignement était dispensé dans les principales mosquées, ce qui éloignait d'office les étudiants étrangers à Fès. Les Mérinides décidèrent de créer des établissements spéciaux, où les jeunes gens de la campagne trouveraient logement, nourriture et pâture intellectuelle. Une médersa comprenait en effet non seulement des salles de cours mais aussi des chambres et un oratoire.

Deux furent même pourvues d'un minaret et érigées en mosquées où le peuple se rendait, en sus des étudiants.

Le premier collège construit fut la médersa es-Seffarine, l'école des Chaudronniers, fondé par Abou Youssef lui-même, le fondateur de Fès Jdid. Le fils d'Abou Saïd, Aboul Hassan qui n'était encore qu'héritier présomptif, édifia une autre Médersa dans les environs de la mosquée des Andalous. Elle aurait coûté plus de 100 000 pièces d'or ; plus vaste que les précédentes, elle se composait de deux corps de bâtiment, « l'école du bassin » et « l'école de ceux qui enseignent les sept psalmodies du Coran ». Deux ans après, en 1323 (723), Abou Saïd 'Othman ordonnait la construction d'un quatrième collège, « l'école des épiciers », Madrasat el 'Attarine.

Après un temps d'arrêt, la construction des médersas reprit en 1346 (747) : Aboul Hassan décida d'en construire une plus importante que toutes les précédentes ; puis le sultan Abou'Inan termina la série des médersas en faisant élever celle qui porte son nom. De l'autre côté de la rue, il fit bâtir une maison de l'Horloge, Dar el-Magana. Pour être tout à fait exact, il faut encore situer la médersa el-Hebbadine, l'école des feutriers. Ainsi, deux nouveaux collèges vinrent s'ajouter au quartier de

Page précédente : **Bab Bou Jeloud.**
(UNESCO / D. Roger)

Vue panoramique de la Médina de Fès, des tombeaux Mérinides.
(Office marocain du tourisme)

Fès vu du Borj sud — Ci-dessous : **Assainissement de l'Oued Fès où sont déversées les ordures de la Médina.**
(UNESCO / D. Roger)

*
* *

Près des temples, on trouvait environ 150 lieux d'aisance publics : les édifices carrés présentaient sur leur pourtour des cabinets munis d'un portillon. Au milieu de chaque édifice, il y avait un bassin profond à partir duquel étaient aménagées des conduites qui amenaient l'eau courante jusqu'aux latrines, avant qu'elle ne soit entraînée à la rivière. En effet, un système de petits égoûts dirigeait toutes les eaux usées de la ville vers le fleuve.

Les maisons, de deux ou trois étages, étaient bâties en briques et en pierres soigneusement travaillées et ornées de jolies mosaïques. Les cours et les portiques étaient également carrelés avec des carreaux anciens de diverses couleurs, à la manière des vases de majolique. On avait coutume de peindre les plafonds de bois horizontaux, d'azur ou de la couleur de l'or. Les toits étaient tout entiers en terrasses, de manière que l'on puisse y dormir l'été et y étendre le linge. A tous les étages, des balcons ornés permettaient de passer à couvert d'une chambre à l'autre, parce qu'elles donnaient toutes sur une cour intérieure découverte. Chez les personnes aisées, on faisait sculpter les vantaux des portes et l'on disposait dans les chambres de très belles armoires peintes qui occupaient toute la largeur de la pièce. Beaucoup de maisons possédaient de vastes bassins rectangulaires, revêtus d'un carrelage de majolique, que l'on gardait très propres jusqu'à l'été : alors hommes, femmes et enfants s'y baignaient. On avait également coutume de construire sur les toits des maisons une tour comprenant plusieurs chambrettes spacieuses et joliment ornées : c'est là que les femmes prenaient leur récréation lorsqu'elles étaient lasses de leur travail car, de là, elles pouvaient apercevoir presque toute la ville... On comptait à Fès dans les 700 temples et mosquées, dont une cinquantaine étaient somptueux, vastes et ornés de colonnes de marbre. Chacun d'eux avait ses fontaines, faites de marbre ou de pierres rares. Les plafonds des temples étaient faits à la manière européenne, c'est-à-dire en planches. Le carrelage du sol était caché par de belles nattes, jusqu'à hauteur d'homme. Chaque temple avait sa tour où montaient ceux qui criaient pour annoncer les prières ordinaires. Il n'y avait qu'un seul prêtre par temple auquel incombait de dire cette pière. Celui-ci avait en outre la charge des revenus de son temple ; et il devait rétribuer les employés du temple, tels ceux qui gardent les lampes allumées pendant la nuit, ceux qui sont affectés à la garde des portes ou ceux qui appellent à la prière pendant la nuit. Celui qui criait les heures de prière pendant le jour ne recevait en effet aucun salaire, mais il était exempté de la dîme et de tout autre impôt.

Le principal temple était appelé le temple de Carauuen. De nos jours, c'est encore le temple le plus grandiose de Fès. Son circuit était d'environ un mile et demi, il était percé de 31 portes et sa tour s'élevait déjà haut dans le ciel. Autour de l'édifice, dans des magasins logés sous des portiques, on conservait l'huile et les autres objets nécessaires aux besoins du temple. Toutes les nuits, 900 lampes étaient allumées ; la seule rangée d'arcades du milieu, qui menait au chœur du temple, possédait à elle seule 150 lampes. Des lustres en bronze, ramenés de certaines villes chrétiennes, y étaient suspendus.

A l'intérieur du temple, le long des murs, on voyait des chaires du haut desquelles plusieurs professeurs enseignaient au peuple les sciences morales et spirituelles qui se rattachaient à la loi de Mahomet. Chaque savant recevait pour ses leçons un très bon traitement et on lui fournissait les livres et la lumière.

Le prêtre du temple avait comme charge essentielle de faire la prière mais il était aussi responsable des deniers et des biens offerts aux enfants mineurs et il devait répartir parmi les pauvres l'argent et les grains récoltés à chaque fête, suivant leurs charges de famille. La fonction de percepteur du temple était importante. Celui-ci disposait de huit secrétaires ; de six hommes qui recouvraient l'argent des loyers, des maisons, boutiques et autres revenus ; et en sus, d'une vingtaine d'agents chargés de se rendre aux environs pour fournir aux laboureurs, aux vignerons et aux jardiniers ce dont ils avaient besoin. En dehors de Fès, à un mile environ, il existait près de 20 fours à chaux et autant de fours à briques pour les besoins des constructions du temple et de ses propriétés.

Le temple avait 200 ducats de rentes par jour, mais on en dépensait plus de la moitié pour les frais cités plus haut, sans compter que les temples ou mosquées qui n'avaient pas de rentes étaient fournis par lui de bien des choses. Au surplus, il avançait ce qui était nécessaire à l'utilité publique dans la ville car la commune n'avait aucun revenu d'aucune sorte. Il est vrai également que les rois de Fès avaient pris l'habitude de se faire prêter de grosses sommes par le prêtre du Temple, qu'ils ne lui rendaient jamais. On trouvait à Fès onze collèges d'étudiants, qui avaient été construits par les divers rois mérinides. Le plus somptueux était celui qu'avait fait bâtir le roi Abu Henan, en dépensant 480 000 ducats.

Certains hospices de Fès n'étaient pas inférieurs en beauté aux collèges. On y donnait l'hospitalité à quelques docteurs étrangers ou à quelques nobles de la ville, mais qui étaient pauvres, et cela pour maintenir les chambres en état. Il existait même quelques chambres réservées aux fous. Les étuves de Fès, bien soignées, étaient au nombre de cent : elles se composaient d'une salle froide, d'une salle plus chaude dans laquelle des garçons vous lavaient et enfin d'une troisième salle où l'on transpirait et où se trouvait la chaudière, alimentée au fumier. Quand les femmes occupaient l'étuve, une corde était tendue au travers de la porte pour le signaler et aucun homme n'y allait. Presque tous les jeunes gens y entraient nus ; mais les hommes « d'un certain rang » se ceignaient d'une serviette.

Les 200 hôtelleries de Fès étaient vraiment très bien construites. Certaines comportaient 120 chambres sur trois étages, voire plus. Il n'y avait pas que les étrangers qui logeaient dans ces hôtelleries mais tous les hommes veufs de la ville qui n'avaient ni maison, ni parents. Il semble qu'il y régnait en outre une grande liberté de mœurs. A en croire Léon l'Africain, toute la population de la ville aurait souhaité la mort « de certains individus qui constituaient une engeance appelée el cheua : ce sont des hommes qui s'habillent en femmes et portent des ornements comme les femmes. Ils se rasent la barbe et vont jusqu'à imiter les femmes dans leur façon de parler. Chacun de ces êtres abjects a un concubin et se comporte avec celui-ci exactement comme une femme avec son mari ». Mais les hôtelleries étaient tolérées car les hôteliers payaient une redevance au chatelain et au gouverneur de la ville ; en outre ils fournissaient des cuisiniers pour l'armée des princes et du roi.

A l'intérieur même de Fès, 400 moulins appartenaient aux temples et aux collèges. Ils étaient tenus par des locataires, les fariniers, qui achetaient le grain aux paysans et vendaient la farine dans des boutiques de la ville. Le loyer était de 200 ducats par meule... Enfin, une profusion de métiers et de boutiques animait la ville. Les notaires occupaient dans les 80 boutiques, en partie mitoyennes avec le mur du temple, en partie situées en face. Chaque boutique était occupée par deux notaires.

Plus à l'ouest, on comptait une trentaine de boutiques de libraires. Vers le sud, on trouvait les marchands de chaussures qui possédaient dans les 150 boutiques. A l'est du temple se situait l'emplacement des marchands d'ustensiles de cuivre et de laiton. Juste en face de la porte principale du temple, à l'ouest, étaient établies une cinquantaine de boutiques de fruitiers ; après eux venaient les marchands de cire, les fleuristes, les laitiers et 30 marchands de coton. Au nord, on distinguait les marchands d'objets de chanvre, les grainiers, les marchands de sel et de plâtre puis les 100 marchands de vases. Ensuite, c'étaient les 80 boutiques pour le harnachement des chevaux. Puis l'on arrivait à l'emplacement des portefaix : ils ne payaient aucun impôt ni aucune gabelle, non plus que la cuisson de leur pain chez les fourniers ; en matière de justice aussi, ils étaient privilégiés mais leurs mœurs étaient bonnes. Ils étaient dans les 300 et leur consul leur répartissait le travail ; ils disposaient d'une caisse de solidarité et s'entraidaient « comme des frères ».

Au-delà de l'emplacement des portefaix se trouvait la place du chef des consuls et des juges qui avaient autorité sur toutes les marchandises comestibles. Au milieu de cette place, on vendait des carottes et des navets dans un enclos de roseaux : ces légumes étaient si appréciés à Fès que le commun ne pouvait les acheter directement aux maraîchers. Dans les boutiques de la place, on trouvait du vermicelle et des boulettes de viande hachée. Après cette place, vers le nord s'étendait le marché aux herbes, puis aux beignets et 15 boutiques dans lesquelles on faisait rôtir du mouton toute la journée ; on vendait aussi de la viande frite et des poissons frits. Les cultivateurs avaient coutume de consommer dans les boutiques mêmes le matin de bonne heure puis ils partaient aux champs. Après on voyait des boutiques pleines de vases de majolique : ils se vendaient aux enchères et coûtaient plus que la marchandise qu'on leur faisait contenir, de l'huile, du beurre salé, du miel, des olives ou des câpres. Les bouchers, dont l'abattoir était situé à côté de la rivière, disposaient d'une quarantaine de boutiques : toute viande était présentée au chef des consuls qui octroyait le bulletin obligatoire sur lequel figurait le prix. Bientôt, on pouvait acheter des étoffes en laine dans l'une des 100 boutiques ou s'entendre avec les fourbisseurs d'armes, les pêcheurs, les fabricants de cages à poules, les marchands de savon, de grains ou de paille. Puis l'on atteignait le marché au lin...

Revenons maintenant à la partie ouest, c'est-à-dire celle qui s'étendait des abords du temple jusqu'à la porte qui donnait sur le chemin de Mecnase : après le marché de « la fumée », c'est-à-dire de la friture, on trouvait les fabricants des seaux de puits dont on se servait dans les maisons où il y avait des puits. Par là, on pouvait aussi rencontrer les fabricants de récipients où l'on mettait la farine et le blé, les savetiers, les fabricants de targes et d'écus de cuir à la mode africaine comme l'on en voyait en Europe, les blanchisseurs ; plus loin, venaient les boutiques des artisans qui ornaient les étriers, les éperons, les selles et ferrements de brides.

Non loin de la citadelle, un vaste marché se présentait comme une espèce de petite ville entourée de murs qui présentaient 12 portes ; chacune de ces portes était traversée d'une chaîne pour que les chevaux et les autres bêtes ne puissent y pénétrer. C'était le marché aux 15 quartiers. Deux d'entre eux étaient affectés aux cordonniers qui faisaient les chaussures des gentilshommes. Deux autres étaient réservés aux marchands de soieries. Puis l'on trouvait les fabricants de ceintures de femmes, en grosse laine. Après ces quartiers, deux autres étaient occupés par des marchands de draps d'origine européenne ; ces drapiers étaient des Grenadins. Une soixantaine de crieurs vendaient les étoffes, après être allés les faire estampiller au bureau des Gabelous qui se situait là. Plus loin les tailleurs occupaient trois quartiers. Ensuite c'était le quartier des ourleurs de turbans de tête. Les deux quartiers suivants étaient destinés aux étoffes pour les femmes. Puis venait un quartier où l'on achetait des vêtements de drap de provenance européenne, un quartier pour les burnous et enfin le dernier où l'on revendait les nappes et les vieilles chemises.

On trouvait encore aux alentours de la citadelle quantité de boutiques : y étaient établis droguistes, fabricants de peignes en bois ou en buis, fabricants d'aiguilles, tourneurs, marchands de balais, marchands des garnitures de tentes. C'est là qu'était le marché des oiseliers. Puis venaient les fabricants de socques que portent les gentilshommes quand les rues sont boueuses. Plus loin on reconnaissait les maures d'Espagne qui vendaient des arbalètes, les marchands de clous, les ouvriers du cuivre, les limeurs d'objets de fer, les artisans qui travaillent le bois, les teinturiers, auprès de la rivière, et les maréchaux qui ferraient les bêtes. Ces marchés finissaient avec les lustreurs de toiles.

Un autre marché, juste en face de la porte du grand temple, était entièrement pavé de briques. C'était là que s'offraient au regard les boutiques pour les divers arts et métiers.

En tout, on dénombrait à Fès 520 maisons de tisserands et 150 ateliers de blanchisseurs de fils, pour la plupart bâtis près de la rivière.

On trouvait en ville quelques grands entrepôts où l'on sciait le bois de diverses sortes. Ce travail était fait par des esclaves chrétiens auxquels leurs patrons donnaient de quoi vivre.

Il existait aussi des maisons publiques où des prostituées exerçaient leur métier à bas prix. Ces femmes étaient protégées par le commissaire de police ou par le gouverneur de la ville.

Certains hommes exerçaient, sans que la cour s'en offensât, le métier de tabacchino. Ils offraient dans leurs maisons des femmes de mauvaise vie et du vin à vendre, chacun pouvant en user en toute tranquillité... La partie orientale de la ville comprenait de fort beaux édifices, des temples et des collèges. Elle n'était pas aussi bien pourvue de gens de différentes professions. Il y existait peu de boutiques, mis à part les droguistes et les potiers qui s'y trouvaient en abondance.

Dans la partie sud de la ville qui était à peu près inhabitée, il y avait beaucoup de jardins pleins d'excellents arbres fruitiers divers, tels que des orangers, des citronniers, des cédratiers, ainsi que de jolies fleurs parmi lesquelles le jasmin, des roses de Damas et des genêts importés d'Europe.

Dans la partie occidentale de la ville qui confinait à la cité royale, on voyait la citadelle qui avait été bâtie au temps des rois de Luntama. Elle était aussi grande qu'une ville. Depuis que le Nouveau Fès avait été construit par les rois mérinides, cette citadelle n'était plus que la résidence du gouverneur. Il y existait un beau temple et aussi une prison qui pouvait contenir 3000 personnes... La *Nouvelle Ville* de Fès était complètement entourée de deux très fortes murailles. Elle s'étendait dans une jolie plaine près de la rivière, à un mile environ à l'ouest de la vieille ville, un peu vers le sud.

Entre les deux murailles passait un bras de la rivière, celui qui se dirigeait vers le nord et sur lequel étaient situés les moulins. C'était Jacob, fils d'Abdultach, premier roi de la maison des Bani Marin, qui avait fait bâtir cette ville. Celui-ci décida de construire cette ville nouvelle et d'y transférer le siège du gouvernement royal qui était autrefois à Marrakech. Cela fut fait et la ville reçut le nom de Ville Blanche : mais le peuple l'a appelée le Nouveau Fès.

Au seizième siècle, la ville était pratiquement telle que le roi l'avait créée : elle se composait de trois parties.

La première était réservée aux palais destinés au roi, à ses fils et à ses frères. Jacob voulut que ces palais eussent tous leur jardin. Dans la seconde partie, il fit construire de grandes écuries pour les chevaux qu'il montait personnellement et plusieurs palais pour ses capitaines et les personnages les plus distingués de la cour. De la porte ouest à la porte est, on organisa le marché de la ville, sur l'avenue d'un peu moins d'un mile et demi. Près de la porte ouest, à la seconde muraille, il fit faire une grande galerie avec plusieurs logettes où devaient se tenir en permanence le gardien de la ville et ses soldats.

La troisième partie de la ville fut assignée comme logement à la garde personnelle du roi qui se composait d'orientaux, alors armés d'arcs. Mais au seizième siècle, on trouvait à la place des temples et de très belles étuves.

Dans les souks de Fès, aux rues couvertes de claies de roseaux.
(Office marocain du tourisme)

Le carillon de Bou Inania.
(UNESCO / D. Roger)

Musée du Batha, à Fès.
(Office marocain du tourisme)

Une salle du **Musée des Armes,**
situé sur la colline des tombeaux des Mérinides.
(Office marocain du tourisme)

La fontaine Najjarine.
(UNESCO / D. Roger)

La plus grande porte en bois sculpté de la Grande Mosquée Qaraouiyine.
(Office marocain du tourisme)

Près du palais du roi, on voyait l'atelier de frappe de la monnaie : le zecca. Au milieu de la cour existait un bureau occupé par le directeur de la zecca, ses comptables et ses scribes, car la zecca, à Fès comme ailleurs, était un office qui fonctionnait pour le roi et son revenu lui appartenait.

Près de la zecca s'étendait le marché des orfèvres : le consul de ces orfèvres était la personne qui détenait le poinçon des métaux et les coins d'argent ou d'or si le métal n'avait pas été poinçonné. Aucun mahométan ne pouvant exercer cette profession, car on disait que vendre les objets d'or ou d'argent à un prix supérieur à leur poids était de l'usure, la plupart des orfèvres étaient des Juifs. Le roi Abu Sahid les avait transférés de la ville ancienne au nouveau Fès où on les voyait au seizième siècle, car avant, chaque fois qu'un roi mourait, les Maures allaient piller les Juifs. Le long de la longue artère où ils habitaient ils avaient leurs boutiques et leurs synagogues ; ils devaient au trésor royal 400 ducats par mois. D'après Léon l'Africain, ils étaient méprisés par tout le monde. Ils devaient porter des sandales de jonc et un turban noir, ou bien, s'ils tenaient à garder un bonnet, ils étaient obligés d'y coudre un morceau d'étoffe rouge. Avec le temps, le Nouveau Fès avait été embelli par des palais, des temples et des collèges. Au quinzième siècle, un Espagnol l'avait dotée de grandes roues, qui collectaient l'eau de la rivière pour l'envoyer dans la nouvelle ville : quelle que fût la force du courant, elles ne faisaient pas plus de 24 tours en un jour et une nuit.

Peu de nobles habitaient dans le Nouveau Fès, en dehors des parents et des proches de la cour. La population se composait uniquement de roturiers, occupant de bas emplois, parce que les personnes de qualité dédaignaient, au dire de notre narrateur, d'être admises aux emplois de la cour. Elles n'accordaient même pas leurs filles en mariage aux gens de la cour.

La vie à Fès était étonnante, on y trouvait toutes sortes d'activités et de gens.

En matière de justice, seuls quelques officiers ministériels et quelques magistrats exerçaient. Le gouverneur avait autorité sur les causes civiles et criminelles. Un juge était préposé à la justice canonique et un autre s'occupait des questions de mariage, de répudiation ainsi que de l'examen des témoignages. Ensuite venait l'avocat que l'on consultait sur les points de droit et auquel on faisait appel des jugements.

Le gouverneur bénéficiait des amendes qui étaient infligées.

La peine la plus élevée était la fustigation en présence du gouverneur : 100 ou 200 coups de fouet, voire plus. Après quoi, le bourreau promenait le condamné dans toute la ville, complètement nu, « sauf les parties honteuses », une chaîne au col, avant de le ramener à la prison. Les juges, les avocats et les procureurs ne recevaient aucun salaire et vivaient d'autres ressources ; les juges étaient souvent professeurs ou prêtres dans quelque temple.

Quatre commissaires de police, pas davantage, faisaient des rondes dans Fès ; ils vivaient des taxes qu'ils infligeaient mais ils pouvaient tenir une taverne ou exercer le métier de tabacchino ou de souteneur. Le gouverneur n'avait ni juge, ni greffier : il prononçait les sentences à voix haute, comme bon lui semblait.

Un seul fonctionnaire dirigeait la douane et la gabelle. Il versait 30 ducats par jour au trésor royal. Il plaçait à chaque porte de la ville des gardiens et des secrétaires. Les marchandises importantes n'étaient pas payées aux portes, mais au bureau de la douane. De même, on percevait les taxes sur les moutons à l'abattoir : deux baiocchi par mouton, plus un baiocco pour le gouverneur qui était le chef des consuls.

Ce fonctionnaire, escorté de 12 archers, parcourait fréquemment la ville à cheval pour contrôler les produits : si le poids du pain ou de la viande n'était pas réglementaire, il assénait au vendeur un coup de poing sur la nuque, ou le faisait fouetter publiquement. Cette fonction était conférée par le roi aux gentilshommes qui la lui demandaient, souvent à des gens ordinaires et ignorants.

Selon le goût de Léon l'Africain, « les nobles de Fès étaient des gens vraiment distingués ». L'hiver, ils s'habillaient de vêtements de drap d'origine étrangère. Leur costume se composait d'une veste très serrée à manches courtes passée sur la chemise, d'une robe large par-dessus et d'un burnous. Ils portaient des pantalons de toile et, sur la tête, un bonnet plus un turban qui faisait deux fois le tour du crâne et passait sous le menton.

Les gens du peuple portaient des burnous en laine grossière du pays. Les femmes étaient très bien habillées : les nobles, quand elles sortaient, mettaient des pantalons et un voile qui leur couvrait le visage, sauf les yeux, la tête et tout le corps. Leurs oreilles étaient ornées d'anneaux d'or avec des pierrerries, et leurs poignets couverts de bracelets. Les femmes du peuple en portaient aussi, mais en argent.

Les trois repas de la journée se prenaient par terre, sur des tables basses, sans serviettes ni linge : on mangeait avec les mains et l'on ne buvait qu'après être rassasié. Quand il y avait du couscous, tous les convives puisaient dans le même plat. On se nourrissait de pain, de fruits, d'un potage de froment ou d'une bouillie, de fromage, d'olives et de raisin, de lait. Le peuple disposait de viande deux fois par semaine et les nobles deux fois par jour : viande bouillie accompagnée des boulettes de couscous, pâte arrosée de beurre et de bouillon.

Pour les mariages, on observait les usages suivants. Quand un homme voulait prendre femme, dès qu'un père lui avait promis sa fille, le père du prétendant, si celui-ci en avait un, invitait ses amis à l'église et amenait avec lui deux notaires qui dressaient le contrat et déterminaient les conditions des apports, en présence des fiancés. Les citadins de situation modeste donnaient d'habitude 30 ducats comptant, une esclave noire d'une valeur de 15 ducats, une pièce d'étoffe tissée soie et lin. Si le père voulait donner à sa fille quelque beau vêtement, c'était par gentillesse, car il n'était tenu à aucune dépense, en sus de l'argent qu'il versait à l'époux, mais il aurait eu honte de ne rien ajouter à cette somme. Outre les 30 ducats de dot, le père en dépensait généralement 200 à 300 pour munir l'épouse de vêtements ou d'objets de ménage. Une fois le contrat établi à la satisfaction des deux parties, le fiancé emmenait tous les assistants déjeuner avec lui : il leur offrait des beignets, un rôti et du miel. De son côté, le père de la fiancée invitait aussi ses amis à un repas.

Lorsque l'époux voulait conduire l'épouse chez lui, il la priait de s'installer dans un coffre de bois à huit pans, recouvert de belles étoffes de soie et de brocart et il la faisait promener à travers toute la ville par des portefaix. Les amis du mari ouvraient le cortège, munis de torches ; ceux du père de l'épouse suivaient la mariée. On jouait avec des flûtes, des trompettes et des tambourins. On passait d'habitude par le grand marché, près du temple. Après l'arrivée au marché, l'époux saluait le père de la mariée et les parents de celle-ci ; puis, sans plus tarder, il rentrait chez lui attendre son épouse dans sa chambre. Le père, le frère et l'oncle de la mariée venaient tous ensemble la remettre aux mains de la mère du mari. Dès que l'épouse était entrée dans la chambre, le mari posait un pied sur le pied de sa femme. Cela fait, tous deux s'enfermaient dans la chambre tandis qu'une femme attendait à la porte même que l'époux lui apportât un linge imbibé de sang, preuve que l'épouse avait bien été déflorée. Alors, la femme, le linge à la main, allait trouver les invités en criant et leur faisait savoir que la mariée avait été trouvée vierge. Si par aventure, ce n'était pas le cas, le mari la rendait promptement à son père et à sa mère. C'était une très grande honte pour eux, d'autant que les invités s'en allaient sans manger.

On prenait, dans les jours suivants, trois repas de noces chez le mari et deux chez le père de l'épouse. Si c'était un remariage de la femme, on faisait les noces avec moins d'apparat.

La coutume voulait aussi que l'on fît un banquet, lors de la circoncision d'un enfant mâle, ce qui avait lieu le septième jour après la naissance : ce jour-là le père faisait appeler le barbier et offrait un repas à ses amis. On dansait même ; mais pour la naissance d'une fille, on montrait moins d'allégresse...

En sus des fêtes ordonnées par la loi de Mahomet, on pratiquait des fêtes enseignées par les Chrétiens. La nuit de la Nativité du Christ, on avait coutume de manger un certain potage préparé avec de multiples légumes. Le premier de l'an, les enfants se mettaient un masque sur le visage et allaient mendier des fruits chez les gentilshommes, en chantant certaines chansons. Le jour de la Saint Jean, on faisait dans tous les quartiers de grands feux de paille. Quand un enfant commençait à percer ses dents, ses parents invitaient d'autres enfants : c'était la dentilla.

Le deuil du peuple était grossier, au dire de Léon l'Africain : « quand elles perdaient le mari, le père, la mère ou le frère de l'une d'elles, les femmes faisaient venir ces sales individus qui circulent habillés en femmes ». Elles-mêmes s'habillaient grossièrement et se barbouillaient le visage de suie qu'elles prenaient aux marmites. Les pleureurs improvisaient des vers larmoyants à la louange du défunt : à la fin des vers, les femmes se lacéraient la poitrine et les joues, s'arrachaient les cheveux ; on criait aussi et on frappait sur les tambourins. Cela durait sept jours entiers, puis au bout de quarante jours, les lamentations devaient reprendre trois autres journées.

Chez les gentilshommes, le deuil était plus discret ; on pleurait sans se meurtrir et tous les proches parents envoyaient des mets, car tant que le mort restait dans la maison, on n'y faisait pas de cuisine...

Beaucoup de personnes à Fès s'occupaient de pigeons de diverses couleurs : elles ouvraient leurs colombiers, situés sur les toits plats des maisons deux fois par jour.

Entre gens « bien élevés », le seul jeu en usage était les échecs. Parfois les jeunes gens s'amusaient à faire des combats de rue, en se bastonnant ; mais il arrivait que leurs combats dégénèrent et qu'ils s'entretuent, en particulier lors des fêtes.

Fès comptait de nombreux poètes. Ils composaient des vers en langue vulgaire sur divers sujets, en particulier sur l'amour. Certains décrivaient l'amour qu'ils éprouvaient pour des femmes ou encore pour des jeunes garçons, dont ils mentionnaient le nom sans gêne. Ces poètes composaient chaque année, lors de la fête de la naissance de Mahomet, un poème à la gloire de celui-ci.

Il existait environ 200 écoles pour les enfants qui voulaient apprendre à lire ; on y disposait, comme dans les écoles des collèges, de deux jours de vacances par semaine. Chaque école comportait une grande salle avec des gradins qui servaient de sièges aux enfants ; ils écrivaient sur de grandes planchettes. C'était dans le Coran qu'ils apprenaient à lire et à écrire : la leçon quotidienne consistait en un verset du Coran. Au bout de sept ans, l'enfant finissait par le savoir par cœur. Ensuite, le maître apprenait un peu d'orthographe. Lors de la fête de la nativité de Mahomet, tous les enfants amenaient de magnifiques cierges : on les allumait à la pointe de l'aube et on les éteignait au lever du soleil.

Lorsqu'un enfant en était arrivé à une certaine partie du Coran, son père faisait un cadeau à l'instituteur. Et, lorsque son enfant savait tout le Coran, il offrait à toute l'école un banquet solennel : il s'y rendait monté sur un superbe cheval que le châtelain de la ville royale était obligé de lui prêter ainsi que le vêtement.

Les devins étaient fort nombreux et se divisaient en trois groupes : les premiers pratiquaient l'art de la géomancie, en traçant des figures. D'autres mettaient de l'eau dans une terrine vernissée et lisaient, comme dans un miroir, dans l'eau translucide, où ils ajoutaient une goutte d'huile. Enfin, la troisième catégorie comprenait des femmes : des démons de toutes couleurs parlaient à travers leurs voix qu'elles modifiaient pour ce faire, étrangement parfumées de surcroît. Selon notre narrateur, il arrivait que l'une de ces devineresses s'éprît d'une belle femme venue pour la consulter, et réussisse à l'ôter à son mari, si même « le buffle de mari n'offrait pas un banquet à toute la corporation ». Mais parfois aussi, des maris plus habiles « faisaient semblant d'être eux-mêmes possédés du démon et attrapaient les Sahacat comme elles avaient attrapé leur femme » !

Les muhazzimin étaient des enchanteurs d'une autre espèce. Ils pratiquaient l'exorcisme et ordonnaient à l'esprit de quitter le corps du possédé, en procédant à une incantation, après avoir peint des signes sur lui et l'avoir parfumé.

Mais cela était simple comparé aux pratiques d'une autre catégorie de gens, qui opéraient d'après une règle dite Zairagia, c'est-à-dire Cabale. Il fallait être excellent astrologue et mathématicien pour savoir l'utiliser : certaines figures du Zairagia nécessitaient une journée entière.

Cette règle, comme toutes les sciences divinatoires, était interdite par les théologiens mahométans ; pourtant elle était tolérée car on la pratiquait même dans la cour du collège Abu Henan.

Les docteurs en morale jouissaient d'une grande autorité : chaque branche avait son chef, ses légistes et se basait sur des ouvrages savants. Fès comptait des soufistes : ils pensaient que le Saint Esprit accordait la connaissance de la vérité à quiconque avait le cœur pur et ils n'observaient plus d'autres rites que ceux en usage chez les docteurs ; en revanche, ils prenaient tous les plaisirs que leurs règles considéraient comme licites, ils dansaient avec frénésie lors de festins et chantaient, réchauffés par la flamme divine. Certains gentilshommes invitaient des soufistes pour animer leurs noces ; les jeunes soufistes se prêtaient aux caprices des hommes âgés. Les soufistes qui ne prenaient pas femme, n'exerçaient pas de métier et vivaient de hasard, étaient appelés ermites.

Une autre secte, considérée comme hérétique par les docteurs légistes et par les soufistes, voulait que ses disciples aillent, inconnus, de par le monde, sous l'apparence d'un fou, d'un grand pécheur ou sous celle d'un tabacchino. Ils croyaient en Elcobb, et qu'il participait de la nature de Dieu. Ils croyaient que l'homme pouvait acquérir une nature angélique par le jeûne ou par l'abstinence ; ils devaient pour cela passer par cinquante degrés de cinquante degrés. Léon l'Africain nous raconte que, sous ce prétexte, des imposteurs et des scélérats erraient en Afrique, plus ou moins nus et « s'accouplaient même avec des femmes sur les places publiques, comme le font les bêtes ».

Les cabalistes aussi pratiquaient le jeûne et ne mangeaient pas de viande ; ils portaient des vêtements différents selon les heures et respectaient un calendrier de prières compliqué. Pour que les esprits leur soient favorables, ils portaient des amulettes peintes. Ils s'appuyaient sur divers traités : « la démonstration de la lumière », « le soleil des sciences » et « la vertu » étaient les plus célèbres des huit. Il existait dans cette secte une autre règle, celle des Suuacs suivie par des ermites. Ceux-ci vivaient dans la solitude et ne se nourrissaient que d'herbes et de fruits sauvages. Personne ne pouvait savoir exactement l'existence qu'ils menaient parce qu'ils fuyaient toute relation humaine.

Léon l'Africain considérait comme « des sots » les Canesin, c'est-à-dire les chercheurs de trésors. Ceux-ci disposaient de livres où étaient mentionnées les localités à fouiller. Ils étaient persuadés que lorsque l'empire d'Afrique avait été enlevé aux Romains, ceux-ci avaient caché nombre d'objets précieux dans les environs de Fès, avant de partir vers la Bétique d'Espagne. Ils se procuraient des enchanteurs pour découvrir les trésors ; ils avaient même créé un consul pour offrir aux propriétaires des terrains endommagés par leurs fouilles de réparer le préjudice causé.

Le principal traité des alchimistes de Fès était celui de Geber. Ils étaient de deux sortes : les uns poursuivaient la recherche de l'élixir qui donne sa teinte à tout métal ; les autres expérimentaient tous les alliages possibles. En fait, nombre d'entre eux en arrivaient à fabriquer de la fausse monnaie.

Enfin, les bateleurs animaient Fès : ils chantaient sur les places des romances, des chansons, jouaient du tambourin, de la viole ou de la harpe. Ils vendaient au peuple des papiers qui indiquaient des formules contre les divers maux.

L'administration de Fès relevait alors de la féodalité. La désignation du Roi de Fès ne se faisait ni par l'hérédité, ni par l'élection populaire, ni par le choix des puissants ou du chef de l'armée : chaque prince, avant de mourir, obligeait les principaux personnages de la cour, sous la foi du serment, à reconnaître son successeur, souvent son fils ou son frère.

Dès qu'il était reconnu roi, le successeur choisissait son grand conseiller parmi les nobles et lui assignait le tiers des revenus de son royaume. Ensuite, il choisissait un secrétaire qui lui servait en fait de trésorier et de majordome. Il nommait les capitaines de cavalerie, chargés de la garde du royaume, qui parcouraient bientôt les campagnes alentour. Il établissait dans chaque ville un gouverneur qui jouissait de l'usufruit du revenu de la ville mais devait maintenir à la disposition du Roi des cavaliers promptement mobilisables. Il nommait des commissaires et intendants pour les tribus des montagnes et les arabes assujettis. Ensuite, le roi créait des barons, nommés custodes : ils recevaient des châteaux et devaient être en mesure d'accompagner le Roi à l'armée. Le roi disposait aussi de cavaliers légers qu'il entretenait.

Un commissaire était spécialisé dans le soin des chameaux : les chameliers, qui possédaient deux chameaux étaient à sa disposition et ainsi à celle du roi. Un dépensier distribuait les vivres pour le roi et l'armée : il les entreposait dans une dizaine de tentes, les transports se faisant à dos de chameaux.

Un maître des écuries prenait soin des chevaux, mulets et chameaux du souverain. Un commissaire aux grains s'occupait de l'orge et nourrissait les bêtes.

Cinquante cavaliers, commandés par un capitaine, allaient notifier les impôts de la part du secrétaire du roi et en son nom.

Le capitaine qui était chargé de la garde personnelle du roi était particulièrement considéré.

Auprès du roi, un chancelier détenait le sceau royal : c'était un serviteur fidèle.

Le capitaine des estafiers était présent quand le roi donnait audience : il tenait à peu près l'emploi d'un camérier. Le capitaine aux convois assurait le déplacement des tentes ; un seul porte-drapeau tenait le sien déployé, en tête du convoi, les autres servant de guides. Le roi disposait de nombreux timbaliers ; les trompettes n'étaient pas entretenus à ses frais. En conseil ou en audience, c'était le maître de cérémonie, placé au pied du roi, qui plaçait les gens. Les domestiques du roi étaient surtout des esclaves noires, à l'exception de quelques chrétiennes. Quant aux femmes, elles étaient toutes sous la garde des eunuques.

En vérité, le roi de Fès possédait un grand royaume. Mais son revenu atteignait à peine 300 000 ducats ; le cinquième seulement lui demeurait personnellement, dont la moitié consistait en bétail, huile et beurre.

Le roi de Fès dirigeait enfin en permanence 6 000 cavaliers soldés, 500 arbalétriers et autant d'arquebusiers montés, toujours prêts à exécuter les ordres royaux.

Les pompes et les cérémonies de la cour étaient rares. Le roi n'y consentait pas volontiers.

Lorsque le roi voulait monter à cheval, le maître des cérémonies en informait les courriers en son nom. Ceux-ci prévenaient ensuite les parents du roi, les capitaines, les custodes et autres chevaliers. Quand le roi sortait du palais, les courriers assuraient la mise en ordre du cortège. Le roi était accompagné du grand conseiller et de quelque prince. Certains officiers à cheval précédaient le roi ; l'un portait son épée, l'autre son écu, l'autre son arbalète. Autour de lui marchaient ses estafiers dont l'un portait sa pertuisane, un autre la couverture de selle et le licol de son cheval, un autre encore les socques du roi, en bois et garnies de broderies. Le chef des estafiers venait derrière le roi ; il était suivi des eunuques. Le cortège comprenait ensuite la famille du roi, suivie des chevaux-légers, puis des arbalétriers et des arquebusiers.

Le costume que portait le roi à cette occasion était modeste ; l'on ne pouvait le reconnaître à l'élégance de son vêtement car ses estafiers étaient plus pompeusement vêtus que lui.

Quand le roi s'établissait à la campagne, l'on dressait un camp de toile qui ressemblait à une véritable ville : au centre se trouvait le grand quartier royal et les tentes jointives des custodes formaient des espèces de murailles à la périphérie. Des gardes veillaient. Tout autour du camp, des artisans et des boutiques montaient leurs tentes à côté de celles des muletiers.

Le roi passait une bonne partie de l'année en campagne, autant pour la garde de son royaume que pour maintenir la paix et l'amitié entre ses sujets arabes. Il se distrayait souvent à la chasse ou au jeu d'échecs.

CHAPITRE IV

LA STRUCTURE SOCIALE ET POLITIQUE DE LA VILLE
AUX XVIIème et XVIIIème SIECLES

Au milieu du XVIIème siècle a lieu l'avènement de la dynastie Alaouite (1660). La période qui suit cette date est considérée comme une époque importante non seulement pour l'Histoire de Fès, mais aussi pour le Maroc tout entier.

Norman Cigar en a entrepris l'étude en 1974. Au plan interne, c'est à cette période que se stabilisent les structures politiques et sociales qui survivront à Fès jusqu'à nos jours.

Politiquement c'est entre 1660 et 1820 que se cristallisent les différents éléments de la société fassie. La vie politique à Fès n'était que le reflet de ses relations avec le pouvoir central, c'est-à-dire que selon l'autorité du Sultan, les dirigeants fassis possédaient plus ou moins de pouvoir.

Les règnes de Moulay Rachid et de Moulay Ismaïl et, plus tard ceux de Sidi Muhammad et de Moulay Abd-er-Rahmann, peuvent être classés comme des périodes de pouvoir central « fort ». En dehors de ces périodes et notamment pendant les années qui suivirent la mort de Moulay Ismaïl (1727) le Maroc sombra dans une anarchie continuelle.

Faute de documentation, cette période est l'une des plus mal connues de l'histoire de Fès. Nous essaierons de dégager les traits caractéristiques de l'organisation sociale et politique de la ville à cette époque ; pour cela nous allons tenter d'expliquer et d'illustrer la contradiction apparente qui tend à faire penser que Fès est à la fois un « amas » de groupes hétéroclites et possède cependant une cohésion sociale.

Au milieu du XVIIème siècle, Fès est un conglomérat de groupes sociaux.

Pour comprendre la société fassie, il est utile d'examiner les différents groupes qui la composent. On peut les diviser en deux parties. Les groupes ayant un rôle politique dans la vie de la ville et les groupes sans rôle politique exprès.

Trois groupes sont à classer sous la première définition : les Shurafa, les Bildiyyin, le Peuple. Nous parlerons des Zawiyas et des Marginaux ensuite.

Les Shurafa (les Chorfa)

Ce groupe, étroitement lié au culte idrisside, était déjà bien établi longtemps avant l'époque qui nous intéresse ici. Les Idrissides, qui constituaient au départ la plupart des shurafa à Fès, s'arrogeaient une position de droit dans la ville, veillant farouchement contre tout concurrent qui menacerait leur position. Ne pouvait faire partie de cette noblesse de sang que celui qui y appartenait par naissance ; on veillait à cela par une stricte vérification des généalogies et par l'endogamie.

L'esprit de corps créé par ces liens de sang se manifestait surtout dans les cas de conflit avec les non-shurafa. Un affront personnel fait à un sharif (chérif) était considéré comme un affront personnel fait au groupe tout entier et exigeait une réponse commune.

L'influence des shurafa était aussi fonction de la révérence que la plus grande partie de la population leur manifestait, du fait de leur position quasi-mystique de descendants du Prophète. Dans ces conditions, on ne peut s'étonner du fait que certains individus aient tenté de se faire admettre dans le groupe, alors même qu'ils ne pouvaient y prétendre du fait de leur naissance. Ces faux « shurafa » n'étaient d'ailleurs pas les moins virulents à défendre « leur » caste.

Leur origine leur permettait « d'intercéder » aussi bien auprès de Dieu que de la dynastie Alaouite en cas de problème. Cette aura religieuse avait pour conséquence appréciable d'éviter l'effusion de leur sang en cas de conflit. La légende voulait en effet que celui qui avait osé outrager un shurafa subisse l'intervention directe de Moulay Idris, qui veillait toujours sur ses descendants.

L'extension de cette croyance constituait un atout certain pour les aider à maintenir leurs privilèges. En dehors de ceux cités plus haut, il y avait aussi des avantages économiques, tels que les offrandes monétaires données par la population au mausolée idrissite. De plus, le service militaire et les impôts gouvernementaux ne leur étaient que très rarement appliqués.

Les Sultans eux-mêmes les comblaient de cadeaux en contrepartie de leur aide à la légitimation du pouvoir central.

Bien entendu de tels privilèges donnaient parfois naissance à des tensions entre les autres groupes et les shurafa. Cela provoquait des bagarres fréquentes et meurtrières pour des raisons banales, comme une insulte à l'un des servants des shurafa. Des chefs ambitieux se servaient même parfois de cette rivalité pour s'assurer les sympathies des non-shurafa.

Pour assurer leur domination, les shurafa avaient besoin d'un sultan fort qui sût tenir en échec leurs adversaires. Un système de clientèle s'était instauré entre le sultan et ce groupe, fondé essentiellement sur l'intérêt mutuel car les sultans alaouites devaient se méfier de la menace que faisait peser sur leur trône l'existence de ce groupe investi lui aussi d'un pouvoir divin.

On peut relever que de grandes différences de niveau entre les familles shurafa pouvaient exister. On trouve même une véritable hiérarchie dans l'organisation interne du groupe.

Mais, malgré ces disparités, la grande majorité des shurafa (peut-être même tous) adhérait à une idéologie générale, et à des buts communs, notamment en ce qui concerne leurs relations avec les autres habitants de Fès.

Les Bildiyyin, second groupe, en « poids social », se définissait lui aussi par les liens du sang. Musulmans descendants de Fassis juifs, ils s'étaient convertis à l'Islam vers le XVème siècle.

Tout en conservant leur identité de groupe, toujours grâce à la pratique de l'endogamie, ils avaient réussi à contourner la discrimination dont ils avaient fait l'objet en arrivant dans la ville et réussirent même à jouer un rôle conséquent dans la vie intellectuelle, économique et politique de la ville.

Ce progrès cependant créait des conflits avec les autres groupes. Leur principale contre-attaque consistait à rabaisser la valeur de l'origine de leurs adversaires (shurafa et andalous surtout).

Sortir de ce groupe en tant qu'individu était presque impossible car les noms de famille étaient trop bien connus. Cependant leur désir de s'intégrer à la société fassie allait réussir, au XIXème siècle, à briser l'ostracisme traditionnel qui leur était opposé.

Du point de vue économique cette classe, elle non plus, ne formait pas un ensemble homogène. Sa cohésion procédait, elle aussi, de racines historico-politiques plus que toutes autres.

Les intérêts de ces deux groupes convergeaient parfois : un sultan fort qui leur était favorable pouvait les protéger d'une trop forte discrimination. Mais les périodes de pouvoir central faible leur était aussi favorables dans la mesure où elles voyaient le pouvoir de leurs adversaires shurafa diminuer.

Le « Peuple », troisième et dernier groupe à avoir une action mesurable sur la vie de Fès, était aussi le plus nombreux et le plus hétérogène.

A cette époque la ville de Fès se divisait en 3 grandes « sections » : celle des Lemtiyin et celle des Andalous sur la rive gauche et celle de l'Adoua sur la rive droite.

Cette division, achevée avant l'établissement de la dynastie Alaouite reflétait les différentes origines ethniques dues aux diverses vagues d'émigrants arrivés à Fès.

La majeure partie des Andalous et de l'Adoua était d'origine andalouse, alors que l'élite des Lemtiyin était berbère d'origine.

Au sein du Peuple les Andalous conservaient une importance spécifique et gardaient, bien des années après leur immigration, une forte conscience de groupe.

Le fait que l'action politique d'un individu était déterminée par son appartenance ethnique plus que par son lieu d'habitation est prouvé par une dispute qui opposa en 1754 (1168 H.) les Andalous aux Lemtiyin : les Andalous habitant dans la section des Lemtiyin soutinrent les autres Andalous.

Cette fidélité au groupe d'origine s'observe dans tous les groupes existant à Fès.

Les trois sections du Peuple jouaient un rôle essentiel dans le fonctionnement politique de la ville, car c'était au niveau des sections qu'étaient prises les décisions les plus importantes, telle la reconnaissance d'un nouveau Sultan.

Chaque section avait son propre chef, qui était plus ou moins surveillé, mis « en tutelle » selon la force du pouvoir central. Un sultan exceptionnellement fort pouvait arriver à choisir ce chef. Mais, quand les sections se sentaient assez fortes vis-à-vis du Sultan, elles nommaient leurs propres candidats comme caïds.

Ce groupe que nous nommons « Peuple », était plutôt une coalition entre les trois sections qu'un réel ensemble social. Notons toutefois qu'on ne trouve pas de cas où une section se soit liguée contre les deux autres lors d'une attaque organisée par un groupe extérieur. En cas de danger, les trois sections firent toujours cause commune, et l'on signale de nombreuses occasions où les trois sections unies se battirent contre les shurafa !

Pour en revenir à la répartition géographique des sections dans la ville, celle-ci était extrêmement variée. Dans les très petits quartiers on pouvait trouver une forte domination d'un groupe sur les autres, mais la règle voulait que le mélange se retrouvât le plus souvent. Ce mélange était sans doute dû au fait que dans chaque groupe existait toutes les catégories socio-politiques ; on retrouve quelques quartiers à tendance « bourgeoise ».

Mais une fois de plus ce critère n'est pas une norme absolue du peuplement. La plus grande partie des quartiers connaissait des représentants de toutes les catégories.

Pour compléter ce tour d'horizon des groupes formant le Peuple, il faut mentionner une catégorie appelée « la foule » citée dans les textes historiques avec beaucoup de mépris. Collectivité occasionnelle, elle représente la catégorie la plus basse de la société. Sans politique à longue portée propre, on ne peut pas dire si elle constituait un groupe à part. Cependant, on a connaissance d'explosions violentes et périodiques qui posèrent à leur chef, et à l'administration de la ville, le problème des limites de la politique à observer à leur encontre.

Un dernier groupe appartenant au Peuple était constitué par la milice de mousquetaires, financée par des impôts locaux. Les shurafa en étaient exemptés, et l'appel pour le service se faisait par sections. Les caïds des Sections étaient automatiquement caïds de la milice. Les officiers venaient des familles ayant une forte influence dans une des sections. Les autres grades étaient occupés par la levée commune d'hommes pratiquée à périodes régulières.

Servir dans la milice était devenu très impopulaire surtout lorsque le pouvoir central était fort et demandait par conséquent à ses soldats des actions extérieures à la ville.

Cette force armée quasi-permanente était naturellement souvent employée à des fins politiques par les chefs de la ville et principalement pendant les règnes des sultans « faibles ».

En conclusion de ce bref aperçu des forces en présence dans la ville, on constate que la vie de la cité, comme celle de tous les groupes sociaux, n'était pas seulement rythmée par l'influence et le pouvoir du Sultan. Chaque groupe intriguait cependant pour son compte propre, et arrivait la plupart du temps à tirer le maximum de profit de la situation.

Il existait en dehors de ces groupes, dont l'organisation avait un rôle direct sur la vie politique de la ville, des structures sociales sans volonté d'action civique expressément déterminée.

Les groupes sans rôle politique exprès ou conventionnel.

Ce sont des « noyaux de pouvoir » qui échappent à l'influence des autres groupes, surtout à cause du caractère religieux de leur origine.

D'influence presque toujours locale, ces loges représentaient des centres de rencontres autour desquelles pouvaient se constituer de nouveaux groupes, que Norman Cigar appelle « proto-groupes ».

Ces Zawiyas variaient beaucoup en grandeur, en longévité et en pouvoir. Ce qui les différenciait des autres groupes existants tenait surtout à leur organisation et à leur source d'influence.

Une Zawiya se créait autour d'un saint homme (vivant ou mort), ses disciples se réunissaient pour les prières et la plupart d'entre elles en restaient là, éphémères et petites. Certaines ont cependant pris une telle ampleur qu'elles ont continué leur existence souvent sous la direction de la même famille.

Grâce aux offrandes des dévôts et à la sagesse de son chef, elle pouvait finir par comprendre un système socio-économique presque complet, avec mosquée, bibliothèque, cimetière, entrepôts pour le logement des pèlerins. Tous ces biens étaient « *Habous* » c'est-à-dire biens religieux exemptés d'impôts.

Le sentiment religieux était à l'origine des affiliations, mais peu à peu des impératifs plus matériels de protection pouvaient attirer des adeptes : recherchait-on une protection efficace contre un fonctionnaire ou un notable, l'aide d'une Zawiya suffisait le plus souvent.

Bien qu'initialement fondées sans finalité politique, certaines Zawiyas du fait de leur importance sociale ne pouvaient guère se tenir à l'écart de toute politique urbaine.

La plus influente était sans doute celle de la famille al-Fassi située dans le quartier d'al-Qalqliyin. Son influence était d'autant plus grande que les autres Zawiyas répugnaient à jouer un rôle politique et qu'elle-même intervenait volontairement dans les affaires politiques.

Une alliance fut d'ailleurs conclue entre elle et la nouvelle dynastie. En tant que cliente bénéficiant des prodigalités de la Cour, les Sultans attendaient de cette Zawiya son appui politique à l'intérieur de la ville. Les Sultans appréciaient tout particulièrement l'établissement de ces associations dans la mesure où leur existence affaiblissait souvent les trois autres grands groupes traditionnels.

La Zawiya de la famille al-Fassi arrivait même à tenir en échec les

L'Université Qaraouiyine.
(UNESCO / D. Roger)

La Mosquée Qaraouiyine, le patio.
(Office marocain du tourisme)

La Mosquée Qaraouiyine, fontaine intérieure pour les ablutions et porte de la Mosquée.
(Office marocain du tourisme)

La Mosquée Qaraouiyine, un détail de la Bibliothèque.
(Office marocain du tourisme)

Sur la page ci-contre, décoration de la cour intérieure de la **Médersa Attarine,** chef-d'œuvre des Collèges Mérinides à Fès. Le sol et les soubassements sont revêtus de zellijs que couronnent des frises ; au-dessus, dentelle de plâtre d'une extrême finesse. Dans la vasque sourd l'eau fraîche d'une source.
(Office marocain du tourisme)

Médersa Attarine, détail de la décoration. Suspendu au plafond de la salle de prières, très beau lustre de bronze garni d'inscriptions dont l'une mentionne le nóm du fondateur, l'émir Abou Saïd.

(Office marocain du tourisme)

shurafa qui, bien que liés à la dynastie, avaient, comme nous l'avons déjà expliqué, les mêmes droits au pouvoir que celle-ci et donc représentaient un danger potentiel pour elle.

Les Zawiyas en arrivaient à remplir, pour certains individus, le même rôle que leur groupe d'origine, et parfois mieux en leur offrant la possibilité de sortir de leur groupe en cas de conflit. Bien entendu le degré d'affiliation variait, depuis les disciples totalement sortis de leur groupe d'origine, jusqu'aux sympathisants qui ne participaient qu'épisodiquement à certaines des activités de la Zawiya.

La possibilité de créer de nouveaux groupes aux dépens des existants faisait de ces organismes des modèles d'hétérogénéité. Contrairement aux autres groupes, ces associations, pour survivre, avaient besoin d'être largement ouvertes sur l'extérieur.

Cet état de chose a contraint d'ailleurs les autres groupes à réviser leur position intransigeante quant à l'acceptation de nouveaux membres.

Une dernière « masse » d'individus est à remarquer : celle que nous appelerons les « marginaux ». Totalement à l'écart du système politique et même social, les étrangers, les Harratin, les esclaves et les brigands subissaient cette discrimination pour des raisons différentes que nous examinerons successivement.

Parmi les *étrangers,* il nous faut dénombrer les ouvriers saisonniers, arabes ou berbères qui s'acquittaient des tâches répugnant aux fassis. Les marchands étrangers venus dans la ville pour peu de temps, ainsi que les immigrés de fraîche date, ne semblent jamais avoir joué de rôle politique à Fès.

Le groupe des *Harratin,* dont le rôle à Fès reste obscur, semble avoir été d'origine saharienne et ses membres, bien que libres, appartenaient aux rangs les plus bas de la société fassie. Ils sont toujours représentés par les autres groupes (surtout les shurafa) et même si leur nombre n'est pas négligeable, on ne les voit guère entrer sur la scène politique qu'en tant qu'objet.

Les esclaves, eux, restent encore plus dans la pénombre, et l'on n'a aucune idée de leur nombre. Ceux d'origine européenne étaient chers et donc considérés comme des symboles d'aisance sociale. Les esclaves d'origine soudanaise, plus nombreux et moins chers, étaient employés aux travaux des champs. Ils partageaient, politiquement, les intérêts de leur maître et du groupe de celui-ci, même si des liens de langues, de coutumes et de façon de vivre reliaient la plupart des esclaves entre eux. Notons que les familles d'esclaves s'étendant sur plusieurs générations étaient fort peu nombreuses, du fait de la naissance d'enfants libres nés de concubinage ou d'émancipation.

Les brigands étaient eux aussi bannis de la société fassie, mais essentiellement à cause de leur façon de vivre. Là encore, on ne sait pas grand-chose de leur organisation, leur nombre ou leur origine.

Pour certains, le banditisme semble avoir été le moyen de sortir du contrôle de leur groupe ; pour d'autres au contraire, leur groupe leur servait toujours dans les situations difficiles et ils venaient demander sa protection en cas de problèmes.

Sans permanence dans le temps, il ne semble pas y avoir eu « d'organisation » de banditisme. C'est le plus souvent le fait d'un individu autour duquel se regroupent quelques compagnons et dont la seule idéologie est le vol.

D'origines diverses, on peut y trouver des shurafa comme d'anciens esclaves noirs.

Comme on peut le constater, le tissu urbain de la ville est, dès le XVIIIème siècle, très dense. Apparemment, on pourrait croire qu'il ne s'agit là que d'une juxtaposition de groupements hétérogènes ; pourtant nous avons quelques raisons de croire qu'il existait dès cette époque une réelle conscience de communauté sociale.

Les facteurs de cohésion favorisant la conscience d'une identité fassie.

Deux facteurs sont déterminants, nous les avons effleurés en décrivant les groupes en présence ; il s'agit d'une part d'un facteur politique, d'autre part d'un facteur religieux.

Nous allons dès à présent tenter d'en démontrer le mécanisme.

Le facteur de cohésion découlant de l'intégration par la population d'une appartenance aux mêmes concepts *religieux* est sans doute le plus fort. Les valeurs islamiques partagées par les gouvernants et les gouvernés de chaque groupe formaient des liens permanents et exceptionnellement solides entre les individus, et les familles même de niveau socio-économique différents.

C'est à cette « fraternité musulmane » que feront appel les Bildiyyin pour achever leur intégration. C'est en son nom que les fassis aisés aidaient à soulager les plus pauvres et pourvoyaient aux besoins de la communauté. Cela contribuait évidemment à resserrer les liens entre les différentes couches de la société.

Une manifestation plus concrète de cette « religiosité » s'exprimait dans les zawiyas ; nous avons déjà d'ailleurs souligné leur importance en ce qui concerne l'intégration d'individus originaires de différents groupes.

Ces groupes formés aux dépens des ensembles sociaux traditionnels contribuaient à miner l'esprit de clan qui régnait, notamment chez les shurafa.

Par leur action sociale, ils minimisent les différences de fortunes ; leurs clients qui venaient de toutes les couches sociales, étaient attirés autant par des raisons d'ordre spirituel que par un pur intérêt. Ils s'identifiaient le plus souvent à ce groupe d'adoption, et, dès lors accordaient leur loyauté à ce nouveau chef plutôt qu'au dirigeant de leur groupe d'origine. Elle permettait surtout à l'individu en opposition avec son chef de ne pas être isolé et de trouver un appui solide.

Un élément qui contribuait aussi à intégrer tous les éléments de cette société, malgré les clivages initiaux, est le fait que l'on retrouve des « saints » dans toutes les catégories existant originellement à Fès.

Les fassis tous ensemble leur manifestaient une réelle vénération. On assistait à des rassemblements de riches et de pauvres, de puissants et de faibles, lors de l'enterrement, de la fête d'un saint, ce qui ne pouvait qu'aider à l'intégration géographique et sociale de la ville.

Un moyen d'intégration assez répandu passait aussi par les études religieuses. On cite quelques « étrangers », qui, venus à Fès pour poursuivre des études, avaient pu s'y établir. Ceux-ci et leurs descendants avaient pu s'assimiler avec d'autant plus de facilité qu'ils partageaient la même culture que les autres fassis.

En un sens l'Islam unissait Fès et les fassis au reste du monde islamique mais, en même temps, Fès se distinguait des autres contrées du fait de la place occupée par le saint patron de la ville : Moulay Idris. Le culte idrisside particulier à la ville était lui aussi un facteur de cohésion entre les groupes de la ville par rapport à « l'extérieur ».

En fait les différences de la société fassie sont le plus souvent exagérées. On se laisse aisément abuser par cette scission si conventionnelle entre les groupes d'origines ethniques différentes. Mais, faut-il le répéter, tous ces individus, tous ces groupes, avaient sous le poids du temps et de la vie « commune », cédé à la force de l'habitude et de la nécessité : un lien avait fini par les relier entre eux, au-delà de la disparité ethnique. Fès était devenue, pour tous, leur territoire.

Partageant territoire et coutume, ils n'allaient pas tarder à transformer ce lien de fait en une volonté consciente de former une réelle communauté. La politique menée par les fassis à cette époque est indubitablement une preuve de cette volonté.

La politique fassie : créée pour développer la conscience d'une communauté sociale.

Il faut bien se souvenir du fait que tous les groupes que nous avons décrits plus haut n'étaient en aucun cas autonomes, mais ils poursuivaient bien souvent des buts inconciliables. Nous avons déjà vu que suivant la nature du pouvoir central, chaque groupe tentait d'utiliser ce pouvoir à son profit. Cela rendait les conflits inévitables.

Cependant les impératifs d'efficacité contraignaient ces groupes à des alliances. Mais on ne peut pas dire que ce fut pour des raisons de stratégies que se créa l'identité fassie. Nulle structure, ni militaire, ni réellement commerciale ne peut justifier l'émergence de cette conscience de communauté. Même les corporations de métiers (qui existaient à Fès) ne sont pas suceptibles d'expliquer ce phénomène. Car si des relations économiques quotidiennes entre fassis existaient, elles étaient aussi souvent sources de rapprochement que de discorde.

Malgré cette absence apparente d'institutions concrètes capables de réaliser une intégration, la ville parfois agissait comme un ensemble, comme un seul corps. Et plus l'autonomie de la ville est grande, plus cette tendance est forte.

En fait, selon Norman Cigar, la question de l'intégration urbaine « peut être résolue en grande partie dans le domaine intangible, mais pas pour autant moins réel, de l'identité propre du fassi, où se mêlaient l'orgueil, un sens de la spécificité, le « patriotisme » même, des sentiments qui unissaient tous les fassis dans un ensemble reconnaissable et distinct : une communauté.

Ce facteur, que les Professeurs Graber et Goitein ont appelé le constituant émotionnel ou de croyance, est excessivement important dans le cas de Fès. »

Pour le fassi, il semble toujours y avoir eu une division nette entre la ville et la campagne tant avoisinante que lointaine. Elle est considérée comme un autre monde différent et inférieur. Même les plus pauvres des fassis ne se seraient pas abaissés à travailler aux presses à huile ou dans les champs (qui cependant, appartenaient au citoyen).

Cette conscience sociale de communauté, les dirigeants fassis n'ont eu de cesse de la récupérer politiquement. « En définitive, ce qui fait d'un habitant de Fès un fassi et de sa ville une communauté, c'est la conscience qu'a chaque citoyen de faire partie d'un ensemble si unique, de partager une tradition séculaire avec tous les autres fassis sans distinction d'origine ou de rang social. C'est le fait d'être accepté comme un égal par ses concitoyens. C'est un trait d'union entre le passé, le présent et l'avenir d'une communauté sociale et politique vivante. »

Ce système d'intégration satisfaisait aussi bien les intégrés récents, qui avaient l'impression d'acquérir un statut enviable, que les fassis de vieille souche conscients de leurs privilèges et de la protection que leur offrait le sentiment de communauté.

Les dirigeants n'avaient, eux, qu'à favoriser le mécanisme pour se trouver à la tête d'une communauté d'autant plus aisée à manœuvrer qu'elle était unie contre tout ce qui pouvait menacer de l'extérieur son existence propre.

CHAPITRE V

DANS LES RUES DE FÈS EL BALI

La Fès impériale du XIXème siècle, siège du Sultan et du Maghzen, commence à être décrite par les voyageurs et les ambassadeurs européens qui pour différentes raisons ou missions visitent la ville et y séjournent en toute liberté. Moulièras, qui a été le premier grand explorateur du Rif et de toutes les tribus du Maroc du Nord, a laissé sur Fès une œuvre assez complète et d'une lecture encore agréable et utile de nos jours. Les différents quartiers de Fès El Bali, tels qu'ils apparaissaient encore aux lentes caravanes de mulets et de chameaux, blottis avec les terrasses et les minarets à l'intérieur des hautes murailles ocres et des jardins embaumés, nous sont présentés ainsi :

«Les poètes maghrébins ont souvent chanté le ravissement du voyageur qui, dans la traversée de la longue plaine de Saïs, voit s'élever lentement sur l'horizon les murs de Fès El Jedîd [1], ses minarets, ses mosquées et les toits verts de ses palais. Fès El Bâli se révèle d'une façon plus soudaine. Il faut arriver au faîte d'une des collines escarpées qui l'entourent pour apercevoir d'un seul coup, dans le ravin creusé par l'Oued Fès, l'immense coulée de ses terrasses blanches, et çà et là, dans un pittoresque désordre, coupoles de marabouts, mosquées aux toits verts et minarets aux reflets polychromes.

Au milieu des vergers et des jardins qui enserrent la ville, les murs d'enceinte serpentent, escaladant rochers et collines, disparaissant dans les bas-fonds pour reparaître sur les hauteurs. Les murailles offrent un aspect des plus divers ; elles ont dû être souvent réparées, car les guerres, au cours des siècles, y ouvrirent de nombreuses brèches, notamment lors des sièges que Fès dut soutenir pendant le règne de Moulay Abdallah ben Ismaïl : on peut voir au nord de la ville, un peu au-dessous de

1. Fès Jdid.

la casba des Filala, les remparts en pisé troués et mis à jour par des boulets tirés sans doute du bastion. Près de Bab El-Guissa au-dessous des tombeaux des Mérinides, quelques pans de murs sont restés intacts depuis les Almohades [2]. Les portes s'ouvrent en ogive dans des constructions massives ; pour éviter les surprises possibles des cavaliers ennemis, on leur a donné souvent une forme compliquée et c'est en passant sous leurs hautes voûtes coudées qu'on pénètre dans la ville de Moulay Idris.

L'espace compris dans l'enceinte est le seul habité, mais il ne l'est pas entièrement. A l'Est de la ville, la plus grande partie de l'ancienne Adouat El Andalous est dépeuplée. De même, les pentes du Jorf de Bab El Jedîd à Bab El Hadîd sont recouvertes de jardins et de plantations ; ce n'est que depuis peu d'années que l'on commence à y construire, mais en creusant on y découvre les fondations et les traces d'anciennes constructions.

L'époque la plus prospère de Fès semble avoir été sous les Almohades et les Mérinides. Les heures de trouble que la cité de Moulay Idris connut depuis, surtout sous les premiers Saadiens, et le ressentiment de Mouley Ismaïl contre l'esprit d'indépendance de ses habitants et les persécutions qui en résultèrent, enfin les sièges nombreux qu'elle dut soutenir pendant les règnes tourmentés des enfants de ce prince, diminuèrent sensiblement le nombre de ses habitants qui semble être de nouveau en voie d'augmentation depuis quelques années.

La ville actuelle de Fès El Bâli comprend trois parties : *El Lemtiyin*, les Lemtiens ; *El Andalous*, les Andalous, et l'*Adoua*. (...)

El Lemtiyin s'étend de Bab El-Mahrouk à Bab El-Guissa dans toute la partie nord de l'ancienne Adouat El Qaraouiyine. Les Lemtiens étaient à l'origine les habitants du Lemta, c'est-à-dire la banlieue nord de Fès, et des vallons boisés d'oliviers qui entourent le Zalagh. Leur nom se retrouve souvent dans les annales de Fès. Ils avaient même des chefs spéciaux : l'un d'eux, Ben Salah, dirigea la résistance de Fès lors du siège entrepris par Moulay Rachid au début de la dynastie actuelle et fut mis à mort par ce prince après la reddition de la ville.

Les quartiers dont se compose El Lemtiyin sont : *Talaa, Aïn Azliten, Zqaq Erroman, Fondouk El-Yihoudi, Blida* et *Sagha.*

Dans la partie supérieure du Talaa se trouve la casba des Filala, habitants du Tafilalet, appelée également *Qasbet Ennouar,* casba des fleurs. Sa fondation, mentionnée par le Jadhwat Eliktibas, remonte à l'Emir Almohade Mohamed En-Nâsseur qui fit construire à la même époque la

2. Les murs d'enceinte de Fès avaient été complètement reconstruits par le sultan Almohade En-Nâsseur.

porte adjacente Bab El-Mahrouk, appelée alors Bab Ech-Chari'a, mais elle doit son nom actuel à ce qu'elle fut affectée aux gens du Tafilalet qui avaient suivi Moulay Rachid lors de l'avènement de la dynastie actuelle des Alaouites ou des Filala. Elle a conservé jusqu'à nos jours cette destination. La population qui l'habite se compose surtout d'artisans exerçant les métiers de vanniers, maréchaux ferrants, bourreliers, dans le quartier voisin ; beaucoup sont sharifs alaouites. Ceux d'entre eux qui acquièrent quelque aisance achètent généralement des maisons en ville.

La casba des Filala est rectangulaire, flanquée aux quatre coins de tours de guet. Les murs reconstruits pendant le règne de Moulay Slimane sont fort élevés et surmontés de créneaux se terminant eux-mêmes en petites pyramides, disposition que l'on retrouve souvent à Fès. La porte d'entrée, d'un fort beau style, s'ouvre dans le passage qui conduit du Talaa à Bab El-Mahrouk. Elle est encadrée par deux hautes tours hexagonales d'un aspect imposant. La mosquée a été réparée sous le règne de Moulay Slimane ; son minaret, seule chose que l'étranger non musulman puisse apercevoir — car l'entrée de la casba lui est interdite — est simplement blanchi à la chaux sans ornement.

Entre la casba des Filala et le carrefour des *Semmarin* et des *Serrajin*, maréchaux ferrants et bourreliers, aboutit une longue artère qui traverse la Talaa et descend vers le centre de la ville. Les indigènes des tribus de la région qui veulent être propriétaires à Fès achètent de préférence des maisons dans ce quartier excentré qui n'est pas trop éloigné de Fès El Jedîd et du marché du Khemis. C'est dans cette rue que se trouve la plus belle médersa de Fès, la Bou-Anania, et près d'elle une petite mosquée datant également de l'époque mérinide, celle de Abou Elhassan, sur le minaret de laquelle brillent encore de vieilles maïoliques.

Presque toute la partie d'El Lemtiyin qui est attenante au mur d'enceinte est recouverte de plantations. Beaucoup de maisons sont entourées de jardins : quelques-unes sont fort belles comme le pavillon de Si Mohamed Djamai, ancien vizir de Moulay Elhassan, à Fondouk El-Yihoudi. Ce quartier doit son nom, nous l'avons vu, à ce qu'il était habité par les Juifs avant la fondation du Mellah. Il est attenant à Bab El-Guissa; aussi les muletiers faisant le transport des marchandises et des voyageurs entre Fès, Tanger et Larache y ont-ils leur fondouk. »

Contrairement à ce que son nom semblerait indiquer, *El Andalous* n'est pas l'ancienne *Adouat El Andalous* mais la partie de l'Adouat El Qaraouiyine située près de la rivière et le quartier des jardins qui s'étend de Bal El Jedîd à Bab El Hadid.

L'Andalous comprend les quartiers de *Qalqliyin, Guerniz, El-Ayoun, Ras Eljenân, Kittaniyin* et *Souiqet ben Safi.* C'est là, près de Qaraouiyine et de Moulay Idris, qu'est le centre des affaires : les Souq et la Qaïçeria dont Léon l'Africain nous a laissé une description encore exacte de nos jours. Aujourd'hui comme alors, la Qaïseria se compose de petites ruelles « traversées de chaînes en fer de sorte que les chevaux ny autres jours. Aujourd'hui comme alors, la Qaïceria se compose de petites ruelles forment des marchés spéciaux : le *Souk Elharrarin* où l'on vend la soie, le *souk Elmelf* pour les draps, le *souk Elkettân* pour les cotonnades, le *souk Elattar* pour les drogues et les parfums, le *souk Essebat* pour les babouches[3], le *souk Ennoqra* pour la bijouterie et le *souk Elbâli* où l'on vend à la criée des effets usagés, caftans, tapis, tentures, etc. Le public qu'on y rencontre ne doit pas différer beaucoup de ce qu'il était il y a quatre siècles : arabes des tribus à la figure impassible drapés dans leurs haïks, berbères aux traits européens dissimulant moins leurs convoitises à la vue de tant de richesses accumulées, boutiquiers accroupis immobiles dans leurs échoppes et négociants maures au teint clair à l'expression faite à la fois de finesse et de morgue.[4]

Ce quartier qui joue à Fès le même rôle que la Cité à Londres est presque exclusivement réservé au commerce ; le soir, il est désert, car les musulmans qui n'aiment pas attirer l'attention sur leur vie de famille, habitent de préférence les rues moins bruyantes, où les portes se dissimulent dans le mystère des impasses tortueuses.

Comme à l'époque du Rawd El-Kirtas, les teinturiers sont toujours établis sur les bords de l'Oued Elkebir ; près d'eux, une rue entière est occupée par les *Serrarin,* qui taillent les crosses et montent les longs fusils à pierre dont les indigènes sont toujours très amateurs. Aux abords de Qaraouiyine, une rue, la même depuis des siècles, est réservée aux « Adoul »[5] et à leurs échoppes ; Léon l'Africain en fait déjà mention.

Dans tout le centre de la ville, qui est aussi la partie basse, les rues sont étroites et sombres ; plusieurs sont voûtées, et certaines promenades dans les quartiers de Guerniz et de Qalqliyin semblent être parfois des excursions souterraines. Mais dans la partie supérieure de Ras Eljenân et de l'Ayoun, un magnifique quartier de jardins dominant la ville s'étend le long des remparts, jusqu'à Bou-Jeloud.

L'Oued Elkebir, qui entre en ville par Bab El Jedîd, pittoresque pas-

3. Les babouches en cuir jaune fabriquées à Fès étaient vendues en gros à la criée au souk Essebat pour être expédiées en Egypte, en Algérie et au Sénégal, ainsi que dans les autres villes du Maroc.

4. La partie centrale des souks de la Qaïçeria devait être ravagée par un incendie en 1960, après celui qui détruisit à moitié le souk Attarine en 1906 et reconstruit d'une façon plus moderne mais hélas ! bien moins esthétique.

5. *Adoul* est le pluriel d'*Adel,* notaire.

sage à moitié caché dans la verdure, séparait jadis les deux Adouas. Toute la partie de la ville située sur la rive droite, et qui formait l'Adouat Elandalous, porte seulement, maintenant, le nom de El Adoua. De même que Ellemtiyin et El Andalous, l'Adoua se compose de six quartiers : *Keddan, Mokhfia, Sid El-Awwad, El-Qouas, Djerzira* et *Derb Mechmecha.*

L'Adoua n'a pas eu les destinées de son ancienne rivale de la rive gauche ; elle ne possède plus, comme au temps des Idrissites et des Zenetes, de qaïçerias et de souks à elle propre, mais des marabouts, les zawiyas et les vieilles mosquées silencieuses y abondent ; ses rues tranquilles et pittoresques sont recherchées des tolba et des pieux croyants qui y tiennent leurs rêves sacrés à l'abri des vaines agitations du siècle. La partie inférieure de l'Adoua est arrosée par l'Oued Mesmouda, branche canalisée de l'Oued Fès, qui prend à sa partie supérieure le nom de *Oued Ezzitoun,* rivière des Oliviers, en souvenir de l'Olivette, où campa, à son arrivée à Fès, le premier émir Zenati, Ziri ben Atia. On peut voir encore près de là Bab Elhamra, qui est l'ancienne porte Zitoun Ben Atia, murée depuis longtemps, de l'Adouat El Andalous. L'Oued Mesmouda doit son nom à ce que Mokhfia qu'il traverse était l'emplacement concédé, à l'origine de la ville, à la tribu berbère des Mesmouda.

A l'autre extrémité de l'Adoua, au-dessus du pont de Bin El-Moudoun, est le Keddân ; c'est le Remila du Rawd El-Kirtas, où campa d'abord Moulay Idris, lors de la fondation de la ville. Un carrelage en mosaïque marque la « Mzara », place où, selon la légende, le saint sharif venait s'asseoir en surveillant les travaux. A quelques pas plus loin, dans la même ruelle, se trouve la plus ancienne mosquée de la ville, *Jamaa Ennouar,* construite près du puits où se réunissaient les cheikhs de Moulay Idris.

Entre le Mokhfia et le Keddân, la mosquée des Andalous marque le centre de l'Adoua, mais elle se trouve maintenant à l'extrémité de la partie peuplée de la ville. A l'est de cette mosquée, jusqu'au mur d'enceinte, la partie supérieure de l'Adoua semble une casba de caïd bédouin. Dans de petits villages de huttes disposées çà et là, au hasard d'un sol rocailleux, habitent des Doui Menia et des Oulad Elhadji cultivateurs ou gardiens de troupeaux dans les environs. A Guerouaoua, près de l'ancienne porte Bab Elkhoukha, les Fakharin, potiers briquetiers, ont établi leurs fours et leurs séchoirs à l'ombre d'oliviers séculaires. Entre Bab Elkhoukha et Bab Ftouh, sous de hauts pans de murs paraissant dater des Almohades, se trouve le *Tamdert,* enclos réservé aux mules de bât du Sultan. Vis-à-vis de Bab Ftouh, le fondouk de Marrakech met un peu d'animation au milieu de ces quartiers déserts : c'est dans ce fondouk que s'arrêtent les caravanes du Tafilalet, et les Berbères qui apportent à Fès le charbon de bois fabriqué dans les montagnes des Bani Mguild et des Aït Youssi.

Chacun de ces quartiers était pourvu d'un « moqaddem el Hauma », sorte de fonctionnaire subalterne, sans appointements, chargé de la police du quartier. Il était nommé par le gouverneur de Fès el-Bali et relevait uniquement de lui.

Dans les cérémonies officielles, par exemple, une entrée du Sultan à Fès, chaque moqqadem marchait en tête des gens de son quartier pour aller au devant du souverain.

Il n'existait pas de chef administratif aux trois grandes fractions de la ville, ni de hiérarchie entre les différents « moqqadem el hauma » qui relevaient tous, directement et au même titre, du gouverneur de Fès el-Bali, mais traitaient généralement avec son khalifa.

Fès sous le Sultan Moulay Abd El Aziz

Pour avoir une description aussi précise que possible de la ville en 1906, l'on peut se référer aux documents recueillis par G. Salmon et B. Michaux-Bellaire.

L'arrivée à Fès, lorsque l'on venait de Tanger et de Meknès, juste après le dernier village, la « nzala » Farradji ne manquait pas d'étonner. L'apparition, mystérieuse, des murs crénelés coupant l'horizon, d'où se détachaient quelques tours avec les silhouettes des minarets, a été beaucoup chantée.

A droite, à quelques kilomètres sur la rive droite de l'oued Fès, s'étendaient les jardins de Ed Dar Ed Debibagh, la maison d'été du sultan, où il se rendait d'ailleurs rarement. Moulay Abd el Aziz, le sultan d'alors, avait voulu, en 1902, à son retour de Marrakech, relier Ed Dar Ed Debibagh au palais de Fès El Djedid par un petit chemin de fer à voie étroite ; la voie fut établie par les soins d'un ingénieur français, mais le jeune sultan dut renoncer à ce plaisir devant l'intolérance de son peuple, qui réprouvait cette innovation.

Sur la droite également de la route, on apercevait les murs du Palais du sultan, dépassés par le minaret de la mosquée de Lalla Amina. A gauche se trouvait la maçalla de Fès El Djedid ; la maçalla était un oratoire en plein vent.

Un peu au-dessus de la maçalla, à gauche, se trouvait le cimetière européen ; il n'avait été concédé aux Européens par le Makhzen qu'en 1902.

Auparavant, les chrétiens qui mouraient à Fès étaient enterrés à « Ed Dhar El Mahrez ». Le cimetière n'était pas entouré de murs, afin, disait-on, de passer inaperçu.

Pour avoir, avant d'entrer à Fès, une vue d'ensemble de Fès el Bali, il ne fallait pas entrer dans la ville par Bab Es Segma, ni par Bab el Mahrouk, mais continuer la route de gauche qui se sépare de la voie principale à « Qbibet Es Smen » et la continuer en dehors de la ville jusqu'à Bab El Guissa. Cette route laissait à main droite la Qaçbat Ech Cherarda, dont on apercevait de loin les murs, en découvrant Fès. Ensuite, elle traversait le souk El Khemis, conduisait à Bab El Mahrouk et continuait, en devenant rocailleuse, jusqu'à un fort, dit « El Bestioun El Bab El Guissa ». Ce fort, comme celui du sud « El Bestioun El Bab El Ftouh », fut bâti en 990 de l'hégire (1582 J.-C.), par Ahmed El Mansour Es Saadi, qui se servit d'esclaves chrétiens.

Après avoir dépassé le fort, quoique la route ne soit pas sensiblement élevée, on découvrait devant soi, en contre-bas sur la droite, le panorama de Fès el Bali, qui se déroulait en suivant la pente de la vallée de l'oued Fès.

A droite, on apercevait la carcasse en bois du dôme qui recouvrait, à Souïqet Ben Safi, la maison du Mennebih, l'ancien ministre de la guerre du sultan, dont il était le favori. Plus loin, on distinguait « El Betha », l'immense remise où se trouvaient les automobiles du sultan. Il s'y trouvait également un palais, relié à Fès El Djedid par les jardins de Bou Jeloud, puis la maison du favori du moment ; à côté, le consulat de France, le « bestioun » de Bab Ftouh; la maçalla de Fès el Bali, le cimetière de Bab Ftouh.

Au bas du cimetière, en redescendant vers la ville, on apercevait en face de soi le portail monumental de la mosquée des Andalous. Sur la gauche de Bab Ftouh, les oliviers de Guerouaoua et les jardins du Keddan. Au centre de la ville se détachait le haut minaret de la mosquée d'Er R'Cif, puis celui de la mosquée des Kairouans, qui était modeste. Enfin, un peu à droite de cette mosquée, c'était le sanctuaire de Moulay Idris, où le fondateur de la ville était censé être enterré. Sur la gauche de la route s'étalaient les fours à chaux, alimentés par des feuilles de palmier nains que portaient les ânes. La route tournait ensuite sur la gauche, laissant à sa droite la « colline », où se trouvait autrefois le palais ou la forteresse des Mérinides, El Qçar El Mariniyin. En 1906, il ne restait plus rien de ce Qçar. Quatre tombeaux en ruines, dont ceux de sultans, y étaient encore visibles, mais les opinions sont partagées quant à leur identification.

En contournant la colline de El Qolla, la route passait devant plusieurs cavernes, qui auraient servi à abriter autrefois les lépreux et peut-être même d'observatoire.

Après avoir contourné la colline, la route tombait dans un bois d'oliviers et rejoignait la grand route de Bab El Guissa, en direction de la porte de la ville, à travers le cimetière dit de Bab El Guissa.

On rencontrait alors la porte du marabout de Sidi Mohamed ben El Hasan El Yaclouti Es Selgelmati ; à côté du tombeau de Sidi Mohamed s'élevait une petite mosquée. Le cimetière contenait encore un grand nombre de tombes de chorfas et d'oulémas.

La vie de Fès se faisait sentir en dehors des murs de Bab El Guissa. Dans l'après-midi, une heure ou deux avant le coucher du soleil, des conteurs, qu'on appelait des « cheikhs », debout sur la pente de la colline où se dressaient les ruines des tombeaux des Mérinides, racontaient à leur public, assis en cercle autour d'eux sur les tombes, les glorieuses épopées de « El Antaria » et les sanglantes histoires de « El Ismaïnia ». Outre les conteurs, on trouvait aussi, à Bab El Guissa, des montreurs de serpents et des médecins vendeurs d'amulettes... Et tous les vendredis, vers trois heures de l'après-midi, on avait coutume de tenir, sous les murs de Bab El Guissa, le marché des oiseaux. Les autres jours, les oiseleurs déambulaient avec leurs petites cages, offrant serins et chardonnerets aux portes des maisons...

Puis l'on pénétrait dans la ville qui était divisée en quartiers bien distincts.

Si on laissait de côté Fès Jdid, bâtie en 674 de l'hégire (1276) par Yaqoub ben Abd El Maqq El Merini, Fès el-Bali, la ville ancienne, se partageait en trois grandes fractions, subdivisées en six quartiers, de sorte que la ville formait dix-huit quartiers ; mais chacun d'eux comprenait plusieurs sections portant un nom particulier, si bien que le fractionnement exact était difficile à saisir pour un étranger.

CHAPITRE VI

LES ANCIENNES CORPORATIONS EN MEDINA AU XXème SIECLE

La médina est encore de nos jours essentiellement un dédale de rues étroites et sombres, bordées de hautes murailles grises et nues ; les Marocains, soucieux de ne rien laisser voir de leur existence intime, ont pour ainsi dire adossé leur maison à la rue et en ont tourné la façade vers l'intérieur. Le centre de la construction est occupé par une cour carrée ou rectangulaire avec un bassin au milieu. Tout autour court une large galerie rehaussée d'arcs et de colonnades, sur laquelle s'ouvrent les pièces principales de l'habitation. Aux étages, la disposition est semblable. Les portes sont hautes, massives et cloutées, et les plafonds très élevés.

Dans les constructions dites « maghzenia », appartenant à de hauts personnages, il n'y a pas d'étage, mais deux corps de bâtiments, reliés par un mur élevé et situés à chaque extrémité d'une cour rectangulaire.

Le « riyad » comporte une autre disposition spéciale : deux grands pavillons rectangulaires se font face, séparés par un jardin. Une « mesria », ou pavillon séparé, peut être adjointe à l'habitation, pour la réception exclusive des visiteurs.

Un architecte n'est pas nécessaire pour ce plan très simple, et le futur résident se charge lui-même de ses approvisionnements de briques, bois, chaux, plâtre et zellijs, morceaux de faïence pour les mosaïques, puis il confie les travaux à un ouvrier maçon et à un ouvrier menuisier, selon ses directives et sous sa surveillance.

Les maçons marocains se servent généralement de briques ; parfois cependant, pour les murs, ils emploient le pisé comme pour les remparts et les clôtures. Jadis, on mêlait de l'argile et de la chaux grasse, et ce mélange d'une dureté extraordinaire a résisté admirablement. Actuellement, on a délaissé l'argile trop coûteuse et on se contente d'un conglomérat de cailloux, de gravois et de chaux, dit « tabya » ; on verse le mélange mouillé dans des coffrages de 2 m sur 80 cm, posés dans un fossé creusé au préalable, puis on pilonne cette pâte. Comme cette tabya ne résiste pas aux intempéries, les coffrages ont été intérieurement enduits avec un mortier gras.

Le travail terminé pour la première caisse, les maçons posent dessus deux ou trois poutrelles destinées à recevoir une seconde caisse qu'ils enlèvent une fois pleine en retirant ces poutrelles qui forment dans le mur de gros trous à intervalles à peu près réguliers.

Les murs intérieurs et les piles sont en brique, la pierre de taille étant inconnue. Dans les belles constructions, les enduits se font à la chaux ou en plâtre et on les blanchit à la chaux vive. Les linteaux et les poutres des plafonds sont en bois de cèdre. Pour franchir les portées dépassant la longueur maximum de 4 mètres, les Marocains ont recours soit à un arc en brique, soit, le plus souvent, à une charpente. Dans le cas de très grandes portées, en particulier dans la construction des silos et des oliveraies, ils se servent d'une voûte, le plus souvent en berceau, à plein cintre.

La terrasse, épaisse et étanche, recouvre la maison. Elle est composée d'un mélange de chaux grasse et de gravois tamisé, qui a été étendu avec soin, puis arrosé abondamment jusqu'à être réduit en boue, enfin damé, avant d'être blanchi à la chaux. Lorsque la configuration du terrain va à l'encontre du goût des Marocains pour les pièces carrées ou rectangulaires, ceux-ci y remédient en construisant au premier étage des encorbellements bizarres en forme de triangle ou de quadrilatère irrégulier saillant sur la rue à tel point qu'il arrive à deux maisons opposées de se toucher presque et de ne plus laisser passer entre leurs murs qu'un mince filet de lumière.

Les Marocains sont indifférents à l'emplacement de l'escalier, à la hauteur des marches (qui atteignent souvent 30 cm), à une largeur irrégulière des marches (parfois, des marches de 1 m succèdent à d'autres de 30 cm).

S'ils ne tiennent guère compte de l'élégance de la bâtisse, les Marocains réservent tous leurs soins à la décoration, pour laquelle aucune dépense n'est trop onéreuse.

Le sol des cours, des galeries, de toutes les pièces est recouvert de damiers de zellijs où le blanc alterne le plus souvent avec le bleu foncé, le noir ou le vert. Puis, sur les colonnes, jusqu'à hauteur de 2 m et plus, le long des couloirs et sur les parois des pièces principales, c'est toute une floraison polychrome, or, pourpre, turquoise, saphir, émeraude, de dessins compliqués ; dont les motifs se reproduisent souvent le long des

Bab el Chofra, une des portes monumentales de la médina de Fez, XVIe siècle.
(Itacolor, Casablanca)

Un des tombeaux
de sultans mérinides dominant
le nord de la médina, XIVe siècle.
(M. Baistrocchi)

Palais royal, la façade.
(Itacolor, Casablanca)

Palais royal, bassin et jardin intérieurs de style andalou du Dar El Malzen. (Palais royal).
(Office marocain du tourisme)

Vue de l'ancienne médina de Fès dans un cadre qui évoque la Grenade hispano-mauresque.
(J.-P. Ichter)

Vue partielle de la médina de Fès du haut des anciens remparts mérimides.
(M. Baistrocchi)

Quartier de la mosquée des Andalous vue d'une terrasse.
(A. Gaudio)

Sanctuaire de Moulay Idriss vue de la Qaraouiyine.
(A. Gaudio)

murs ; tantôt un zigzag à mouvement simple, rouge et blanc, tantôt un entrelacs d'hexagones reliés aux extrémités par un trigone, tantôt des rosettes aboutées et groupées par trois, des figures entremêlées, des triangles répartis en étoiles et en rosaces. Les « mâllem zelliji » posent eux-mêmes leurs zellijs sur une forme de mortier de chaux grasse de 8 à 10 cm d'épaisseur, et dament avec une batte en bois afin de régler la pente et de faire bien pénétrer tous les morceaux de faïence dans le mortier. Les joints sont ensuite coulés au lait de chaux grasse, puis on nettoie avec de la sciure imprégnée d'huile pour donner le brillant. Les artistes ne se donnent pas la peine de calculer un tracé, ils font le relevé au jugé, en évaluant avec la main ouverte l'espace à remplir. Ils savent exactement le nombre de chaque espèce de carreaux qui leur est nécessaire. Ils les arrangent sur une grande table en bois, vérifient avec la main si le dessin cadre bien dans l'espace indiqué, et ils rattrapent les manques avec une dextérité extraordinaire.

Les zellijs (faïence émaillée) se rencontrent sous forme de mosaïque ou de carreaux peints. Une technique ancienne consistait à découper directement dans la terre crue les fragments selon les formes voulues ; mais deux cuissons étaient alors nécessaires et la chaleur déformait les fragments. La technique encore utilisée de nos jours consiste à débiter, dans des carreaux déjà émaillés en couleur unie, des fragments dont les formes ont été préalablement tracées sur l'émail. Chaque fragment est ensuite dégrossi, taillé, fini avant d'être lié par le mortier aux autres pièces. Une autre technique consiste à exciser les carreaux émaillés et unis. Une fois assemblés, on trace à leur surface au pochoir ou au pinceau les ornements voulus (calligraphie, fleurs). Après quoi, de légers coups de marteline font tomber l'émail sur les contours du dessin et dans les vides ainsi délimités. L'étoile octogonale sert de base à de nombreuses compositions. L'étoile polygonale et ses dérivés, les entrelacs polygonaux, sont à l'origine de motifs très complexes.

La mosquée de la Qaraouiyine présente les spécimens de zellijs les plus anciens connus au Maroc.

Le plâtre sculpté revêt de grandes surfaces dans les monuments et les demeures. Les sculpteurs fassis y montrent de réels dons d'artiste. Ils parent les corniches et les chapiteaux des colonnes, les arceaux, les chambranles et les entablements des portes de semis réguliers de fleurs stylisées et d'assemblages géométriques. De larges frises courent au-dessus des panneaux de mosaïques, autour des plafonds ; les dessins s'y succèdent, variés ou répétés sans cesse.

Tous ces dessins géométriques sont exécutés au compas et sur quadrillage, tout au moins pour les lignes générales. Les dessins intérieurs, les fleurs se font au pochoir en papier appliqué sur le plâtre frais avec un tampon de toile très fine contenant de la poudre de plâtre. La finesse du travail s'évalue d'après le nombre de branches de l'étoile principale ; on distingue en général trois ou quatre espèces dont la plus fine est la « sebâini » de soixante-dix branches. Malheureusement, les sculpteurs fassis actuels ont tendance à donner à leurs fleurs des formes contournées, copiées d'après les ramages des étoffes européennes, qui s'écartent des pures lignes classiques.

La sculpture du plâtre, comme celle du marbre et du bois, n'est qu'un champlevage : c'est une sorte de gravure en creux qui évide sur une faible profondeur tout ce qui n'est pas le dessin. Parfois, le premier fond est repris : il reçoit de nouveaux motifs qui courent sous les précédents, ce qui donne un nouveau champ d'ornementation réalisé en retrait du premier ; un troisième champ peut être ouvragé de la même manière.

Un modelé très spécial consiste dans la reprise d'un relief au burin, au ciseau ou à la gouge... Par une série de touches en biais, des surfaces s'inclinent ou s'incurvent, des coupes obliquent... Une seconde étape du travail, qui n'est pas toujours réalisée, a pour but d'introduire des détails dans des motifs déjà découpés : dentelures et nervures de feuilles, cannelures de coquilles... La peinture vient ensuite couvrir certains éléments et accentuer les reliefs.

Sont également garnis les linteaux des portes, les arceaux des galeries, les niches creusées dans les murailles, les angles des plafonds, de nombreuses stalactites en encorbellements, en voussures et en pendentifs, superposées par strates ou taillées dans le bois. Les anciennes maisons de style andalou comprennent toujours une profusion de boiseries sculptées. Portes et fenêtres sont entièrement garnies de fines sculptures. Mais la sculpture sur bois coûte fort cher et a été remplacée par la peinture ; il en est ainsi pour les portes, les linteaux, les volets, les panneaux et surtout les plafonds. Les maîtres actuels continuent à les peindre selon les modèles anciens : des entrelacs variés parmi lesquels jouent les lignes plus capricieuses des fleurs et des fruits.

Les formes de plafonds restent aussi les mêmes que jadis, plats ou à caisson, composés de planches assemblées à rainures et languettes, ou bien à poutrelles apparentes. Certains sont en forme de dôme ou de caisson allongé ; dans d'autres, le caisson est fait d'une infinité de petites coupoles ou bien la frise qui entoure le plafond continue en se recourbant sur le plafond lui-même.

Les industries de la céramique

Il semble bien que le carreau de faïence émaillée (zellij), ne devint guère d'un usage courant avant la fin du XIIIème siècle au Maroc. L'industrie de la terre cuite dut prendre à Fès un développement assez considérable, si l'on en juge par les revêtements des murs intérieurs des médersas du XIVème siècle, aux panneaux faits de très belles mosaïques de faïence.

Quant aux autres objets en terre émaillée, vases, plats, récipients divers, quinquets et lampes à huile, on peut supposer qu'on en fait à Fès depuis bien longtemps ; le collectionneur Libert a acquis à Fès un de ces précieux plats hispano-mauresques à reflets métalliques, dont on peut encore admirer quelques spécimens au Musée du Louvre.

Pourtant, on ne peut guère attribuer plus d'une centaine d'années de date aux quelques plats, pots ou flacons qu'on trouve encore dans les demeures de Fès (les riches fassis préfèrent aujourd'hui la porcelaine de Chine). Incidemment, il faut regretter que les Européens aient ramené de Fès la plupart des produits anciens de l'industrie locale, privant les artisans de collections de modèles pour la restauration de cette industrie.

Ce qui frappe dans ces faïences quelque peu anciennes, c'est la netteté du décor floral et géométrique, la pureté de la ligne et des éléments de la composition décorative, la délicatesse des tons et l'harmonie des couleurs.

Aujourd'hui, au contraire, la composition du décor est souvent chargée, les motifs sont mélangés à des motifs européens, les émaux sont de mauvaise qualité et se boursouflent à la cuisson, la négligence de la décoration et du tournage sont responsables de bavures et de malfaçons. Par économie, la composition des bains pour l'émail est faite à prix réduit, c'est-à-dire que l'artisan élimine de plus en plus dans ses mixtures les produits qui coûtent cher. Ainsi, les admirables bleus-gris d'autrefois sont remplacés par des bleus secs,sans reflets et sans profondeur parce que l'artisan a diminué la quantité d'oxyde d'étain qui coûte très cher. De même, les blancs ne sont plus aussi éclatants ni aussi purs, car les émaux blancs qui constituent les fonds sur lesquels peint l'artisan sont aujourd'hui trop pauvres en oxyde d'étain.

Les ouvriers de Fès estampaient à la matrice au XIXème siècle quelques grands vases en tronc de cône, ces mhâbes des marchands de beurre et de graisse fondue. Cette technique ne se fait plus à Fès aujourd'hui ; toutefois, il n'est pas prouvé qu'elle y était connue, ni qu'elle ait jamais été très développée dans cette ville, alors qu'à Tlemcen et à la Qal'a elle était utilisée au Xème siècle.

La céramique « à réserves » (connue à Cordoue dès le Xème siècle) n'existe pas non plus à Fès actuellement et nous ne savons pas si elle y fut connue jadis.

Dans cette Afrique du Nord où le travail de la poterie date de la plus haute antiquité, les faïences émaillées de Fès ont une originalité marquée. Elles se distinguent aussi bien des faïences de Nabeul en Tunisie que des poteries ou faïences façonnées au tour, par les hommes, dans les différentes régions de la Berbérie.

Les ateliers des Fekhârine (céramistes) ont tous une disposition semblable : une cour, largement ouverte, en terre battue, avec, sur l'un ou plusieurs de ses côtés, des chambres basses, couvertes en terrasse, servant pour le travail et l'entrepôt des pièces qui ont chacune une destination déterminée. Les terrasses servent au séchage de certaines pièces crues. Toutes les chambres sont au rez-de-chaussée. Sur le pourtour de la cour, un ou deux fours servent à la cuisson des produits ; dans la cour, deux ou trois fosses pour détremper l'argile. Les ouvriers et patrons n'habitent pas là ; ils ont tous leur logement dans la médina. Au moment de la cuisson, les ouvriers chargés de ce travail ne quittent pas le four, même la nuit.

Le tour-à-potier, servant au « tournage » et au « tournassage » des pièces, est le même pour les potiers et les faïenciers. L'argile employée est de très belle qualité, jaunâtre ou bleutée, et provient de trois carrières principales : les Lwâjriyîn, en face du Jardin public de Fès, distante de 1 500 m à 2 km des ateliers de Fekhârine ; au Sud de Bâb Ftouh, celle de Ben Jelliq, à 3 km environ et, celle de Sahab el-Werd, plus rapprochée mais donnant une argile de qualité inférieure. L'extraction se fait à la pioche, le transport dans une double couffe (swâri) et à dos d'ânes. Dans la cour de l'atelier, l'argile est concassée avant d'être détrempée dans la fosse. L'eau nécessaire à cette dernière opération est apportée le plus souvent par un gerrâb (porteur d'eau), le quartier de Fekhârine étant trop élevé pour être desservi par un des bras canalisés de l'oued Fès.

Eu égard à la distance des forêts du Moyen-Atlas, mal desservies, qui seules auraient pu approvisionner les fours en bois, le principal combustible employé est le palmier-nain, encore assez abondant autour de Fès ; il est malheureusement de bien mauvaise qualité. On utilise aussi de grands chardons blancs, ou de grandes tiges de carottes sauvages ; de la paille de chaume et des tourteaux d'olive achetés dans les moulins et qui renferment encore une assez grande quantité d'huile. Cependant les faïenciers, pour ne pas gâter les émaux, ne peuvent se servir que du palmier-nain comme combustible.

Les patrons et ouvriers de la terre cuite sont groupés en trois corporations : celle des Lwâjrîyîn ou briquetiers, celle des Harrâsa ou potiers, celle des Tollâya ou faïenciers. Chacune de ces corporations met à sa tête un chef ou un syndic, « lamin », élu par ses pairs à la majorité des suffrages exprimés de vive voix ; il conserve sa fonction jusqu'à sa mort ou sa démission, mais peut être révoqué par l'élection d'un successeur. A l'époque il devait exercer d'abord un contrôle technique sur la fabrication et la qualité des produits des ateliers. Ce contrôle ne se pratique plus de nos jours. Par contre, il dispose toujours d'un pouvoir judiciaire assez limité. En cas de conflit entre patron et ouvrier, le lamin convoque les deux plaideurs et les invite à amener avec eux des arbitres de leur choix, chacun en nombre égal. Ce tribunal d'arbitrage est présidé par le lamin et il statue à la majorité des voix ; si le condamné est récalcitrant, le pacha veillera à l'exécution de la sentence, qu'elle soit pécuniaire ou d'emprisonnement.

Les potiers de Fès ne savent en général ni lire ni écrire, car ils commencent à travailler très jeunes ; quelques-uns, cependant, sont allés à l'école coranique ; les fils suivent assez souvent la profession du père.

Le même atelier comprend des hommes d'âge et de qualifications très différents. Ces ouvriers ont des rôles et des goûts par conséquent diversifiés et la conversation est rare, forcément limitée aux aspects purement matériels du métier. Ils n'ont aucun chant de métier et peu de légendes de corporations si répandus dans d'autres industries d'Afrique du Nord.

Voici une légende relative à l'origine de la céramique que racontent volontiers les potiers et faïenciers de Fès : Allah ordonna à Noé de travailler à la poterie et lui indiqua comment il fallait s'y prendre pour malaxer l'argile, la façonner et cuire au four les objets ainsi fabriqués. Puis, pour éprouver sa patience et sa persévérance, que par ailleurs il lui recommandait dans sa mission prophétique, il envoya un grand coup de vent, la cuisson à peine terminée, ce qui fit fendre tous les vases de Noé. Noé, admonesté pour avoir montré un instant de découragement, recommença à fabriquer des vases de terre cuite.

Les céramistes évoquent également la vie et les miracles de Sidi Mîmûn El-Fekhâr, considéré comme le patron de tous les ouvriers de terre cuite à Fès. Celui-ci avait appris le métier de potier pour gagner sa vie, mais en dehors des heures de travail à l'atelier, il enseignait la grammaire arabe. Il dût un jour cacher l'un de ses élèves, nommé Omar Es Serîf, qui était poursuivi par trois malandrins. « Entre là », lui dit Sidi Mîmûn, en lui montrant la porte de son four, plein de palmier bien sec qui brûlait en crépitant. Omar Es Serîf n'hésita pas un instant, et quand les malandrins arrivèrent, Sidi Mîmûn suscita leur crainte et leur repentir en leur montrant sain et sauf le fuyard assis au milieu des flammes du foyer sans en paraître nullement incommodé.

A partir de ce jour, Omar Es Serif ne voulut plus se séparer de son maître qui lui apprit le métier de potier. Les tombeaux du maître et de l'élève sont proches l'un de l'autre, et également tout près des ateliers des potiers. L'un et l'autre sont vénérés par les potiers, mais Sidi Mîmûn est naturellement plus en faveur que son voisin.

Sa tombe est dans une large fosse en maçonnerie de briques, comme un caveau à ciel ouvert, deux mètres environ au-dessous du niveau du sol. Un escalier permet d'y descendre. Dans un mur, une simple petite excavation à hauteur de la ceinture renferme des débris de pots dans lesquels les fidèles brûlent des parfums, de l'encens. A l'une des extrémités de la tombe, un trou très étroit dans le sol sert à envoyer au Saint le sang des victimes qu'on lui offre, et des traces de sang apparaissent autour de ce trou. Tout cela est pauvre comme les potiers eux-mêmes, et seul un méchant catafalque de bois, formé de quatre piquets supportant un cadre à claire voie, recouvre la tombe, alors que les tombeaux d'autres Saints sont protégés par des coupoles. En outre, le Saint des potiers ne semble pas être l'objet d'un culte bien sérieux, ni bien fréquent de la part de ceux-ci. Il n'a pas de moussem (fête votive) régulier comme tant d'autres Saints musulmans. Toutefois, par des hivers secs, lorsque la pluie manque aux céréales, il y a un moussem spécial en l'honneur de Sidi Mîmûn, auquel on demande de faire pleuvoir en lui égorgeant des victimes. Cette cérémonie, comme bien d'autres rites pour obtenir la pluie au Maroc, a un caractère expiatoire ; les potiers ont maintes fois, pendant l'hiver, demandé le soleil dont ils ont tant besoin pour le séchage des poteries crues. Ils ont ainsi fait preuve de trop d'égoïsme, alors qu'il fallait de la pluie aux agriculteurs ; il est bien juste qu'ils expient cette faute.

Les céramistes de Fès vénèrent d'ailleurs bien d'autres Saints. Ils fêtent, comme tous les Fassis, en chômant ce jour-là, le moussem de Moulay Idris l'Aîné et de Moulay Idris le Jeune, ceux de Sidi Ahmed El-Bernusi, au mont Zalag, de Sidi Ali Bou Ghaleb près de Bab-Ftouh.

Comme les autres artisans de Fès, ils ne travaillent jamais le vendredi après-midi.

Enfin, à côté des pratiques religieuses musulmanes, qu'ils observent rigoureusement, et du culte des Saints, les potiers de Fès, comme leurs coreligionnaires de toute la Berbérie, ont conservé bien des croyances animistes et des pratiques de la magie et de la sorcellerie ; ainsi, des talismans (mains grossièrement peintes sur le mur, fers-à-cheval, crânes de chevaux, etc.), protègent les ateliers contre le « Mauvais Œil ». Cinq points représentent les cinq doigts de la « Main » protectrice du Mauvais Œil, la hamsa ; un ouvrier, pour protéger une fournée de briques qu'il vient de mouler, peut faire avec son doigt cinq trous dans la dernière brique qu'il passe au moule ; ou bien, pour éloigner du four le Mauvais Œil du voisin, peut dresser cinq bâtonnets d'argile verticalement les uns à côté des autres, sur le rebord supérieur du four.

La corporation des tanneurs et l'industrie de la tannerie à Fès

La corporation des tanneurs est une des plus anciennes de Fès et la tradition orale attribue à Moulay Idris lui-même, fondateur de la ville, l'installation de tanneries. Fès était à l'égard de cette industrie dans une situation privilégiée : l'eau nécessaire aux multiples lavages et rinçages des peaux et aux bains dans lesquels elles séjournent au cours de leur préparation était fournie abondamment par les sources et les diverses branches de l'oued ; d'autre part, la ville était située au milieu d'un pays d'élevage et entourée d'un cercle de montagnes et de forêts peuplées de gibiers et de fauves ; enfin, cette industrie reçut très tôt l'apport d'expériences étrangères : celle des exilés de Kairouan, de Perse et d'Andalousie.

Les tanneries de Fès acquirent très tôt une flatteuse notoriété : leurs produits étaient, paraît-il, exportés jusqu'à Bagdad, et lorsqu'en 929 (323 de l'Hégire), le général Maisur el-Hasiy se fut emparé de la ville, il exigea la remise d'un butin comportant notamment la livraison de peaux tannées.

Au temps des Mérinides, si l'on en croit le Sharif Si'Abd el-Haï el-Katani, la ville devait contenir jusqu'à une centaine de tanneries.

Ces multiples ateliers devaient être échelonnés le long de l'oued ou situés auprès des sources qui affleurent à l'intérieur des remparts. Pourtant, hormis quelques exceptions, aucun vestige n'a été retrouvé.

Quoi qu'il en soit, l'industrie des peaux faisait vivre une très grande partie de la population et alimentait un commerce de matières premières et de multiples industries : cordonnerie, reliure, sellerie, maroquinerie, fabrication des ceintures, etc... Si l'on ajoute foi à certains renseignements fournis par Léon l'Africain, la production annuelle des peaux préparées dans les tanneries de la ville aurait atteint le total impressionnant de 480 000 peaux.

Le souvenir de grandes familles de tanneurs, les Oulad Slaoui, les Oulad Ben Atiya, survit dans la mémoire populaire.

Description d'une tannerie

Elle comprend essentiellement :

1 — Une aire découverte, de dimensions et de formes variables. Parfois, l'atelier est situé à flanc de colline ou tout au moins sur un terrain incliné et cette disposition est utilisée habilement par les ouvriers pour la répartition des eaux et pour leur écoulement.

L'aire de la tannerie est creusée de bassins et de fosses. Les bassins sont de deux sortes : le sahrij, d'assez grandes dimensions, est utilisé pour le reverdissage des peaux ; le merkel, bassin d'eau très claire de moindres dimensions, sert au rinçage des peaux de mouton et de chèvre. Les bassins peuvent être facilement vidés après le rinçage, car ils sont percés, à la partie inférieure d'une de leurs parois latérales, d'un trou dont il suffit d'enlever la bonde.

Les bassins, en général un de chaque sorte dans chaque atelier, sont communs aux ouvriers, et l'entretien leur en incombe. Les fosses sont également de deux sortes : le mejjyar, ou fosse à chaux, grossièrement faite, dont la maçonnerie est crépie par la chaux des bains, de forme ronde ou rectangulaire (0 m 75 × 0 m 50 environ), et d'une profondeur de 0,50 m à 0,60 m. De légers renfoncements sur les parois servent de points d'appui pour les pieds de l'ouvrier, quand il se baisse pour plonger les peaux dans le bain ou pour les en retirer. Un intervalle de 40 cm seulement sépare les fosses. Le deuxième type de fosse est la qasriyya, ronde, de 1 m de profondeur sur 0 m 80 à 1 m de diamètre, en forme de cône tronqué, aux parois légèrement arrondies. La fosse peut être plus grande pour les bains de tan des peaux de bœuf. Une qasriyya peut contenir de 30 à 60 peaux. A mi-hauteur, une bordure circulaire de pierre ou de zellijs permet à l'ouvrier de ne pas marcher sur les peaux qui macèrent dans le bain. Le revêtement de ces fosses est fait tantôt en briques, tantôt de zellijs, ce dernier revêtement permettant un nettoyage facile de la fosse.

Ces deux types de fosses sont groupées à proximité de rigoles d'écoulement, où on jette l'eau qui a séjourné dans les fosses.

2 — Les magasins ateliers (hzana) garnissent les côtés de l'aire et sont souvent au premier étage, appuyés sur un portique qui abrite, au rez-de-chaussée, les fosses. Chaque hzana est composée de deux pièces superposées. Dans la pièce inférieure, les solives du plafond sont apparentes et on les utilise assez souvent pour le séchage des peaux, qu'il suffit de suspendre à des clous plantés dans ces solives. La pièce est éclairée par l'ouverture de la porte, constamment ouverte, et parfois par une ou deux petites fenêtres. La pièce supérieure est surtout destinée

au séchage des peaux et à leur emmagasinage. On accédait à la pièce inférieure par un escalier et une terrasse ; ici, une trappe et trois ou quatre barres de bois scellées dans le mur suffisent.

Ces pièces servent à l'entrepôt des pelleteries vertes et salées, des différentes matières premières utilisées pour la préparation des peaux dont le tannage est achevé.

Elles abritent aussi les opérations de corroyage : les peaux nouvellement tannées, pendues à une poutre, sont assouplies à l'aide d'outils.

3 — Au-dessus de ces constructions, une vaste terrasse est utilisée pour le séchage des peaux, une fois qu'elles ont été soumises à la teinture.

Préparation des maroquins

1 — Tannage : les peaux sont achetées au souk et sont apportées à la tannerie revêtues des poils. Si elles ont été achetées fraîches, au sortir de la boucherie, le salage s'effectue à la tannerie. Le sel est appliqué vigoureusement des deux côtés et les peaux sont étendues en plein soleil. Le sel qui fond est remplacé au fur et à mesure par une nouvelle couche, pendant trois ou quatre jours.

2 — Deuxième étape : le reverdissage. Cette opération est facilitée à Fès par l'abondance de l'eau ; dans le sahrij, l'eau est toujours claire sans que les tanneurs aient à s'occuper de la renouveler. Les peaux ont été secouées, débarrassées des impuretés et chaque tanneur attache le paquet de celles qui lui appartiennent à une corde, puis il jette le tout dans le sahrij en laissant traîner sur la margelle l'extrémité de la corde.

Il s'agit non seulement de nettoyer les peaux, mais aussi de les faire regrossir et légèrement gonfler. Ce résultat s'obtient plus vite dans un bain d'eau tiède ; aussi, si en été une nuit suffit, en hiver, il faut souvent trois ou quatre jours.

3— Les toisons sont alors retirées et secouées. On les tire en tous sens, à plusieurs reprises, afin de les étendre.

4 — C'est alors le moment du teqli ; on arrache les poils de la toison au couteau, la peau ayant été placée sur une perche appuyée au mur. Ce travail est effectué dans des locaux spéciaux, en général plus vastes que la hzana, et le plus souvent par des spécialistes.

5 — Les peaux sont plongées successivement dans trois sortes de bains de chaux : d'abord, un bain de chaux éteinte, où les peaux séjournent une quinzaine de jours l'hiver, une dizaine l'été ; puis un bain de chaux plus active qui dure une semaine ou deux suivant la saison ; enfin un bain de chaux vive, de même durée. Quant au remplissage des

fosses, il se fait très simplement : la chaux du troisième bain, qui a perdu de son mordant, est versée dans les deuxièmes fosses, puis, quand elle est éteinte, dans les premières.

6 — Le tamris est effectué à l'aide d'une hadida, outil de fer composé d'une large lame en forme de demi-lune montée sur une petite tige en fer. L'ouvrier débarrasse le côté fleur de la peau de toute trace de poil.

7 — Les peaux sont étalées dans le merkel pour être progressivement purgées de la chaux qui les a imprégnées au cours des bains précédents. Après un lavage préparatoire de deux heures, elles sont jetées dans le second bassin du merkel, plus profond, où une équipe de deux ou trois ouvriers descend pour les fouler méthodiquement. Cette opération qui dure environ trois heures, est extrêmement fatigante : les tanneurs sont presque nus, quelle que soit la saison, et leurs jambes sont abîmées par la chaux.

8 — Dans la qasriyya, les peaux subissent des bains successifs et variés : d'abord, un bain de zbel, ou fiente de pigeon sauvage, qui redonne de la consistance aux peaux, pendant quatre à huit jours. Puis on vide la qasriyya, on la nettoie, on y prépare un bain de son, dans lequel on replonge la peau dix à quinze jours l'hiver, quatre ou cinq jours l'été. La peau séjourne enfin dans un bain de tanin ou takaut ; c'est le tannage proprement dit.

Après chacun des deux premiers bains, un passage au merkel purge la peau. Après le troisième bain, la peau subit un lavage à l'eau pure dans l'oued ou un bassin d'eau courante, au cours duquel les peaux sont râclées du côté chair à l'aide d'un tesson de poterie. Puis elles sont égouttées, essorées par une torsion vigoureuse, et étendues sur les terrasses.

Jadis, le tannage comportait une opération supplémentaire : un bain dans un confit de figues, qui est maintenant généralement abandonné.

Le Marché des Peaux

Les peaux brutes, destinées aux tanneurs, proviennent pour la plupart du Maroc, et beaucoup des abattoirs de Fès. Celles des peaux de bœuf qui ne viennent pas de la région de Fès sont fournies par les boucheries militaires, qui en font un grand commerce. Les peaux de chèvre sont apportées de tous côtés, surtout du pays Zenmour. Les peaux de mouton proviennent surtout des régions d'Azrou, Meknès, Taza, Oujda, du pays Zenmour, des Zayanes, de toutes les régions du Maroc du Nord, y compris le Rif.

Les dépouilles de bœufs sont en général salées par les tanneurs eux-mêmes, alors que les peaux de mouton subissent, avant de pénétrer dans la tannerie, des lavages et un délainage effectués par les lebbata. Quant aux peaux de chèvres, il semble que, pour la plupart, elles soient vendues avant le salage.

Les fondouks

4 fondouks sont spécialisés dans la vente des peaux ; ils sont situés dans différents quartiers de Fès. Le fondouk d'es-Sbitriyine est très ancien, proche des tanneries de Suwwara, de Rahbat et-Tben et de Sidi-Moussa. Y sont vendues des peaux brutes de chèvre et toutes peaux tannées.

Le fondouk de Rahbat ez-zbib est un petit fondouk sans grande importance extérieure, mais très ancien et depuis longtemps affecté à la vente des peaux de bœuf. Cette vente se fait de midi à 1 heure, après une vente de fruits.

Le fondouk d'es-Seffarine est utilisé pour la vente des peaux de mouton, de 11 h du matin à midi et demi. Il n'a été affecté à cette vente qu'en 1912, pour décongestionner le fondouk d'es-Sbitriyine. Les dépouilles sont achetées surtout par les lebbata.

Le fondouk El-jiyaf, comporte, comme les autres fondouks, quelques boutiques de cordonniers, mais il a cette particularité intéressante d'être l'endroit où se vendent les peaux de mouton délainées et lavées par les lebbata, depuis 1931. Ces fondouks sont ouverts tous les jours ; les ventes sont suspendues seulement le vendredi après-midi.

Les taxes : Les udul sont accroupis sur des nattes dans un coin de la cour, près de la porte de sortie. Il importe, en effet, que les acheteurs et vendeurs ne sortent pas avant d'avoir fait enregistrer la vente et d'avoir versé aux udul le montant des droits qui constituent leurs honoraires. Ces droits varient selon les peaux ; le bœuf est le plus taxé, le mouton délainé le moins taxé.

Le tissage de la soie

D'après les Prolégomènes d'Ibn Khaldoun, il est certain que les ateliers princiers de tissage étaient bien connus au Maroc à l'époque mérinide, et qu'on tissait à Fès, dès cette époque, des vêtements et ceintures de soie ornés de fils d'or.

Il semble également, d'après cet auteur, que le métier utilisé était le métier à la tire ; les tissages précieux qu'il décrit, en effet, ne peuvent être exécutés sur le métier ordinaire des tisserands de soie (qui ne compte guère plus de six lames), en raison de la multiplicité des lames nécessaires pour tisser un fond et un décor complexe. Il semble que, dès la plus haute antiquité, on ait connu le métier à la tire et c'est ce métier qui a dû être importé dans les « tiraz » d'Espagne d'abord, dans ceux de Fès ensuite, à une époque où cette technique était ignorée en France.

Le décor des tissages est alourdi et abâtardi par des influences nettement européennes, italiennes en particulier. Il est vraisemblable que — ces pièces précieuses servant très souvent de monnaie d'échanges — les clients européens aient manifesté leurs goûts et désirs et modifié parfois ainsi l'ordonnance générale au détriment de la pureté du style.

Les tissus brochés

Les ceintures brochées (hzam) étaient réservées exclusivement au costume féminin. Larges de 30 à 50 cm, elles ont peu à peu gagné en largeur, en épaisseur, en longueur, et donc en poids (elles pouvaient peser jusqu'à 10 kg). Devenues si encombrantes, la mode en est passée à Fès à la fin du XIXème siècle. Les dimensions indiquées ne tiennent pas compte des franges, longues de 50 à 60 centimètres, provenant du tressage des fils de chaîne laissés libres après tissage, et faites par les passementiers qui y incorporaient des fils d'or et d'argent, voire des paillettes de métal pour en rehausser l'éclat.

Après un chef de tissu uni, le corps de la ceinture est entièrement couvert d'un décor broché fait d'éléments où se mêlent la géométrie et des motifs floraux. Obligatoirement, le décor commence et finit par une bande transversale (sellum), de faible largeur, où alternent une étoile à cinq pointes et une main stylisée (hamsa), toutes deux destinées à conjurer le Mauvais Œil.

Quant au décor broché du corps principal de la ceinture, il comporte, soit sur un fond d'une seule couleur, soit sur deux fonds de couleurs différentes par moitiés longitudinales, un seul ou plusieurs motifs. Il semble que cette diversité de colorations des fonds ait eu pour but de permettre à une seule et même ceinture d'être assortie plus facilement avec des toilettes de nuances différentes.

Les tentures brochées revêtaient, surtout à l'occasion des mariages, les murs intérieurs de la chambre nuptiale. Cette tenture (haete) se compose de cinq, sept ou neuf lés, de 50 à 60 centimètres de largeur, cousus bord à bord, plus ou moins décorés ; il s'applique au mur faisant face à la porte d'entrée de la salle qu'il décore. Souvent, chaque lé figure une arcade alternativement rouge et verte ou bien encore il présente un dessin qui se répand uniformément sur toute sa surface. L'étendard broché, vert, rouge, quelquefois jaune, est plus ou moins chargé d'inscriptions en caractères cursifs ; il figure dans l'escorte du sultan à l'occasion de certaines cérémonies.

Broderies de Fès

Il existe deux types de broderie. Le premier, encore exécuté de nos jours, est une broderie à fils comptés. Le deuxième est fait de « point de tige » ou de « point piqué ». Les deux faces du tissu sont brodées avec des fils monochromes : noir, vert, rouge, bleu.

Le second type de broderie de Fès est désigné sous le vocable de « alouj » et appartient à la famille des points « persans ». La broderie « alouj » utilise le point biais pour le remplissage des masses, le point de trait ou de tige pour le sertissage des éléments décoratifs, le « point de chausson » (ou « natte allongée ») pour séparer les divers registres de la composition. La pièce brodée comporte un endroit et un envers. La broderie de Fès vient embellir les nappes, les coussins et les pièces d'étoffe qui serviront à envelopper tout paquet de valeur qu'une femme enverra à une autre. La monochromie est habituelle dans les broderies de Fès.

CHAPITRE VII

LA FAMILLE FASSIE

Comme dans toute l'Afrique du Nord, comme dans tout le monde arabe, la famille à Fès est l'élément de base de la vie sociale. L'individu isolé ne joue son rôle social qu'en tant que descendant d'une lignée. A la campagne, il ne compte que comme membre d'une tribu ou d'une fraction, de même que dans la vie économique il fait partie d'une corporation ou d'un marché.

Aussi c'est une obligation sociale pour les Marocains de fonder une famille. Fès ne fait pas exception.

Les fiançailles. — C'était la mère qui choisissait la fiancée de son fils. Il pouvait arriver que son choix fût guidé par la tradition : le cousin a droit à la main de la fille de son cousin, avant tout autre prétendant. Souvent la mère avait remarqué, au cours des réceptions, une jeune fille réservée et serviable ; ou encore au bain, elle avait distingué une jeune personne particulièrement saine et bien faite. Elle avait aussi recours à des amies, aux marieuses, ou ,dans le cas des familles modestes, aux brocanteuses, qui connaissent beaucoup de monde. En tout cas, ce n'était pas le jeune homme qui avait l'initiative du choix de sa fiancée, et l'on peut dire qu'avant le jour du mariage il ne la connaissait que par les descriptions que lui avaient faites sa mère, ses sœurs ou l'une de ses proches parentes.

Il pouvait arriver, dans le cas des unions entre parents ou entre familles liées par une étroite amitié, que le mariage fût décidé, au moins dans l'esprit des parents, bien avant que les jeunes gens eussent atteint l'âge convenable ; mais d'ordinaire on attendait, pour songer aux noces, que le jeune homme eût atteint dix-sept ou dix-huit ans et que la jeune fille fût nubile ou près de l'être.

Son choix fait, la mère en parlait à son mari et, si celui-ci approuvait, ils décidaient d'avertir leur fils. Ils avaient souvent recours à un intermédiaire, un parent ou un ami respecté, à qui son expérience et son prestige auprès du jeune homme permettaient d'aborder ce sujet difficile. S'il se laissait convaincre, ses parents entreprenaient aussitôt les négociations en vue des fiançailles, la demande en mariage (khotba). C'est sa mère encore qui faisait la première démarche : accompagnée de plusieurs parentes dans leurs plus beaux atours, elle allait rendre visite à la mère de la jeune fille. Pendant ce temps, le père de la jeune fille se renseignait, si besoin était, sur la famille du prétendant (situation de fortune, alliances, honorabilité) et sur sa moralité.

Au bout de quelques jours, la mère du jeune homme faisait une seconde visite et, « à la façon seulement dont elle était reçue », pressentait la réponse qui lui serait faite. En cas de réponse favorable, la mère de la jeune fille prononçait la formule quasi rituelle : « Si même tu me demandais mes yeux, je n'hésiterais pas à les faire sortir pour toi, ô Lalla. Dieu ne fera que du bien, mais il faut que les hommes se voient aussi et en parlent ». On abordait en outre les questions pécuniaires, dont les femmes parlaient très librement entre elles ; ce jour-là, tout était réglé dans les grandes lignes.

C'est alors que les pères de famille entraient en scène. Un vendredi de préférence, car on a plus de loisir ce jour-là, le père du jeune homme venait trouver le père de la jeune fille, accompagné de quatre ou cinq personnes, parents ou amis influents parmi lesquels très souvent un sharif. La réunion commençait en général par un repas ; ensuite deux des visiteurs prenaient à part leur hôte et engageaient l'entretien à peu près comme ceci : « Monsieur, le but de notre visite est de vous demander en mariage votre fille pleine d'estime et de grâce... ». Ce qui n'était pas exactement fixé au préalable et qui donnait lieu à un véritable débat, c'était en réalité le montant de la dot (sadak) que devrait verser le futur époux. Alors, dans la pièce ombreuse et calme, dont le silence n'était troublé que par les chuchotements de la discussion et le bruissement du jet d'eau, se déroulait le va-et-vient des négociateurs entre les deux pères, ce que les frères Tharaud appellent joliment « le ballet de la dot ».

Enfin tout était décidé et l'on pouvait fixer la date des fiançailles officielles. La mère du jeune homme se préparait à rendre une nouvelle visite (kmalat el-atiya : l'accomplissement de la promesse) ; elle faisait porter au préalable quelques cadeaux pour sa future bru : des coupons d'étoffe, des dattes, des cierges, du henné (hennat en-nisba : le henné de l'alliance). Jusqu'alors le mariage projeté n'était connu que des deux familles et du petit nombre des intermédiaires discrets auxquels on avait recours. Les fiançailles officielles étaient célébrées peu après, un ven-

Patio d'une maison bourgeoise.
(A. Gaudio)

Une salle du Musée de Batha.
(A. Gaudio)

Cour intérieure du Musée Batha.
(A. Gaudio)

ntérieur du Palais Mnabhi.
(Itacolor, Casablanca)

Potier et libraire ancien sur la place Najjarine.
(A. Gaudio)

Fontaine et place Najjarine.
(A. Gaudio)

La Qaraouiyine, entrée de la grande bibliothèque.
(A. Gaudio)

dredi. A l'heure de la prière de l'après-midi ('asr), les hommes des deux familles, leurs amis et leurs barbiers, se réunissaient dans une mosquée, soit le sanctuaire de Moulay Idris, soit encore la zawiya d'une confrérie à laquelle appartenait le père de la jeune fille. Après la prière de tout le monde, les deux groupes, face à face, prenaient l'attitude de la prière, mains tendues, paumes vers le ciel, tandis que le directeur de la cérémonie récitait à mi-voix la première sourate du Coran, la Fatiha, puis, la prière dite, « passait ses mains sur son visage et sa poitrine, les baisant légèrement lorsqu'elles frôlaient ses lèvres » et prononçant la formule : « gloire à Dieu, maître de l'Univers ». Tous les assistants, l'ayant imité, se rangeaient ensuite dans la cour en arc de cercle et chacun des deux pères recevait les félicitations de ses compagnons qui lui disaient : « Bénie et heureuse soit cette alliance », ou bien « Que Dieu mène à bien les choses ». Puis il recevait les félicitations des membres de l'autre groupe.

La Fatiha était le seul acte proprement religieux qui marquait les cérémonies du mariage. Certes, la religion n'était pas tout-à-fait absente par la suite, mais tout se passait en dehors des édifices du culte, sans presque aucune prière canonique. La durée des fiançailles était fixée par les familles, de six mois à deux ans selon les circonstances.

La dot et le contrat — Le versement de la dot marquait la fin des fiançailles et le début des fêtes du mariage. Il s'accompagnait de la rédaction du contrat. La date était fixée par les deux pères deux ou trois semaines à l'avance, car il fallait faire des invitations et des préparatifs. Il y avait grand déjeuner dans les deux maisons. Deux notaires avaient été invités chez le père du jeune homme. Après le repas, leur hôte faisait compter devant eux en espèces sonnantes la somme convenue, on la mettait dans des sacs pour la transporter chez le père de la jeune fille, escortée des notaires et de quatre ou cinq amis de confiance. Les nouveaux arrivants devaient incontinent se remettre à table, puis ils versaient à son destinataire la somme qui leur avait été confiée. Après quoi les deux notaires dressaient le contrat, qui mentionnait en général que le futur époux mettrait au service de sa femme une esclave, dont la valeur d'achat était indiquée, et qui pouvait contenir des dispositions spéciales, comme, par exemple, l'interdiction au futur mari d'emmener sa femme habiter hors de Fès ou le droit pour la femme de prononcer sa propre répudiation si son époux contractait un nouveau mariage.

Le père de la jeune fille était tenu par la coutume, à moins de stipulation contraire expressément indiquée dans le contrat, de dépenser pour l'établissement du jeune ménage une somme au moins égale (mithl) à celle qu'il avait reçue en dot. Ainsi était constitué non seulement le trousseau proprement dit de la jeune fiancée, mais encore le mobilier jugé nécessaire, étant donné le milieu social des époux. Ces dépenses, auxquelles s'ajoutaient les frais des fêtes du mariage, imposaient un lourd sacrifice à ceux qui mariaient leur fille. Déjà Léon l'Africain avait noté que bien des gens s'y ruinaient ; il en était de même au début du XXème siècle.

Les préparatifs. — Une fois la dot versée, on fixait la date du mariage, et les préparatifs commençaient. Cinq jours avant la nuit des noces, les marieuses faisaient porter à la maison du fiancé le nécessaire pour aménager la chambre nuptiale, ensuite elles empilaient des matelas les uns sur les autres pour former une cloison ne laissant entre elle et le mur que la largeur d'un lit ; l'alcôve était décorée d'étoffes brodées et de tentures.

Quinze jours à l'avance, la jeune fille se rendait toutes les deux nuits au bain pour les sept ablutions rituelles. La dernière était marquée par la cérémonie du takbib (lavage avec les seaux) ; la fiancée était ensuite revêtue de vêtements neufs et coiffée d'une somptueuse étoffe brodée de noir. C'était un rite de purification et de passage ; la jeune fille venait d'entrer dans une nouvelle phase de sa vie. Revenue chez elle, on la plaçait derrière un rideau, autre symbole de la rupture avec sa vie intérieure ; après un souper, une ma'llma hennaya (artiste en henné) traçait sur ses mains et sur ses pieds le dessin spécial aux mariées qui reproduisait à peu près certains motifs de la broderie de Fès. Désormais, et pendant toute la durée des fêtes du mariage, la jeune femme devait mener une vie à part jusqu'au moment où, les rites accomplis, elle aurait pris l'état de femme mariée.

Dans la soirée du lendemain, les marieuses faisaient leur apparition. Aux environs de trois heures du matin, c'était le moment de « travailler la mariée » : elles la fardaient violemment, sauf si c'était une chérifa ou une Arabe, la couvraient de lourdes robes, de bijoux, de bandes d'étoffe raide qui lui encadraient le visage. Deux marieuses la prenaient par la main, après lui avoir couvert le visage d'un voile, et la conduisaient à pas lents tout autour du patio, au milieu du cercle chatoyant des visiteuses, tandis que les autres, portant des cierges allumés, psalmodiaient les louanges du Prophète.

Lorsque cette étrange cérémonie (ed-doura : le circuit) avait pris fin, les marieuses reconduisaient la fiancée à son alcôve ; bientôt elles la ramenaient à la porte de la chambre, face au patio, toute droite, hiératique, puis elles la dévoilaient ; la mère se présentait, et déposait une pièce d'argent dans un bol. Ensuite, le chœur des marieuses répétait deux ou trois fois, à plein gosier, la litanie des louanges. Après cela, la fiancée était portée par sa nourrice devant la marieuse en chef, qui tressait sa chevelure et refaisait sur ses mains et sur ses pieds un second dessin de henné. Puis on la faisait asseoir sur une estrade à trois marches et tour à tour les assistantes remettaient à l'une des marieuses leur cadeau de noces.

Pendant tout ce temps, le fiancé menait, de son côté, une vie hors de l'ordinaire ; son père s'était fait prêter une maison voisine de la sienne qui, durant quelques jours, abritait le jeune homme et ses amis. On la nommait dar islan, tandis que la demeure nuptiale, la demeure paternelle du jeune homme, portait le nom de dar el-'ors. Le fiancé s'y rendait dans l'après-midi qui précédait la nuit des noces ou même la veille, accompagné de jeunes gens de son âge, qui se livraient à des plaisanteries traditionnelles. Un orchestre de musiciens jouait inlassablement.

Dans la soirée qui précédait la première rencontre avec la fiancée, le coiffeur de la famille apportait au dar el-'ors une grande chaise de bois peinte de couleurs claires, puis faisait chercher le jeune homme au dar islan. Un cortège se formait, la marieuse en chef mouillait les cheveux du fiancé avec une branche de myrte, puis les assistants collaient sur son front ou glissaient entre ses lèvres des pièces d'argent destinées au coiffeur ; à la fin de cette cérémonie, le coiffeur remplissait son office, rasant la tête du fiancé et lui faisant la barbe, si besoin était.

Pour le marié comme pour la mariée, les quelques jours qui précédaient les noces étaient donc des jours d'initiation, mais on remarquera que les obligations imposées à l'homme n'avaient pas autant d'ampleur que pour la femme.

Les cérémonies nuptiales. — On en arrivait enfin au mariage proprement dit. Cette nuit-là, il y avait fête dans les trois maisons. Au début de la nuit, la demeure de la jeune fille était le théâtre de la scène principale. Jusque vers une heure du matin, le patio et le rez-de-chaussée étaient réservés aux hommes ; toutes les femmes se retiraient au premier étage d'où elles entendaient tous les échos de la réunion. Une réception identique était donnée chez le père du marié ; après le repas, vers deux heures du matin, les coiffeurs allaient chercher les jeunes gens du dar islan qui, eux aussi, avaient festoyé. Un cortège se formait au dar el-'ors, précédé d'enfants qui tenaient des cierges à la main, puis se déroulait dans les rues étroites et sinueuses de la Médina, au rythme des cris joyeux des enfants, des prières et des poésies que tous psalmodiaient en chœur.

Dans le patio de la mariée, un autre cortège s'était formé ; il accueillait le premier, mais non sans résistance, en souvenir probablement du temps où le mariage commençait par un véritable rapt. C'était l'heure de la séparation et des larmes ; lorsque la fiancée avait revêtu son haïk, elle allait faire en pleurant ses adieux à son père.

Le cortège nuptial se formait : en tête venaient les hommes de la famille du marié, puis les marieuses, suivies de la mariée et de six ou huit de ses parentes, habillées exactement comme elle, pour que les génies ne sussent à qui s'en prendre s'ils venaient à rencontrer le cortège ; les parents de la mariée, hommes et jeunes garçons, fermaient la marche. On n'hésitait pas à mener grand tapage. Devant la porte de la maison nuptiale, le cortège se disloquait. Seules les femmes pénétraient avec la mariée dans la nouvelle demeure ; les marieuses la revêtaient du costume qu'elle avait déjà porté chez elle et la fardaient. Elles la conduisaient alors voilée au seuil de la chambre nuptiale et lui présentaient deux pains qu'elle tenait sous chaque bras et un trousseau de clés ; deux d'entre elles l'encadraient, l'une tenant un bol de lait, l'autre un plateau de dattes. La belle-mère s'avançait, donnait une pièce d'argent aux marieuses, soulevait le voile qui couvrait le visage de sa bru qui tenait ses yeux fermés, l'embrassait légèrement sur la joue.

Ainsi la mariée recevait dès l'abord les souhaits de bienvenue de sa belle-mère : avant même d'être unie à son époux, elle était adoptée par sa famille. Pendant ce temps, deux marieuses allaient chercher l'époux au dar islan ; il pénétrait dans le patio et, capuchon rabattu sur les yeux, se frayait un chemin parmi la foule des invitées pour gagner la chambre de sa femme. Alors les marieuses levaient le voile qui lui couvrait le visage : pour la première fois, les deux époux se regardaient. Moment pathétique pour ces deux êtres, surtout dans l'atmosphère irréelle et tendue où ils vivaient depuis plusieurs jours.

Les marieuses débarrassaient la jeune femme de toutes les parures dont elle était couverte, lui nettoyaient le visage couvert de fard, et la laissaient avec son époux, vêtue d'une chemise fine et d'un caleçon « d'une blancheur immaculée, symbole de la virginité ». La bienséance voulait que le mariage ne fût pas consommé ce matin-là, en raison de la fatigue et de l'émotion. Mais, le jour après la consommation du mariage et l'apparition du sang indiquant que la mariée était vierge, le pantalon de cette dernière était enveloppé dans un foulard de soie et exposé dans les deux maisons, près de la porte de la chambre nuptiale et chez les parents de la mariée.

Si la mariée n'était pas reconnue vierge, les noces pouvaient se terminer soudainement. Mais il pouvait arriver aussi que les parents de la mariée, afin d'éviter un scandale, achètent le marié pour qu'il cache le fait ; dans ce cas, on substituait aux signes d'absence de la virginité le sang d'un poulet ou d'un pigeon. Si le mari accusait l'épouse de ne pas être vierge, ses parents pouvaient envoyer deux sages-femmes et deux notaires chez lui, les premières pour examiner la mariée et les seconds pour consigner les résultats de l'examen. Si le marié s'était trompé, il était condamné par le pacha à être fouetté et mis en prison.

Les marieuses. — On a vu que ces femmes étaient sans cesse présentes, sans cesse agissantes. Il faut voir en elles les gardiennes d'une tradition essentielle, les prêtresses des rites de l'union ; leur témoignage prend, au regard de la coutume fassie, presque autant de valeur que celui d'un notaire.

Par un curieux paradoxe, ces gardiennes de la tradition n'ont pas une origine très ancienne, au moins sous leur forme actuelle. Léon l'Africain parle bien de « femmes qui se meslent d'atourner les épouses » mais, d'après les détails qu'il donne, il semble bien qu'elles jouaient simplement alors le rôle d'habilleuses, se bornant à « préparer » la mariée avant son départ pour la demeure nuptiale. On ne saurait dire à quelle date exacte les marieuses ont été amenées à s'organiser et à prendre l'importance que nous leur avons vue ; on peut supposer cependant que c'est vers le début du XVIIème ou du XVIIIème siècle, au moment où les esclaves noirs devinrent nombreux au Maroc. Jusqu'au début du XXème siècle, presque toutes, sinon toutes, les marieuses étaient des négresses affranchies.

A cette époque, elles formaient une corporation dirigée par une «amina» qui jouait à peu près le même rôle que les chefs des corporations masculines : elle servait d'expert dans les contestations qui pouvaient s'élever entre les membres de la corporation, ou bien entre marieuses et clients ; d'autre part, elle soumettait à l'agrément du «mohtasseb» la désignation des patronnes. C'était toujours une personne âgée, riche et respectée.

La corporation était divisée en plusieurs compagnies, et chacune avait à sa tête une patronne (ma'llma). On en comptait sept sous le règne de Moulay Abdelaziz : celle de Zaïda Chokrouna, de Zaïda Bennaniya, de Mbarka el'Abdellawiya, d'el-Hajja Mariam, de Zaïda Lahbabiya, l'amina, de Yasmin Misouriya et de Ya'kout Slawiya. Rien qu'à lire cette énumération, on constate que presque toutes ces patronnes portaient des noms de vieilles familles fassies, mais leur prénom seul indique clairement des esclaves affranchies qui, selon l'usage, continuaient à porter le nom de leur ancien maître.

La patronne de chaque compagnie était assistée de trois ou quatre femmes expertes dans le métier et présentant de particulières garanties de moralité ; en outre, elle avait à son service un nombre variable de femmes de peine. Les compagnies les plus nombreuses comptaient jusqu'à 40 négresses, les moins florissantes 15 à 20. Aucune de ces femmes n'avaient moins de 25 ans, la plupart dépassant la trentaine. Aucune non plus n'était mariée, et le commerce des hommes hors mariage leur était également interdit.

En principe, elles vivaient uniquement de leur métier ; pendant la saison des mariages, tout allait bien, mais quand venait le chômage hivernal, beaucoup, surtout parmi les femmes de peine, se trouvaient sans ressources. Les unes se livraient alors à des travaux, de broderie par exemple, en attendant le retour du printemps et des noces ; d'autres tâchaient de se faire héberger pour quelques semaines ou quelques mois dans la demeure de leur ancien maître, où elles participaient comme autrefois aux travaux domestiques ; d'autres encore se faisaient inviter huit jours dans une famille cliente, huit jours dans une autre et passaient tant bien que mal la morte-saison.

Elles jouaient aussi un rôle dans quelques autres cérémonies familiales. Le lendemain de la fête du septième jour après la naissance d'un premier enfant, les marieuses organisaient l'exposition du nouveau-né (berza), au moins dans les grandes familles. A l'occasion des circoncisions, elles étaient souvent conviées à réciter les formules bénéfiques connues d'elles seules. Elles étaient parfois invitées à psalmodier des prières en l'honneur du Prophète à l'occasion des retours de pèlerinages et des décès.

Elles participaient aussi à des cérémonies officielles : quand le Sultan faisait son entrée solennelle dans Fès, quand un nouveau gouverneur ou un nouveau ministre prenait ses fonctions, elles confectionnaient des poupées parées comme des mariées de véritables bijoux, que l'on présentait au Souverain ou au grand personnage sur leur passage. En remerciement, elles recevaient un don en argent et étaient invitées à passer trois ou quatre jours au Palais.

Dans les mariages, leur activité s'exerçait de trois façons différentes. Tout d'abord, les patronnes étaient souvent consultées pour le choix des conjoints. En second lieu, elles louaient les vêtements et les bijoux indispensables à la mariée ; toutes les compagnies possédaient en propre les vêtements essentiels, mais louaient à leur tour les bijoux et d'autres accessoires à certaines familles notables, comme les Lahlou, les Bennis, les Mekwar. Le prix de location variait suivant la qualité des marchandises et aussi selon le rang social et la fortune des clients. En troisième lieu, les « ngagef » organisaient les cérémonies de mariage ne se bornant pas à décharger les familles du soin d'apprêter la mariée et de meubler la chambre nuptiale, mais veillant à ce que tous les rites fussent scrupuleusement respectés selon le rang social des époux.

Les renseignements que donnaient les marieuses en vue d'une union n'étaient pas directement rétribués ; ils valaient à celle qui les avait donnés un bon repas, des cadeaux et la clientèle de la famille en question ; ils lui valaient surtout de la considération et des égards craintifs. Le plus clair des gains venait des collectes faites pendant les cérémonies nuptiales ; en plus, la patronne recevait presque toujours des cadeaux en nature (mouchoirs brodés, sucre, miel, cierges, henné) qu'elles ne devait pas partager avec ses employées. Leur clientèle était pratiquement limitée à la Médina de Fès, car les habitants de Fès Jdid et des casba, presque tous originaires des tribus, ne célébraient pas leurs noces à la mode fassie.

Telles étaient les femmes qui, en dépit de leur humble origine, exerçaient une réelle influence sur les familles de Fès. On ne les aimait pas beaucoup, car leur rapacité était grande ; on ne les prisait pas non plus. Mais on ne pouvait se passer d'elles.

Al-Akika — La naissance

Dans la tradition, la naissance est liée à plusieurs habitudes et coutumes : celles qui se déroulent à l'intérieur d'une pièce fermée : l'accouchement. Celles qui se passent à l'extérieur de la maison.

A l'intérieur de la pièce, la sage-femme (Alkabla) passe de longues heures d'attente pour faciliter la venue au monde du nouveau-né en s'aidant d'encens et de chants rythmés psalmodiés par les femmes de la maison pour cacher les lamentations de la future mère (lamentations qui ont d'ailleurs pour sujet le prophète et sa fille Fatima Azahra).

A l'extérieur de la maison, un des parents de la future mère fait appel à un Maître de l'école coranique qui achète un œuf et écrit sur sa coquille Asmaâ Allah Alhousna et demande à un groupe de ses élèves de la mettre sur un drap blanc retenu à ses quatre extrémités par les enfants. Et ils s'en vont à travers les rues et les avenues de la médina en scandant :

Anfissa tal aliba anfas
Y - a Rabi tâtiha lakhlass
Hormat taha ou yassina.

Et quand l'œuf qui est sur le drap est brisé par les pièces de monnaie jetées dessus par les passants, le drap est ramassé puis ramené au maître de l'école coranique et en principe la parente a accouché.

La convalescence de la mère dure sept jours et au septième jour de la naissance du bébé, un mouton est sacrifié et le nom du nouveau-né est choisi.

Sont présents en général de très bonne heure au petit déjeuner les proches parents de la mère et de son mari, en attendant la grande fête où assistent la famille, dans son sens le plus large, ainsi que les amis du couple et de la famille.

La tradition voulait qu'on réservât une journée à la réception des femmes et une autre à celle des hommes. De nombreux orchestres et troupes folkloriques participent aux festivités dans les milieux aisés, et dans les autres milieux chacun selon ses possibilités organise ses festivités.

La fête continue aussi pour la nouvelle Maman qui est couverte de bijoux et reçoit de nombreux cadeaux.

La Circoncision

Tous les enfants de Fès, comme d'ailleurs tous les enfants musulmans, sont circoncis. Cette manifestation obéit aussi à de nombreux rites et coutumes.

Cette opération se fait selon les familles et les milieux entre un et sept ans. Les familles n'ont pas l'habitude de le faire elles-mêmes, ce sont les proches parents qui le font à leur place (c'est ce qu'on appelle As sarika, c'est-à-dire le vol) avec le consentement du père et de la mère de l'enfant.

D'habitude le garçon est circoncis au pas de la porte, sa mère étant dans un endroit de la maison d'où elle ne peut voir l'opération, ses pieds dans une bassine remplie d'eau froide.

Le coiffeur qui s'occupe généralement de l'opération, connaît plusieurs ruses pour se faire aimer de l'enfant avant qu'il ne procède à la circoncision ; il lui présente tout d'abord des gâteaux puis il sort les ciseaux avec beaucoup de réserve, demandant à l'enfant de regarder en l'air sous prétexte qu'il y a un pigeon... et c'est à ce moment qu'il intervient.

Les pleurs de l'enfant se perdent dans le roulement des tambours et le chant des clarinettes...

Le jour suivant, une grande fête est organisée, avec la présence des parents proches et éloignés. des amis. Un orchestre égaie l'atmosphère. Le circoncis se promène parmi les invités : il vient de faire ses premiers pas pour devenir un adulte.

La cérémonie de Jaïbouh

Les familles fassies ont pour habitude d'organiser une fête lorsque leurs enfants viennent d'apprendre une partie du Coran. Surtout lorsqu'ils sont arrivés aux sourates intitulées : « La délivrance » et « La

Bénédiction ». Le Fqih (maître coranique) note alors la sourate concernée sur la tablette de son élève, la décore de fioritures et l'envoie aux parents. Immédiatement le père accompagne son fils au m'sid (école coranique) pour fixer avec le Fquih le jour de la fête, qui est le plus souvent un mercredi soir.

Le jour convenu, tous les élèves du M'sid accompagnent leur camarade à sa maison. A leur arrivée, les femmes poussent des you-you stridents, reçoivent les enfants avec du lait et des dattes, avant de porter l'élève « intelligent » dans une « mida » (table creuse) au-dessus des têtes en chantonnant :

« On l'a emmené, on l'a emmené (Jaïbouh)
Quelle joie pour son père et sa mère !
Où le poser ?
Dans les bras de sa mère et de son père ! »

Puis elles le déposent, prennent des verres de thé tandis que les invités mettent leurs cadeaux (de l'argent surtout) dans la « mida ». Le Fquih en reçoit sa part et les enfants quittent les lieux en répétant :

« Cette demeure est sacrée
Et ses habitants sont bénis
O dieu ! comble-la de tes bienfaits
Et avec ta bénédiction, ô prophète »

Ils retournent alors au m'sid où ils remettent au Fquih son précieux cadeau. Il formule une prière pour l'enfant concerné ainsi que pour les autres.

CHAPITRE VIII

L'ART HISPANO-MAURESQUE A FÈS

Du XIIème au XVIIIème siècle, Fès s'ennoblit en recevant tout entier le patrimoine de l'art hispano-mauresque. Jusqu'au XVème siècle, avant la chute de Grenade, l'art de Fès est le miroir fidèle de sa souche vivante en Espagne musulmane. A partir du XVème siècle, c'est Fès qui recueille l'héritage et perpétue les splendeurs de l'art andalou brisé. Aussi l'art hispano-mauresque survivra au Maroc jusqu'à l'époque alaouite.

Ecoutons H. Terrasse : « (...) Des fugitifs espagnols vinrent sans doute renforcer les ateliers de Fès : dernière et artificielle poussée de sève vivante. L'art subira le sort de toute la civilisation hispano-mauresque du Maroc qui devra vivre entre les murailles des villes et des palais, à l'écart d'un grand pays tantôt resté berbère, tantôt dépersonnalisé par l'invasion hilalienne. Dans les ateliers de Fès la tradition hispano-mauresque s'étiole lentement.

Elle survit pourtant. Le Maroc s'est fermé au monde extérieur. Seuls les « Moriscos » lui apportent — dernier et involontaire cadeau de l'Espagne — quelques éléments de l'art de la Renaissance. Nulle concurrence ne viendra évincer cet art médiéval qui s'impose aux Marocains avec tout le prestige de ses grandeurs passées et comme le signe d'une civilisation supérieure. Aussi les maîtres d'œuvre et les artisans marocains, malgré l'irrégularité de la commande, réussirent-ils à prolonger un art qui faisait toute leur vie et leur fierté. L'histoire heurtée du Maroc épargna relativement la ville de Fès. Même lorsque les Saadiens lui préférèrent Marrakech, même lorsque Moulay Ismaïl suscita la concurrence toute proche de Meknès, Fès resta la ville par excellence et le refuge des meilleures traditions. Les souverains mêmes qui la dépouillaient de la prééminence politique firent souvent appel à ses ateliers. Avec Moulay Slimane et la fin du XVIIIème siècle, Fès retrouve son rang de première capitale et, sans négliger les autres villes du pays, les sultans alaouites se plaisent à l'orner. En dehors des constructions maghzen, les chantiers ne chômèrent pas. Ville d'étude et de piété, Fès resta la ville aux innombrables sanctuaires : bien des petites mosquées furent fondées ou refaites aux siècles derniers. Nulle part au Maroc, on ne construisit de façon aussi continue qu'à Fès. »

Ces mosquées de la fin du XIIIème siècle, sont bâties en briques sur piliers, avec des toits de tuiles posés sur des charpentes. Leurs coupoles sont presque toutes en nervures, selon une tradition architectonique omeyyade que les Mérinides ont adoptée. Toujours à l'époque mérinide, Fès a vu s'élever de petites mosquées et des oratoires dans tous les quartiers des deux rives. M. Maslow, qui fut inspecteur des Beaux-Arts et des monuments historiques à Fès, nous a laissé une description fidèle des 39 sanctuaires illustrés par une documentation graphique et photographique complète et irremplaçable [1].

En ce qui concerne les oratoires, une étude très récente vient de nous être livrée par le jeune historien Abdelaziz Touri auquel revient le mérite d'avoir analysé typologiquement tous ces monuments religieux de la Médina. Il a recensé chaque édifice et dressé la première carte de leur emplacement. Pour chaque oratoire étudié il donne un plan, les sources historiques, les matériaux de construction, les techniques employées et la typologie. Il divise les oratoires entre les salles de prière simple, les oratoires à plan élaboré, les oratoires « mu'llaq », les oratoires à étage et la mosquée. Il donne également une liste des mosquées disparues et des mosquées en ruine. Il écrit : « ... Comme pour rappeler sa première grande vocation (religieuse et spirituelle), celle de la foi et de l'enseignement islamiques, la ville d'Idris offre au visiteur ses innombrables mosquées, ses médersas, ses zawiyas et ses mausolées qui jalonnent ses rues et s'enfouissent au plus profond de ses quartiers. Nulle part en Occident musulman une telle profusion d'édifices religieux ne vit le jour. Ainsi la ville juxtapose à de grands sanctuaires d'une beauté inégalable une multitude de monuments religieux de dimensions plus modestes, éparpillés aux quatre coins de la cité ».

Des maisons mérinides

Tous les historiens s'accordent pour dire que le tracé des rues de la Médina n'a pas changé depuis le XIIème siècle et que le centre du quartier des Kairouanais conserve toujours de nombreuses maisons médié-

1. H. Terrasse, M. Maslow : *Les mosquées de Fès et du nord du Maroc.*

vales, notamment d'époque mérinide. Le premier qui a publié une description de ces anciennes maisons fassies est M. A. Bel dans ses « Inscriptions arabes de Fès » (V. bibl.) mais ce n'est qu'en 1935 que M. Henri Terrasse, alors directeur d'études à l'Institut des Hautes Etudes marocaines, étudiait en détail une maison hispano-mauresque du XIVème siècle pendant l'exécution des travaux près de la mosquée Qaraouiyine [2].

M. Terrasse a écrit qu'autour d'un « patio » de trois mètres cinquante de côté, un artiste mérinide inconnu a ordonné une composition de plus de quatorze mètres de hauteur. Entre le rez-de-chaussée et l'étage, un entresol a pris place. Le confort de la maison n'en a pas été accru : ce dernier étage ne comporte que des soupentes de deux mètres soixante de hauteur. (...) Cet entresol a été traité comme une subdivision de rez-de-chaussée. Le linteau et le garde-fou de cet étage intermédiaire ont pu ainsi trouver place sans alourdir l'ensemble. Les grandes verticales qui marquent la structure du patio montent sans un décrochement jusqu'aux consoles lobées qui supportent les linteaux. Ces linteaux eux-mêmes ont été habilement traités : ils sont tous très épais, mais ils se décomposent en deux ou trois poutres à encadrements moulurés et reposent sur deux ou trois organes d'encorbellement : consoles ou semelles.

« Les garde-fous des galeries comportent, sur un fond de moucharabiehs, des motifs géométriques disposés en oblique qui introduisent, dans tous ces jeux de verticales et d'horizontales, un élément de variété et comme un repos. Partout le problème de la composition en hauteur a été résolu avec d'autant d'élégance qu'à la médersa de Salé : la fontaine du rez-de-chaussée, avec son arc étroit et aigu, ses encadrements sans lourdeur, les trois hautes arcatures qui la couronnent, a été ordonnée avec un rare bonheur.

« (...) Le décor de zellijs, simple dans son ensemble, est judicieusement réparti. Les pavements se composent de motifs géométriques très simples qui, sous les arcades du patio, encadrent des dalles de marbre blanc. Tous ces motifs, différents de dessin et de densité, accusent par leur répartition les grandes lignes du plan. Les polygones étoilés n'apparaissent qu'aux revêtements muraux de la fontaine. Partout l'ornement est subordonné à la composition d'ensemble.

« Dans cette maison, on retrouve tous les types de menuiserie utilisés au XIVème siècle. Les portes du rez-de-chaussée, aujourd'hui très mutilées, sont d'une grande richesse : des bordures épigraphiques encadrent

2. Nous devons à l'amabilité de Monsieur le Professeur Michel Terrasse, son fils, la connaissance de cette étude.

des étoiles polygonales, faites de baguettes moulurées et assemblées. L'arc du portillon a ses écoinçons décorés de palmes. Ces portes s'apparentent aux portes de la médersa Bou Inaniya, mais sont d'une composition plus ferme encore. Les balustrades des étages sont faites de fonds de moucharabiehs timbrés d'entrelacs polygonaux, dessinés eux aussi avec des baguettes moulurées.

« Les linteaux, qui, dans les médersas et dans d'autres maisons anciennes, ont coutume d'être richement sculptés, sont simplement ornés ici de baguettes et de rosaces en haut relief, délicatement moulurées. L'esthétique de ces menuiseries les apparente au décor des Almohades. Ces trois étages de linteaux, à l'ornement assez rare, allègent la composition décorative de la maison ».

Les Médersas

Quelques efforts qu'ils aient dépensés en faveur de leur ville particulière, les Mérinides n'ont pas pour autant négligé la Médina. En bien des endroits, on y trouve la trace de leur effort constructeur.

Tout le monde sait qu'ils sont les bâtisseurs des médersas. A la différence des Almoravides et des Almohades, les Mérinides étaient arrivés au Maroc en conquérants, mais sans se réclamer d'aucune idéologie religieuse, sans prétendre réformer des pratiques abâtardies. Une fois installés dans le pays et notamment à Fès, ils avaient senti le besoin de se poser en champions de l'Islam ; d'où leurs expéditions en Espagne, pour s'opposer à la reconquête chrétienne, d'où leur zèle pour le développement de la religion musulmane.

Jusqu'à leur venue, l'enseignement était sans doute donné dans les mosquées, au moins dans les principales d'entre elles, les mosquées des Kairouanais et des Andalous. Mais une telle organisation éliminait pratiquement les étudiants étrangers à Fès ou qui n'avaient pas de relations leur permettant de trouver un logis. Les Mérinides décidèrent de créer des établissements spéciaux, où les jeunes gens de la campagne auraient logement, nourriture et pâture intellectuelle. Une médersa comprenait donc plusieurs chambres où couchaient ces jeunes gens, quelquefois des salles de cours, au moins dans la Médersa Bou Anania qui est assez éloignée des mosquées principales, enfin un oratoire où les étudiants pouvaient faire leurs dévotions.

Deux de ces médersas furent érigées en mosquées et pourvues d'un minaret d'où le muezzin appelait à la prière les gens du quartier et les pensionnaires de l'établissement. Les revenus des biens Habous subvenaient à l'entretien de ces collèges et fournissaient aux étudiants le pain quotidien.

La première construite fut la médersa es-Saffarine (école des Chaudronniers), située entre la Mosquée des Kairouanais et la rivière, au milieu des boutiques des fabricants de chaudrons. On sait qu'elle fut fondée par Abou Youssef, le bâtisseur de Fès Jdid, mais à une date qu'on ignore. Le Rawd el-Kirtas précise seulement que les livres en langue arabe cédés par Don Sanche aux Mérinides lors de la paix de 684 (1285) furent conservés dans le collège qu'avait fondé Abou Youssef. La médersa qui nous occupe est donc antérieure à cette date.

Elle a, en effet, été fort remaniée et a peu à peu perdu sa décoration. Les revêtements de plâtre qui ornaient jadis les logis autour de la cour ont presque complètement disparu. Il en reste heureusement dans la salle de prière des vestiges importants.

Au-dessus du logis nord-ouest, et à l'aplomb de l'entrée, se dresse un petit minaret. La présence d'un minaret dans une médersa est rare. Le minaret est en effet destiné à l'appel des fidèles dans les mosquées publiques, et les salles de prière des médersas sont réservées aux seuls étudiants.

L'année suivante, le fils d'Abou Saïd, Aboul Hassan qui n'était encore qu'héritier présomptif, décida l'édification d'un troisième collège dans les environs de la Mosquée des Andalous. Il fit d'ailleurs bien les choses, si du moins l'on s'en rapporte à la dépense qui aurait excédé 100 000 pièces d'or. De fait, cette médersa était plus vaste et beaucoup plus richement décorée que les précédentes. Elle était constituée par deux corps de bâtiments entourant chacun un patio ; on les appela d'abord el-Madrasat el-Kobra (la Grande Ecole) et el-Madrasat es-Soghra (la Petite Ecole) ; puis la première reçut le nom de Madrasat es-Sahrij (l'Ecole du Bassin) à cause d'un bassin carré qui occupait tout le centre de son patio ; l'autre fut désignée sous le vocable de Madrasat es-Sba'iyin (l'Ecole de ceux qui enseignent les Sept psalmodies du Coran) en raison probablement de l'enseignement spécialisé que l'on y donnait.

La médersa Sahrij (médersa du Bassin) est située dans les environs immédiats de la mosquée des Andalous, dans la partie orientale de la ville de Fès.

Cette médersa faisait jadis partie d'un ensemble de constructions élevées par l'émir Aboul Hassan en 721 (1321) alors qu'il n'était encore que le khalifa de son père Abou Saïd Othman. Cet ensemble de construction comprenait, outre ce collège, une autre médersa (aujourd'hui médersa Sba'iyin), est une maison d'hôtes entièrement reconstruite en juillet 1916.

La médersa Sba'iyin portait jadis le nom de médersa mineure, par rapport à la grande médersa voisine du Bassin. Elle se trouve à quelques pas de la mosquée des Andalous.

Elle ne comprend que quelques cellules d'étudiants. Elle n'a pas de salle de prière. De minces colonnes de marbre supportent la galerie et des linteaux sont ornés de motifs sculptés.

L'entrée de la salle de prière est divisée par des arcades qui retombaient jadis sur trois colonnes de marbre. Seule la colonne centrale existe encore. Elle peut presque soutenir la comparaison avec les colonnes de l'Attarine pour la grâce de ses proportions. Les chapiteaux sont de marbre et sont décorés de palmes et de pommes de pin de puissant relief.

Devant cette entrée, on voit le beau bassin — sahrij — qui était autrefois à la grande médersa des Andalous, qui a conservé le nom de médersa Sahrij. Ce bassin creusé dans un seul bloc de marbre blanc mesure trois mètres vingt sur un mètre cinq centimètres. Il provient d'Almeria.

Deux ans après, en 723 (1323) Abou Saïd 'Othman ordonnait la mise en chantier d'un quatrième collège, à côté de la Mosquée des Kairouanais, à l'entrée du souk des épiciers-parfumeurs. Il reçut le nom de Médersa Attarine (l'Ecole des épiciers) et était terminé en 1325.

Le Rawd-el-Qirtas nous a laissé cette brève chronique de la fondation de la médersa Attarine [3] :

« En l'an 723 (1323), l'émir des musulmans Abou Saïd — qu'Allah l'assiste et le secoure ! — ordonna de construire la médersa importante, voisine de la Mosquée Qaraouiyine... Elle fut construite sous la surveillance du cheikh Beni Abou Mohamed Abdallah ben Qasim, le mezouar (chambellan).

L'émir des musulmans assista aux premiers travaux des fondations en compagnie des docteurs et des hommes de piété et resta là jusqu'à ce que fussent achevées ces fondations et que fût commencée la construction. Qu'Allah l'en gratifie et qu'il lui accorde de ce fait une belle récompense !

Cette médersa fut une merveille parmi les monuments laissés par ces souverains (mérinides). Aucun roi avant lui n'en avait construit une semblable.

Il y fit couler l'eau d'une source abondante ; il y pourvut d'emplois des docteurs pour l'enseignement de la science, y fit loger des étudiants, y nomma un Imam, des muezzins et des hommes de peine pour le service. Tout ce personnel reçut des traitements et des allocations. Le roi

3. Rawd-el-Kirtas, chronique du XIVème siècle, Ed. Fès, 1303. H. p. 298.

Le magasin d'un artisan fassi.
(Office marocain du tourisme)

Mosquée des Andalous, la cour.
(UNESCO / D. Roger)

La Médersa Bou Inania (XIVe siècle), la plus vaste et somptueuse de Fès.
(UNESCO / D. Roger)

Sur la page ci-contre, le **Mellah**, ancien quartier juif, à Fès-Jdid.
(UNESCO / D. Roger)

Une fenêtre
de la **Médersa Bou Inan**
(UNESCO / D. Roger)

acheta des biens qu'il constitua en habous, au profit de cette médersa, pour l'amour d'Allah le Très-Haut et dans l'espoir d'en recevoir récompense ».

Après un temps d'arrêt, la construction des médersas reprit en 747 (1346). Aboul Hassan, devenu Sultan, décida d'en bâtir une nouvelle à côté de la Mosquée des Kairouanais, plus vaste et plus ornée que les précédentes. Il fit venir d'Almeria une vasque de marbre qui fut transportée par mer jusqu'à l'embouchure du Sebou, puis fut chargée sur un radeau qu'on hala par le fleuve jusqu'à la hauteur de Fès. Voilà l'une des très rares occasions où l'on se servit du Sebou comme voie navigable. C'est la madrasat er-Rokham (l'Ecole du marbre).

Enfin le Sultan Abou'Inan termina la série des médersas qui porte son nom (madrasat Bou'Inaniya) dans le quartier de Talaa, tout près de l'ancienne casba almoravide et almohade de Bou Jloud. De l'autre côté de la rue, il fit bâtir une Maison de l'Horloge (Dar el-Magana) dont on voit encore les Treize timbres de bronze sur des supports en bois sculpté, mais dont il est difficile de reconstituer le mécanisme. Tout cela coûta très cher, dit Léon l'Africain.

La médersa, qui portait le nom de Muttawakkiliya, porte aujourd'hui le nom de Bou Ananiya, en souvenir de son fondateur. Elle est la plus importante des médersas fondées par les souverains mérinides. Elle est doublée d'une mosquée-cathédrale, c'est-à-dire possédant une chaire pour le sermon du vendredi ; elle comprend une école coranique ; elle est pourvue d'un imposant minaret ; elle est accompagnée enfin d'une horloge monumentale, édifice unique en Afrique du Nord.

Du haut de son minaret, l'on voit les minarets de Fès l'Ancienne et de Fès la Neuve. Le signal de la prière pouvait donc être donné aux deux villes par la Bou Ananiya.

Organisée pour satisfaire à toutes les exigences de la religion et de la science, cette superbe médersa devait, dans la pensée de son fondateur, prendre la première place dans la capitale religieuse et intellectuelle du Maghreb.

Comme Abou 'Inan visitait l'édifice une fois achevé, il se fit présenter le livre de comptes. Les maîtres d'œuvre le lui remirent, non sans crainte peut-être, tant était lourde la dépense ; mais lui eut un geste de grand seigneur, déchira le document et le jeta dans la rivière qui traversait la mosquée en récitant un vers d'un poète arabe : « Ce qui est beau n'est pas cher tant grande en soit la somme, ni trop ne peut être payée chose qui plaît à l'homme. »

Pour être tout à fait exact, il faut encore citer une Madrasat el-Lebbadine (l'Ecole des Feutriers) dont les textes signalent l'existence à propos de la Mosquée des Kairouanais. Elle était probablement mérinide, mais on ignore la date de sa fondation et le nom de son fondateur. Le peu d'éclat dont elle jouit amène à penser que ce dût être une petite médersa de la première époque.

La médersa Cherratine, qui fut construite sur son emplacement, est une des dernières médersas du Maroc. Elle est située, non loin de la mosquée Qaraouiyine, dans le quartier des cordiers, dont elle a pris le nom. Moulay Rachid fit démolir la médersa lebbadine parce qu'elle avait été profanée par des étudiants mêmes, qui s'y étaient livrés à de graves désordres. Le sultan fit construire ensuite, vers 1670, une nouvelle médersa plus imposante : celle qu'on voit aujourd'hui.

La médersa Cherratine est immense. Elle peut abriter plus de cent trente tolba. Mais, si elle est vraiment l'édifice de ce genre le plus grand du Maroc, elle ne peut faire comparaison avec aucune autre médersa pour la beauté de l'architecture et la grâce du décor. Elle a une ampleur qui frappe. Mais la décoration est pauvre et monotone.

Le groupement de ces médersas sur le terrain est significatif et nous renseigne parfaitement sur l'importance relative des divers centres d'enseignements de Fès à cette époque.

C'est donc là qu'il nous faut situer, sans risque d'erreur possible, le centre intellectuel et spirituel de la ville et de l'empire mérinide.

La mosquée des Andalous est encore un centre intellectuel assez important si l'on juge par la taille de deux médersas jumelées Sahrij et Sba'iyin. A s'en tenir au nom de cette dernière, le centre culturel des Andalous aurait été spécialisé dans certaines sciences annexes.

Le centre d'enseignement que les Mérinides ont voulu créer dans la Grande Mosquée de Fès Jdid ne semble pas s'être beaucoup développé, puisque la petite Médersa du Palais n'a pas eu de sœur dans cette région. Lorsque le fastueux Abou 'Inan a voulu organiser un nouveau centre intellectuel à la mesure de ses ambitions, il n'a pas eu l'idée de l'édifier à Fès Jdid mais bien dans l'enceinte de la vieille médina. La création de la Médersa Bou 'Inaniya semble prouver que la décentralisation intellectuelle à Fès ne pouvait pas se faire en dehors de Fès al-Bali. Encore est-il probable que la Médersa d'Abou 'Inan, en dépit de ses vastes proportions et de son luxe, ne réussit pas à supplanter la vieille Mosquée des Kairouanais car aucun auteur ne nous parle des cours que l'on y donnait ni des professeurs qui y enseignaient ; s'ils avaient été célèbres, on le saurait.

Ceux qui ont visité Fès connaissent le charme, si pareil et si divers à la fois, de ces monuments. Les Médersas sont le cadre harmonieux des méditations savantes ou des rêveries juvéniles des étudiants de Fès ;

elles contribuent certainement à affiner, à nuancer les âmes simples des campagnards qui viennent s'y fixer pour des années. La Médersa des Chaudronniers, avec ses pampres de vigne qui courent autour du patio et son humble petit minaret ; la médersa du Bassin austère et digne ; la Médersa des Epiciers, raffinée, délicate, presque exubérante dans sa décoration ; la Misbahiya et sa vasque de marbre ; la Majestueuse Bou'Inaniya, témoin fidèle des idées de grandeur d'Abou 'Inan, jouent dans l'imagination avec leurs nuances diverses et composent à elles toutes un aspect particulièrement attachant de la physionomie de Fès.

Les Mérinides ont édifié aussi des mosquées dans Fès el-Bali, charmantes, en général, comme la Mosquée des Fabricants de Brodequins ou celle d'Aboul Hassan tout près de la Médersa Bou'Inaniya ; mais aucun grand sanctuaire, comparable à ceux de Fès Jdid. Ils ont peu touché aux mosquées existantes, sans doute bien adaptées aux besoins d'alors.

On ne saurait oublier enfin que le culte de Moulay Idris, tombé en désuétude depuis la dynastie zénète, fut ranimé au temps des Mérinides. En 841 (1437) on découvrit le tombeau du saint patron de la ville, oublié depuis des siècles et qu'on retrouva miraculeusement conservé. Ce prodige attira de nouveau l'attention des foules sur ce grand saint et dès lors son culte ne cessa de prendre de l'importance. Les Mérinides laissèrent volontiers faire, pensant que le lustre du saint rejaillissait sur leur dynastie.

Les monuments religieux ne sont pas les seuls qui aient été élevés sous ces princes bâtisseurs. On peut voir encore dans Fès quelques maisons de leur époque avec de belles portes en bois ouvragé, des chapiteaux sobrement décorés, de délicates sculptures sur plâtre.

Fès Jdid et la Médina n'étaient pas tout ; la ville débordait hors de ses remparts. Outre les jardins dont nous avons parlé au Nord de Fès Jdid, les sultans mérinides avaient édifié un palais et une mosquée sur la colline qui domine immédiatement la vieille ville au Nord. Il n'en reste malheureusement qu'un mihrab et quelques vestiges informes qui ne permettent pas de rétablir le plan de la construction. Je ne sais si elle était belle, mais de là, les souverains pouvaient jouir d'un magnifique panorama : une ville immense à leurs pieds, à l'horizon une chaîne de montagnes altières, entre les deux un moutonnement de collines fauves ou verdoyantes, selon les saisons, l'ombre et la lumière jouant au soleil couchant.

Léon l'Africain signale l'existence de 5 bourgs situés en dehors des murailles ; d'abord la léproserie, 200 maisons au Nord de la vieille ville, située pour commencer entre Bab Mahrouk et la butte des Mérinides, puis au pied de la butte des Mérinides près de Bab Gissa ; ensuite 3 agglomérations, l'une de 500 feux dans la région des silos almoravides, hantée par des gens de mauvaise vie, la seconde de 150 feux, la troisième de 400 feux, dans la région du nord de Fès Jdid, habitées l'une et l'autre par des travailleurs ; enfin, sur le bord de la rivière, en amont de Fès, une centaine de cabanes de Blanchisseurs. Il faut observer qu'à notre époque, où de nouveau Fès étouffe dans ses murs, quelques-uns des emplacements indiqués par Léon l'Africain se sont à nouveau couverts de constructions légères.

Situation de Fès à la fin de la période mérinide

Voilà comment nous apparaît Fès à la fin des Mérinides. Elle est profondément marquée de l'empreinte de ces tenaces constructeurs. Non seulement ils ont créé une ville nouvelle qui s'est bien développée mais, par leurs médersas, par leurs mosquées, par la prospérité qu'ils ont fait régner et qui a favorisé la naissance de maisons, d'entrepôts, de boutiques et de fontaines, ils ont donné à la cité d'Idris l'aspect qu'elle garde encore. Pourtant, Fès n'est, sous les Mérinides, que la capitale d'un empire diminué : de l'Espagne il n'est plus question, car la reconquête chrétienne progresse rapidement ; les succès des Mérinides en Afrique du Nord se sont révélés fragiles et éphémères. Les souverains du Maroc se sont épuisés en luttes sans profit contre Tlemcen ; en fait, ils n'ont jamais réellement dominé que le Maroc, et dès le XVème siècle tout le sud du pays leur échappe. Mais Fès a profité de la vitesse acquise sous les Almohades et a su tirer parti de sa situation de capitale mérinide. N'ayant plus en face d'elle une Espagne musulmane, elle a noué des relations commerciales avec l'Espagne et le Portugal chrétiens, avec les Gênois, avec les Vénitiens. La description de Léon l'Africain nous prouve qu'à une époque où les derniers Wattassides traînaient péniblement un reste de vie, elle gardait encore une apparence de prospérité.

On peut considérer qu'au début du XVIème siècle sa population était à peu près constituée comme nous la voyons maintenant. Elle venait, en effet, de recevoir deux apports essentiels, celui des Juifs convertis et celui d'un nouveau contingent d'Andalous qui avaient quitté l'Espagne après la prise de Grenade par les Rois catholiques. Il est impossible de préciser l'importance numérique de ces deux groupes ; on ne peut concevoir qu'elle ait été faible quand on considère la place qu'ils ont gardée aujourd'hui dans la cité.

Les juifs convertis, fidèles à la tradition de leurs ancêtres et à la position qu'ils occupaient sans doute au moment de leur conversion, comptent parmi les principaux commerçants de la ville : les grossistes de

Détail de carreaux excisés représentant une écriture cursive associée à des feuilles stylisées.

Fès se recrutent surtout dans leurs rangs. Apparemment, ils se sont entièrement fondus dans la population musulmane.

A l'époque qui nous occupe, leur conversion était encore récente ; ces nuances devaient être plus marquées.

Les Andalous sont arrivés en réfugiés, emportant avec eux, dit-on, les clés de leurs demeures de Grenade, l'âme pleine de nostalgie. Aujourd'hui encore ces sentiments trouvent leur expression dans les poèmes que l'on chante au cours des fêtes en les accompagnant de musique andalouse : l'un des plus célèbres a pour titre : « Ya Asafi (O mon regret) ». A Fès cependant ces réfugiés n'étaient pas trop dépaysés car ils y retrouveraient bien des aspects de la civilisation andalouse qu'avaient forgée leurs ancêtres. Ils s'acclimatèrent donc sans peine et vinrent renforcer l'élite intellectuelle, artistique et commerçante de la cité d'Idris.

Désormais, excepté les esclaves noirs, les Algériens et quelques éléments venus du Sahara ou du Sud du Maroc comme les Filalîens, les gens du Touat et les Soussis, la population de Fès a pris la physionomie que nous lui connaissons encore.

Dès le XVIème siècle, Fès fait figure de ville parfaitement civilisée. Il suffit pour s'en rendre compte de lire les pages célèbres que Léon l'Africain lui a consacrées. Et pourtant ce nouveau converti n'est pas toujours tendre pour ses anciens coreligionnaires, mais il ne cesse d'être hanté par le souvenir de cette ville policée, que les splendeurs de la Rome de Léon X n'ont pas pu lui faire oublier tout à fait. En outre, il a l'esprit juste et s'il ne nous cèle pas les défauts, les vices même, des habitants de Fès, il nous fait comprendre la valeur.

Les tombeaux Zawiya

En plus des mosquées et des médersas, la Médina de Fès compte des tombeaux de saints qui servent de lieu de réunions et de prière à de grandes confréries religieuses. On les appelle zawiya.

En 1939, un recensement dénombrait à Fès environ 16 235 membres de ses confréries pour une population totale de 125 000 habitants.

Si la valeur d'un recensement à cette époque est contestable, il est cependant intéressant de remarquer que le pourcentage des membres des confréries est, proportionnellement à la population, le plus fort de toutes les villes de l'empire Chérifien.

Du XVème au XVIIIème siècle ces groupements ont connu un essor exceptionnel. On peut les considérer comme des sortes d'associations à but spirituel, destinées à faciliter la voie du Salut à leurs adeptes.

Peu à peu, ces groupes se sont différenciés. Chacun d'entre eux privilégiait tel aspect du rite ou tel mode de recrutement de ses adeptes. Finalement, on assista à une différenciation socio-culturelle de la composition de ces confréries. Les associations qui privilégient la lecture et la méditation recueilleront leurs membres parmi les intellectuels et les bourgeois ; alors que celles mettant l'accent sur les cérémonies publiques attireront les classes populaires.

Géographiquement, toutes ne jouissent pas de la même renommée. A Fès, l'élite de la ville s'affiliait de préférence aux groupes des Tijaniya, des Derkawa, des Kattaniyin et des Wazzaniyin. Ceux des Skalliyin et des Nasiriya étaient moins prisés par cette élite.

En dehors de ces six confréries, il existait à Fès des associations regroupant des classes sociales plus populaires. On en dénombre cinq, organisées à peu près sur le même modèle.

Nous allons les examiner successivement. Pour terminer, nous nous attacherons à la confrérie des Gnawa, qui avait pour particularité de n'accepter que des nègres dans ses rangs.

Au début du XXème siècle, nous avons dit que l'appartenance au groupe des Tijaniyin était la plus recherchée par les universitaires, les hauts fonctionnaires du Makhzen ou les gros commerçants ; alors même que la maison mère de la zawiya était située en Algérie !

Elle prit une rapide et large extension et dès 1907 elle possédait deux sections locales.

Cet ordre se constitua autour de Abd al Jilani al Qadir, qui mourut en 1166 (561 de l'Hégire) et qui fut enterré à Bagdad. Le « qadiri » est l'ordre soufi le plus important, tant au Maroc que dans le monde musulman. Un autre ordre soufi, étroitement lié à Fès, est le Tijani qui tenait son nom de Abd al Abbas Ahmad al-Tijani, dont le tombeau attire chaque année à Fès des milliers de pélerins.

Le Cheik Ahmad était né en 1737 (1150 de l'Hégire), à Aïn Madi, dans le sud de l'Algérie. Il s'affilia à plusieurs ordres soufis. Il avait 46 ans quand à Tlemcen, ville de la côte algérienne proche de la frontière marocaine, il se sentit appelé à fonder lui-même son ordre. Quatre ans plus tard, en 1786 (1200 de l'Hégire), au désert, à Abi Samghun, il eut une autre révélation. En 1798 (1213), il arriva à Fès où, bien accueilli par Moulay Suleiman, il poursuivit sa mission et demeura jusqu'à sa mort en 1815 (1230).

La règle du Tijani n'impose pas de mortification, ni de retraite hors du monde, et son rituel est sans complication. Une constante de la pratique soufi est la récitation du « zikr », littéralement le rappel de Dieu. La prière ou les formules récitées varient comme varie le mode de vocalisation. Dans la Tijaniya, la récitation est calme, même quand y participe toute la congrégation. L'ordre n'a pas grand-chose à voir avec la transe mystique et n'entraîne pas à dramatiser la vie du soufi.

La création et le développement de cet ordre s'inscrivaient en réaction contre la décadence qui affligeait le soufisme, et signifiaient un approfondissement de la spiritualité islamique.

« Le Tijaniya ne possède pas plus que ce qui a été donné par le Prophète », dit Sharif Housseini Driss ben Mohamed el Abel Iraqi, « moquaddem », c'est-à-dire maître de l'ordre, à Fès. « Le cheik Ahmad a cherché à ressusciter l'Islam en retournant à ses origines », ajoute-t-il. Pour ce qui est d'autres ordres, dit encore Sharif Housseini, il y a bien des voies dont aucune n'est meilleure que l'autre. « A l'instar des différentes veines du corps, toutes desservent le même cœur qui les dessert toutes ».

Il y a chaque année, parmi ceux qui se rendent en pélerinage au tombeau du Cheik Ahmad, au cœur de la Médina, des milliers de fidèles venus d'Afrique noire, car el Tijaniya a maints adeptes dans l'ouest et le centre de l'Afrique, comme dans l'Orient arabe. Selon Sharif Housseini, il y a aujourd'hui, parmi les dirigeants politiques africains, des membres de l'ordre et des sympathisants.

Certains d'entre eux ont fait le pélerinage de Fès, au tombeau du Cheikh Ahmad : c'est là un autre aspect de l'importance internationale de la vieille ville comme centre religieux.

A cet égard, Sharif Housseini croit que l'ancien système éducatif de la Qaraouiyine, qui permettait à tous de suivre les cours sans formalité aucune, devrait être maintenu et amélioré. De vieux édifices désaffectés de la Médina pourraient être convertis en salles de conférences, en dortoirs et autres locaux d'hébergement.

Le Tijaniya à Fès et ailleurs, dit-il encore, pourrait aider au maintien de la vie islamique de la cité, spirituellement et matériellement, et souhaiterait soutenir le programme de restauration actuellement envisagé, là où il intervient dans un cadre réellement islamique.

Les Derkawa avaient, eux, une très nette tendance à accentuer le côté mystique de leur pratique. Cela avait pour conséquence d'attirer des gens de toutes conditions. Les fastes de leur rite restent célèbres, nous n'en voulons pour preuve que cet extrait d'une lettre citée par Ibn-el-Farid, où un jeune Fassi décrit une réunion des Derkawa :

« Je revois encore la zawiya que je fréquentais... isolée et tranquille... les faqirs arrivaient les uns après les autres ... serraient les mains de leurs frères d'une certaine manière et se mettaient à genoux... le moqaddem prend la Risala et lit d'une voix très douce quelques passages en les commentant. L'âme nourrie par cette lecture, l'on forme un cercle. Le chanteur prend la précaution de ne pas moduler dès le début les vers d'Ibn al-Fâridh, le Sultan des Amoureux, de peur d'exciter trop brusquement l'extase des faqirs... »

Suit une description minutieuse des différentes phases et de la montée de l'extase, qui correspondent chacune à un rituel très strict, contrôlé par le moqqadem.

On constate à quel point cette secte était attachée aux rites mystiques. Chaque année un pélerinage réunissait les adeptes autour du tombeau du fondateur de l'ordre ; ils partaient à pied, un bâton de pèlerin à la main, coiffés du turban vert qui était leur principal attribut.

L'organisation des Wazzaniyin ou Tohamiyin ne dédaignait pas non

Carreaux de faïence excisés. L'écriture cursive en forme l'intérêt. La bande supérieure en plâtre représente au niveau de sa moitié droite une écriture cursive, et à sa moitié gauche des motifs floraux. Medersa Bouanania, Fès.

plus les manifestations de masses. Quand l'un des principaux personnages de l'ordre rendait visite à ses adeptes, ceux-ci venaient l'attendre hors des murs en déployant la plus grande pompe pour l'occasion. Inutile de préciser combien l'éclat du cortège pénétrant dans la ville pouvait aider à développer l'image de marque de la confrérie.

A l'automne, il y avait un pèlerinage à Ouezzane. Chacune des sections y participant apportait des offrandes traditionnelles. Les Fassis donnaient habituellement de l'argent, des babouches, des bougies, des bois d'aloès, des gâteaux et même des plats préparés à l'avance. C'était la section la plus riche, les autres n'ayant bien souvent que leur bonne volonté et leur bras : ils offraient chaque année le nettoyage de la ville.

La zawiya des Kattaniyin a été fondée à Fès vers 1850. Elle permettait essentiellement des rencontres entre docteurs de l'Université et certains commerçants et artisans. Elle prit très vite un rôle politique au moment de la déposition de Moulay Abdelaziz.

A cette époque, l'ordre subit la défaveur du Makhzen, ce qui eut pour conséquence de briser son développement, alors que ses sources exclusivement fassies le promettait à un bel avenir.

Passons sur les Skalliyin, qui regroupaient surtout des membres de la famille du fondateur — commerçants et intellectuels — pour arriver aux confréries recrutant leurs adeptes essentiellement parmi les couches populaires.

Les gens des quartiers périphériques et les artisans formaient la majeure partie de ces cinq groupes : les Isawa, Hmadcha, Dghoughiyia, Kadriya, Haddawa. Comme les confréries fréquentées par l'élite, elles aimaient les démonstrations et les fêtes données dans la rue. Mais contrairement aux précédentes leur pratique donnait parfois lieu à des spectacles surprenants et souvent même violents. Les lettrés et les croyants réprouvaient ces pratiques faites pour satisfaire la populace, mais contraire à l'orthodoxie de l'Islam.

Cependant les confréries organisaient aussi des séances privées où l'on pouvait observer les manifestations d'une piété, simpliste certes, mais sincère.

La fête des Isawa se faisait le jour du Mouloud. Les 35 sections de Fès organisaient des quêtes 25 jours avant pour préparer les offrandes à l'intention du saint et de ses descendants.

Malgré son orthodoxie toute relative, le cortège mis en place le jour de la fête réunissait une importante foule, où les bourgeois se mêlaient au peuple.

« Le chef de la zawiya de Fès marchait en tête, à cheval, suivi des porteurs d'offrandes ; venaient ensuite des enfants qui portaient le grand drap vert dont serait recouvert le tombeau du saint, puis les affiliés, section par section, qui menaient leur danse sauvage en avançant très lentement, au rythme des tambours et des musettes ; des musiciens à cheval fermaient la marche. »

En dehors de ces manifestations de foule chaque confrérie avait aussi des réunions privées et on les appelait assez souvent chez des particuliers, lorsqu'on avait une faveur particulière à demander au ciel.

C'est en ces circonstances que l'on faisait appel notamment à la confrérie des Gnawa. Confrérie remarquable pour son rôle, comme pour sa population.

Les nègres seuls étaient admis, et ils avaient fini par acquérir une assez forte importance, même dans une ville d'aussi forte personnalité que Fès, et même à l'intérieur d'un domaine aussi protégé que celui de la religion.

Communauté bien originale ; ces adeptes n'auraient certes pas été en mesure de donner le nom du fondateur ; quant aux liens qui les reliaient au mysticisme musulman, personne jusqu'à présent n'a pu les retrouver...

Ils ne conservaient de leur fondation que les pratiques étranges que se transmettaient les initiés et qui exerçaient un très fort attrait sur l'imagination des fassis. Si leur rituel était extraordinairement minutieux et alambiqué, il faut chercher l'essentiel de leur intérèt dans leurs activités.

Devins, guérisseurs, exorcistes, on les soupçonnait des pires compromissions avec les démons comme avec les génies. Aussi les convoquait-on dès qu'un cas de possession apparaissait.

Ils avaient leurs entrées dans les familles les plus respectables et les plus pieuses, amenés par les esclaves noires qui vantaient leurs bienfaits auprès de leur maîtresse.

C'est ainsi que les gnawa acquérirent cette étonnante influence sur la ville.

Après ce tour d'horizon des différentes confréries, qui vivaient en parfaite cohabitation. Il est sans doute nécessaire pour rétablir l'importance exacte des « *confréries d'élite* », d'examiner les raisons pour lesquelles — en dehors de la qualité particulière de ses adeptes — celles-ci avaient une si forte importance dans la vie de la cité.

Le culte de Moulay Idris et la Mosquée des Chorfa

Les traditions chérifiennes survivent principalement autour des tombeaux des chorfa, qui sont autant de centres de rayonnement de leurs influences. Les chorfa les plus célèbres ont été ensevelis là où ils avaient leur habitat et leurs familles ; leurs descendants, restés autour des tombeaux pour jouir des zyârât qu'y versent les pèlerins, ont formé de petites communautés fort influentes; enfin les *moûssem*, fêtes annuelles où les pèlerins se pressent en foule, contribuent pour beaucoup à perpétuer les traditions.

Moulay Idris, patron de la ville de Fès, est aussi le saint le plus vénéré de tout le Maroc, vénération qu'il doit à son double caractère religieux et national de Sharif, sixième descendant du Prophète, et du fondateur de la dynastie nationale des Idrissides, qui affranchit le Maghreb du joug 'abbâsside. A ce point de vue, Idris le Grand aurait plus de droit que son fils à la vénération des Maghrebins, mais Idris II est aussi le fondateur de la ville de Fès, *bânî Fâs*, comme l'appellent les historiens, et sa renommée a éclipsé celle de son père.

Les habitants de Fès s'enorgueillissent surtout de posséder dans leurs murs le tombeau de Moulay Idris ; mais, comme nous allons le voir, si la présence de cette précieuse relique ne donne plus lieu à aucune controverse aujourd'hui, elle a été fortement mise en doute à une époque déjà ancienne. Le sharif Kittâny Sidy Mouhammad ben Dja 'far ben Idris, professeur à Qaraouiyine, dans sa biographie d'Idris intitulée *Al-Azhâr al-'Atira,* nous fournit heureusement, sur le tombeau de ce saint, quelques curieuses indications que nous résumerons brièvement.

Suivant la majorité des historiens, Idris II fut enseveli dans sa mosquée de Fès, située en face de son palais appelé *Dâr al-Qaîtoûn.* Son corps reposerait contre le mur oriental de la mosquée ; mais quelques auteurs disent qu'il fut enterré dans la *qibla* de cette mosquée, c'est-à-dire au sud-est. On montre aujourd'hui son tombeau, entre le mihrâb et la porte abandonnée de la mosquée des Chorfa, à l'intérieur d'une rampe en carré (*darboûz*), élevé de près d'une coudée au-dessus du sol et recouvert, jusqu'à hauteur de la rampe, d'un couvercle de bois (*maqbarya*).

Deux auteurs connus, Ad-Doumiâty et Al-Bernoûsy, disent de leur côté qu'Idris II mourut à Walily, au Zerhoûn, à une journée à l'ouest de Fès, et qu'il y fut enseveli à côté de son père. Enfin quelques auteurs prétendent que le lieu où repose Idris est inconnu.

Le persécuteur des Idrissides, le Zénète Moûsa ben Al-'Afya, ne négligea aucune circonstance pour ruiner les traditions idrissides à Fès ; il leur porta notamment un rude coup lorsqu'il déclara publiquement, après avoir chassé de la capitale les princes de la lignée d'Idris, que la mosquée des Chorfa ne contenait aucun tombeau et qu'Idris, après sa mort, avait été emporté au Zerhoûn et enterré près de son père. La mosquée des Chorfa fut abandonnée et les habitants de Fès cessèrent d'invoquer Moulay Idris. La mausolée tomba en ruine au point qu'il n'en resta bientôt plus de trace. Pendant les époques troublées qui suivirent ces événements, les tombeaux des ascètes de Fès furent tous plus ou moins détruits ; puis, Youssef ben Tâchfîn ayant fixé son siège à Fès, les chorfa désertèrent de nouveau la ville et on ne prit plus soin de la mosquée. Ce ne fut qu'en redjeb 841 (1437) que l'attention se trouva portée de nouveau sur cet édifice par une découverte imprévue.

Les bases du mur de la *qibla,* du côté gauche de la mosquée des chorfa, ayant été examinées en vue de réparations qu'on y projetait, on tomba juste sur le tombeau d'Idris. La planche qui recouvrait le corps, usée par le temps, était réduite à néant, mais le corps lui-même était dans le même état que le jour de l'inhumation et la terre n'avait pu le recouvrir. Le sharif Aboû l'Hasan 'Alî ben Mouhammad ben 'Imrân Al-Djoûty, naqîb des chorfa, et le vizir Aboû Zakaryâ Yahya ben Zayân se présentèrent à la mosquée, accompagnés du fqîh Al-'Abdoûsy, et tinrent conseil pour décider de la suite à donner à cette affaire. Ils furent d'avis de laisser les restes d'Idris à la même place, mais de recouvrir le tombeau d'une construction convexe qui le distinguât des autres. Cet événement fut consigné dans une inscription sur marbre blanc posée dans le mur contigu au tableau. Ce marbre est encore visible au-dessus de la rampe, à gauche du mihrâb. notre auteur en a vu une transcription sur un carnet du fqîh Sidy Al-'Arby ibn At-Tayyîb Al-Qâdiry, et il nous en donne le texte : c'est le récit de la découverte du corps, dans les mêmes termes dont s'est servi Al-Kittâny pour le rapporter.

La *rauda* d'Idris comprend non seulement le mausolée (*dârih*), mais aussi la mosquée des Chorfa, la cour (*çahn*) et les constructions dépendantes, couloirs, cabinets pour ablutions, etc.

L'imâm Idris l'avait édifiée lui-même et elle resta dans le même état jusqu'au VIIIème siècle. Sa longueur, de la porte communiquant à *Bâb al-Lahîn* jusqu'au mur qui fait face, était de 50 empans (*chber*), et sa largeur, de la qibla à la nouvelle cour, de 41 empans : on n'y fit aucun agrandissement jusqu'au moment où, le toit et les murs s'étant effondrés, le fqîh Aboû Medien Cho'aîb fut invité à les reconstruire en 708 (1308) ; mais il les rebâtit entièrement tels qu'ils étaient avant.

Les événements de l'an 841 (1437), que nous avons rapportés, ne modifièrent en rien le plan de la rauda; mais en 964 (1557) le sultan 'Abdallah ben Mouhammad Chaîkh ayant voulu faire une visite pieuse au mausolée, ses courtisans lui firent remarquer que la rauda n'était pas convenable, qu'elle n'était qu'un couloir analogue à celui de Sidi Mouhammad ben 'Abbâd, très bas de plafond. Le sultan ordonna donc de refaire la toiture, ce qu'on fit avec beaucoup de soin et de luxe, après quoi il vint visiter le mausolée où il témoigna d'un grand respect et d'une profonde humiliation.

En 1012 (1603), l'année même de la mort d'Ahmed Adh-Dhahaby, le fils de ce prince, l'émir Zeîdân, garnit le tombeau d'une rampe (*darboûz*) en bois de noyer, de jujubier et de buis ; il fit décorer somptueusement l'intérieur, qui faisait face au tombeau, et donna à l'extérieur l'aspect d'arcades portées par des colonnettes, à l'imitation des arceaux de la mosquée : le nombre des arcades était de 14 sur chaque côté. Le bord supérieur de la rampe fut recouvert de lames de cuivre et de clous de même métal.

Quelques années après, en 1019 ou 1020 (1610 ou 1611), on achetait une maison ou une *meçrya* voisine du tombeau, avec une somme d'argent léguée à cet effet par un nommé Hâroûn Al-Andalousy; on la transforma en *çahn* (cour) pour cette rauda. Le *çahn*, long de 48 empans sur 38 de large et dallé de carreaux émaillés, fut percé d'une porte appelée *Bâb ar Rouâh* (porte du Repos) ; on ménagea à l'étage supérieur deux salles hautes donnant sur la cour et, au rez-de-chaussée. une petite chambre pour déposer les babouches. Le Seyyîd'Alî Al-Kar'r'âd fut chargé de cette construction. En même temps, le Cadi Al-R'assâny Al-Andalousy ayant reçu une fontaine comme cadeau d'un sultan, la fit porter à Al-Kar'r'âd afin qu'il la déposât au milieu du çahn, ce qui fut fait.

En 1054 (1644), Al-Hâdj'Alî ben Qâsem Al-Qoumîny fit recouvrir le mur du çahn de revêtements en mosaïque portant, sur le fond noir, une inscription reproduisant en entier, tout autour de la cour, la sourate du Coran commençant par ces mots : «Certes, ceux qui liront le livre d'Allah et se lèveront pour la prière... ». Dans le mur méridional il fit percer six petites fenêtres (*chammâsya*) ornées de vitraux de cristal taillé. Enfin il constitua plusieurs habous en faveur de l'établissement : une copie du *Bokhary* et de la *Risâla* avec une somme destinée à rétribuer les lecteurs, à condition qu'on y lise le Bokhary chaque jour, depuis la prière de l'açr jusqu'à celle du maghreb pendant les trois mois de Redjeb, Cha'bân et Ramadân ; deux lampes, une d'or et une d'argent, un lampadaire qui serait allumé aux pieds de l'Imâm Idris chaque nuit, et un waqf pour l'huile et la surveillance de ce lampadaire.

De nouveaux habous furent constitués en 1080 (1669), par le sultan Moulay Rachîd ben Cherîf qui visita le mausolée, y fit preuve d'une grande dévotion et y dépensa beaucoup d'argent. Il lui fit don d'une maison et d'une terre de labours et d'oliviers dont les revenus devaient rétribuer un lecteur de la *Coghra* de l'Imâm As-Senoûsy sur la science du *Tauhîd.*

Après l'an 1090 (1679), en 1085 selon quelques-uns, le Cadi Aboû 'Abdallah Sidy Mouhammad ben Al-Hasan Al-Madjâcy éleva, aux frais des haboûs de Qaraouiyine, la nouvelle fontaine à ablutions et y fit couler de l'eau dérivée des conduits de la célèbre mosquée ; puis il fit percer la porte *Bâb al-Hafâ.*

Au commencement du XIIème siècle de l'hégire, le vizir Aboû 'Alî Ar-Roûsy fit d'autres additions à la rauda, acheva les peintures et ornements en stuc, et éleva une nouvelle fontaine où il fit venir l'eau d'une source dont on ne soupçonnait pas l'existence auparavant. Cette création est consignée sur une plaque de marbre encastrée dans le mur du çahn, entre les deux fontaines, à droite en sortant par la porte Bab al-Hafâ ; elle est datée de 1126 (1714), nombre formé par la valeur numérique des lettres arabes du groupe *Choûqek.* Notre auteur nous donne une copie, en prose rimée, de l'acte de constitution de haboûs relatif à cette eau, écrit par le Fqih Al-Khayyât ben Ibrâhîm Ad-Doukkâly. Nous y lisons que le vizir fit creuser deux canaux dans deux directions différentes : l'une souterraine, aboutissant à la fontaine de la mosquée, l'autre, à la médersa située dans la rue *Chârа'ach-Charrâtîn* (des fabricants de cordes). Les témoignages relatifs aux haboûs de la mosquée des chorfa sont datés de fin moharrem 1126 (1714) ; ceux de l'eau de la médersa, de dhoûl-qa'da 1127 (1715).

La fenêtre qui donne maintenant sur le mausolée, et qui est protégée par une rampe contre la foule, fut faite en 1129 (1717) ; mais les vers que composa à ce sujet l'imâm Aboû'Abdallah Al-Machnâouy et qui furent gravés autour de la fenêtre, sont aujourd'hui effacés en partie.

Sous le règne de Moulay Ismâ'îl, la rauda subit d'importantes transformations. On commença par construire en 1130 (1718), à droite en entrant à la qoubba, une tour à feu (*manâr*), dont l'édification est commémorée par une inscription, mais qui fut démolie quelques années après pour faire place à la tour qu'on trouve maintenant. Ismâ'îl ordonna en effet d'abattre la rauda presque entièrement et de la reconstruire sur un plan beaucoup plus vaste. On fit venir alors un grand nombre de colonnes de marbre blanc et noir et on construisit un grand dôme de 60 empans de diamètre, qu'on orna de mosaïque émaillée et d'ornements en stuc. On éleva une magnifique fontaine au milieu du çahn, on y fit couler une eau abondante et on construisit un minaret (*çauma't*) d'après les mêmes dimensions que celui de la Doutoubya de Marrakech : c'est celui qu'on remarque encore de nos jours. Les habitants de Fès travaillèrent eux-mêmes, de leurs propres mains, à ces constructions, sans demander aucun salaire ; le Sultan, sa famille et ses courtisans fournirent les matériaux. A la fin de dhoû l-hidjdja 1132 (1720), la qoubba et le minaret étaient entièrement terminés et on inaugurait la khotba dans la nouvelle mosquée.

Les détails du pèlerinage à Moulay Idris ont été réglés minutieusement et nombre d'auteurs se sont livrés à des dissertations sans fin sur l'origine de ces rites et sur les récompenses promises à ceux qui les accomplissent.

Le pèlerin qui désire entrer à la mosquée des chorfa, où se trouve le mausolée, doit avancer son pied droit au moment où il va y pénétrer, en prononçant ces paroles : « Je cherche refuge en Dieu l'immense, en son visage généreux et en son antique puissance, contre Satan le lapidé ! Au nom de Dieu ! Il n'y a de puissance ni de force qu'en Dieu ! A la volonté de Dieu ! O Dieu ! Accorde le bénéfice des prières à notre seigneur Mouhammad, à la famille de notre seigneur Mouhammad et à ses compagnons et accorde-leur le salut ! O Dieu ! Pardonne-moi mes péchés et ouvre-moi les portes de ta miséricorde ! ».

On remarquera que le nom d'Idris ne paraît pas dans cette prière. Seul, le nom du Prophète est prononcé. Idris reçoit, il est vrai, sa part d'hommages dus à la « famille du Prophète », mais les compagnons du

Mouhammad les reçoivent également ; aussi n'est-il pas exact de dire qu'au Maghreb le culte de Moulay Idris se soit substitué en aucune manière à celui du Prophète.

Après avoir prononcé les paroles susdites, le pèlerin n'entre pas encore : il s'arrête à la porte un petit moment et demande en son cœur l'autorisation d'entrer, tout comme ceux qui veulent être admis aux audiences des grands. Bien des auteurs, il est vrai, réprouvent cette dernière coutume, disant que, puisqu'elle n'a pas son origine dans les cérémonies du pèlerinage au tombeau du Prophète, elle est nouvelle et stupide.

Lorsqu'il veut entrer à la qoubba, le pèlerin avance son pied droit aussi, et non le gauche, comme font beaucoup de gens, et commence la *tahya* (salut au saint), puis il fait deux légers *rak'at* (prosternations) ; la tahya est en effet le droit de Dieu, droit plus nécessaire et plus évident que celui de la créature. Il s'approche ensuite de l'Imâm, du côté des pieds, afin d'arriver du côté de la porte de la loge (*maqçoûra*) du prédicateur (*khatîb*) : il est plus poli en effet de se présenter du côté des pieds du saint que du côté de sa tête. Le pèlerin s'avance donc par le côté, tournant le dos à la qibla. Le meilleur endroit, dans la qoubba, pour se présenter en face du saint, est au-dessus de la porte de la *maqçoûra*, face à la porte par laquelle on passe pour aller au *darboûz* (rampe) : c'est là que, chaque jour, après la prière du *zouâl* (c'est-à-dire du *dhor*, vers une heure de l'après-midi), on visite l'Imâm Idris. On peut aussi se présenter en face du saint, tout en restant à l'extérieur de la qoubba, dans la *mezâra* ; mais le pèlerinage à l'intérieur de la qoubba est bien plus méritoire, en raison de la bénédiction attachée à ce lieu.

Une longue discussion s'engage alors pour savoir si on doit marcher sur les tombeaux et s'asseoir dessus. Les auteurs sont en désaccord. Mouhammad Ad-Dabbâr', surnommé Boû Tarboûch (l'homme à la calotte), dit qu'ayant réfléchi à cette question il s'était endormi et avait vu en songe Moulay Idris en personne, qui lui avait dit : « O mon fils Mouhammad Ad-Dabbâr', entre à ma quobba et ordonne aux hommes d'y entrer, et ne va pas dire : Comment entrerai-je et foulerai-je de mon pied les tombeaux des chorfa et des savants ! car ils sont sur un véritable siège auprès d'un puissant roi ». D'ailleurs, plus près on est du tombeau, mieux cela vaut. C'est ainsi que la prière dans cette mosquée est supérieure à celle qu'on peut faire dans toutes les mosquées de Fès. Mais le pèlerin doit faire auparavant le pèlerinage à Moulay Idris le grand, au Zerhoûn : c'est donc un hommage rendu au père, avant le fils.

Le Cheikh Aboû 'Abdallah Sidy Mouhammad ben 'Atya As-Salouy Al-Andalousy, enterré à la Roumaîla de l' 'Oudoua de Fès al-Andalous, ne

Médersa Bou Inania (XIVe siècle), détail architectural, époque Mérinide.
(Office marocain du tourisme)

Une rue dans la Médina.
(Office marocain du tourisme)

Sur la page ci-contre, ruelle et mosquée dans l'ancienne Médina de Fès.
(Cl. A. Gaudio)

Patio intérieur d'une maison de Fès : colonnes et soubassements revêtus de zellijs, décor de plâtre et linteaux sculptés, carrelage de zellijs.

(Office marocain du tourisme)

foulait jamais le sol de la mosquée des chorfa ni de la grande rue qui s'étend devant. Il ne venait au pèlerinage que par la porte des *Barâtelyîn* (marchands d'oiseaux), conduisant au dos du saint, par le rang gauche du souk, jusqu'à son arrivée à la ruelle (*zanqa*) qui est là, face à la figure du cheikh, et il restait debout, saluant et invoquant Dieu.

Le pèlerin doit se prosterner à la distance d'une ou deux coudées de l'Imâm. Il ne doit pas solliciter une fonction publique, émir, amîn, etc., ni aucune jouissance mondaine, mais seulement contempler le Prophète et voir ses péchés pardonnés. Enfin il ne doit ni frapper la rampe ni passer ses doigts à travers les barreaux.

Al-Hâdj Mouhammad At-Touâty, enterré hors de *Bâb ach-Charî'a,* avait coutume de se promener dans le horm de Moulay Idris sept fois le matin et sept fois le soir. Il sortait par la porte des Barâtelyîn, passait aux Chammâ'yîn, aux 'adoûl, et entrait aux 'Attârîn ; de là il passait aux Fakhkhârîn, entrait dans le horm par la porte des Mellâhîn et ressortait par celle des Barâtelyîn, ainsi de suite, quatorze fois. En achevant son septième tour, matin ou soir, il s'asseyait avec les mendiants qui attendaient là.

En 1778 (1764), Sidy l-Hâdj Mouhammad Al-Ar'çâouy qui, avant d'avoir fait le pèlerinage de La Mecque, se tenait toujours à l'intérieur de la qoubba, avait pris l'habitude, après son retour, de rester au dehors, à droite de la porte d'entrée, laissant les gens lui baiser la main et lui témoigner le plus grand respect. Un jour, un homme de bien, appartenant à la maison du Prophète, c'est-à-dire un sharif, arriva armé d'une lance et lui cria : « Lève-toi, homme de peu d'éducation ! N'as-tu pas honte, en présence du Sultan (Moulay Idris), de laisser les gens te baiser la main, et de lui tourner le dos ! Par Dieu, n'était la sainteté de ce lieu, je te traverserais de cette lance ! » Le R'çâouy baissa la tête sans répondre, mais le soir il rencontra un de ses compagnons à qui il dit : « Les gens de cette ville m'ont chassé de leur pays : je partirai demain ». Le lendemain, en effet, il sortit de Fès pour se diriger vers son pays, ainsi qu'il l'avait dit. Mais le troisième ou le quatrième jour après, la nouvelle arriva qu'il était mort en se noyant dans l'Oued Ouerer'a.

Lorsque la visite pieuse est terminée et que le pèlerin veut sortir de la qoubba et de la mosquée, il avance le pied gauche et dit « O Dieu ! Pardonne-moi mes péchés et ouvre-moi les portes de ta grâce ! ».

Quatre recommandations pour terminer :

1° Les gens qui vivent dans le voisinage de l'imâm Idris, habitants des maisons et des boutiques, doivent bien se garder de commettre aucun acte répréhensible à l'encontre du sanctuaire. Ils ne doivent se livrer à aucun travail qui puisse perturber ce lieu, ni fumer, ni parler mal, ni parler aux femmes étrangères à leur famille, ni rien vendre d'illicite, en un mot ne rien faire qui puisse troubler le horm ;

2° Les pèlerins qui viennent au mausolée doivent éviter de traverser les lieux sacrés avec leurs sandales ; il est inadmissible que des sandales foulent la terre qui recouvre le corps du saint ;

3° Celui qui suit la voie de Dieu et qui désire arriver à lui, doit multiplier les visites pieuses au tombeau de Moulay Idris et à celui de son père ;

4° Il est de coutume, depuis plusieurs siècles, de célébrer le *moûssem* de cet imâm une fois par an, comme aux autres tombeaux de saints. L'origine de cette décision qu'on a prise de célébrer le moussem est dans la difficulté de faire cesser les actions blâmables qui pourraient incommoder le saint, telles que les jeux des enfants dans les mosquées, les désordres des hommes et des femmes, etc. Lorsque ces choses répréhensibles se produisent, celui qui a le pouvoir de les faire cesser (c'est-à-dire le Makhzen) ne doit pas hésiter à agir en ce sens.

On peut trouver, dans l'histoire des transformations successives de la mosquée des chorfa, d'utiles éléments pour l'étude du chérifisme,

En rapportant le récit de la découverte du corps d'Idris, notre auteur ne cite aucune autorité, mais son récit est identique, mot pour mot, au texte de l'inscription sur marbre encastrée dans le mur de la mosquée. Il est clair que ce texte est la seule source à laquelle ait puisé Al-Kittâny. Cette constatation prouve évidemment que l'existence du corps d'Idris dans la mosquée des chorfa est tout à fait improbable. L'histoire de la mosquée pendant les siècles qui suivent la domination idrisside est très obscure : le premier texte qu'on possède à ce sujet est justement l'inscription de marbre qui relate une découverte dont l'authenticité n'est pas prouvée. D'ailleurs, notre auteur ne s'étend pas sur l'époque antérieure à cette découverte, alors qu'il note soigneusement tous les travaux exécutés à la mosquée depuis 841 (1437).

Que le corps d'Idris soit réellement à la mosquée des chorfa ou qu'il n'y soit pas, la date 841 (1437) est intéressante en ce qu'elle marque une renaissance des traditions idrissides à Fès. Le prestige de cette famille devait être fortement ébranlé du temps de Moûsa ben Al'-Afya, pour qu'il suffît d'un bruit répandu par ordre de l'usurpateur pour détourner les Fassis du pèlerinage qu'ils accomplissaient à leur patron. Mais il est curieux de remarquer à quel point il fut étouffé par les dynasties berbères qui se succédèrent au Maroc, puisque pendant six siècles les habitants de Fès abandonnèrent le culte qu'ils avaient rendu au saint, et les chorfa idrissides ne se préoccupèrent en aucune mesure de retrouver le tombeau d'Idris, qu'ils avaient cependant intérêt à connaître, puisqu'ils partageaient entre eux les aumônes déposées par les pèlerins aux tombeaux de leurs ancêtres.

En 841 (1437), la situation politique et religieuse du Maghreb était tout autre : la dynastie mérinide s'éteignait ; les influences chérifiennes étaient déjà puissantes ; depuis un demi-siècle les 'Imrânites occupaient à Fès les fonctions de *naqîb* des chorfa, qu'ils devaient bientôt cumuler avec l'administration du mausolée d'Idris. Les chorfa surent tirer profit de cet événement pour consolider leur influence, puisque, 28 ans plus tard, en 869 (1465), la population de Fès se souleva contre le sultan mérinide 'Abd al-Haqq et proclama, à sa place le *mezouar* des chorfa, Mouhammad ben 'Alî ben'Imrân, qui resta six ans au pouvoir.

A partir du règne de Zeîdân, en 1012 (1603), les travaux se succédèrent sans interruption à la rauda d'Idris. Chaque sultan, sharif lui-même, voulut ajouter une pierre à l'édifice qu'avait élevé la piété des chorfa à la gloire de leur ancêtre : travaux d'art, peintures, sculptures, fontaines, haboûs. En même temps le rituel du culte de Moulay Idris se précisait ; de pieux auteurs notaient soigneusement, jusqu'aux moindres détails, les rites prescrits aux pèlerins. A une époque récente, on voulut retrouver l'ermitage du saint dans une maison voisine.

Enfin, phénomène curieux, un *horm* se constitua autour du mausolée, englobant les rues adjacentes et les marchés aboutissants aux murs de l'édifice ; ce horm est aujourd'hui limité par des barrières de bois horizontales, barrant la *qaîçariya* de Fès. Il jouit du double caractère que nous avons signalé au horm : protection des réfugiés et interdiction pour les infidèles. Mais, contrairement au plus grand nombre des horm, ce n'est pas par suite d'un dahir sultanien qu'il a été constitué : il est né de lui-même, par la force des choses, à une époque récente. Il a vu cependant s'éteindre autour de lui la grande majorité des horm, sans rien perdre de sa force.

Le culte de Moulay Idris, patron de Fès et de tout le Maghreb, ne paraît donc pas procéder d'origines lointaines : son histoire est intimement liée à celle du sharifisme, sommeillant pendant cinq siècles, puis se réveillant soudain, lors de la décadence des dynasties berbères, sous la poussée de quelques chorfa mystiques.

La Mosquée des Andalous

L'intérêt particulier de cette Mosquée nous amène à y consacrer une attention plus marquée. C'est à Didascchia que nous empruntons les principaux renseignements concernant cette mosquée.

De nombreux textes historiques parlent de ce lieu, mais sans toutefois être très précis. Deux chroniques de l'époque mérinide mentionnent les principales campagnes de travaux dont la mosquée fut l'objet avant le milieu du XIVème siècle.

Ils permettent d'ébaucher une histoire du sanctuaire. Quant aux inscriptions trouvées dans la mosquée elle-même, elles se rapportent à la fondation de la mosquée, dont les historiens n'ont gardé aucune trace.

On sait toutefois qu'elle fut fondée vers 859 (245 de l'Hégire) en même temps que la mosquée d'Al-Qaraouiyine. Les sanctuaires, qui devaient devenir les deux grandes mosquées des deux quartiers de Fès, furent fondées par deux femmes de race arabe : ce fut Maryam bent Mohamed ibn Abdallah al-Fihri qui commença à bâtir l'oratoire du quartier sud. Plus tard, un groupe d'andalous aida à l'édification des murs. C'est sans doute à cause de cela que la mosquée a pris le nom de mosquée des andalous.

En 956, elle fut munie d'un minaret. La *Zahrat el-As* rapporte d'après Al-Bakri, qu'un gouverneur du calife omeiyade le fit élever et précise la date de sa construction : Joumada I de 345 (Août-Septembre 956).

Il est à noter qu'il est contemporain de celui de la Qaraouiyine. Le minaret fut-il dû à la seule initiative du gouverneur ? Cela expliquerait qu'il soit moins grand et moins riche que celui de la Qaraouiyine.

Le même texte nous dit que le gouverneur ajouta à cette mosquée diverses constructions, mais il ne précise pas lesquelles. Une inscription au seuil du minaret rappelait tous ces travaux, mais elles ont été couvertes de sculptures sur plâtre qu'il aurait fallu détruire pour tenter de retrouver l'inscription omeyyade.

Quelles transformations subit l'oratoire ? Il est tout aussi difficile de le dire. Al-Bakri donne en 1068 (J.C.) une description du sanctuaire : « Dans ce quartier (des andalous) est un beau *djamé* renfermant six nefs qui se dirigent de l'est à l'ouest ; les colonnes qui le soutiennent sont en pierre calcaire. Son parvis, qui est très grand, renferme plusieurs pieds de noyers et d'autres arbres, et reçoit de l'eau en abondance par le moyen d'une rigole appelée *Saguiat Masmouda* ».

La saguiat Masmouda, souvent mentionnée dans les textes, était celle qui fournissait en eau la plus grande partie du quartier des andalous. L'alimentation de la mosquée devait être transformée par la suite.

Cependant la mosquée resta en cet état jusqu'aux constructions du quatrième calife almohade : Mohamed en-Nâsseur. Les Almoravides qui construisirent la Qaraouiyine, ne firent rien pour la seconde mosquée-cathédrale de Fès. Le fondateur de la dynastie, Youssef ben Tachfin, avait réuni dans une seule enceinte les deux quartiers de la ville primitive, dans l'espoir de mettre fin à leur traditionnelle rivalité. On comprend

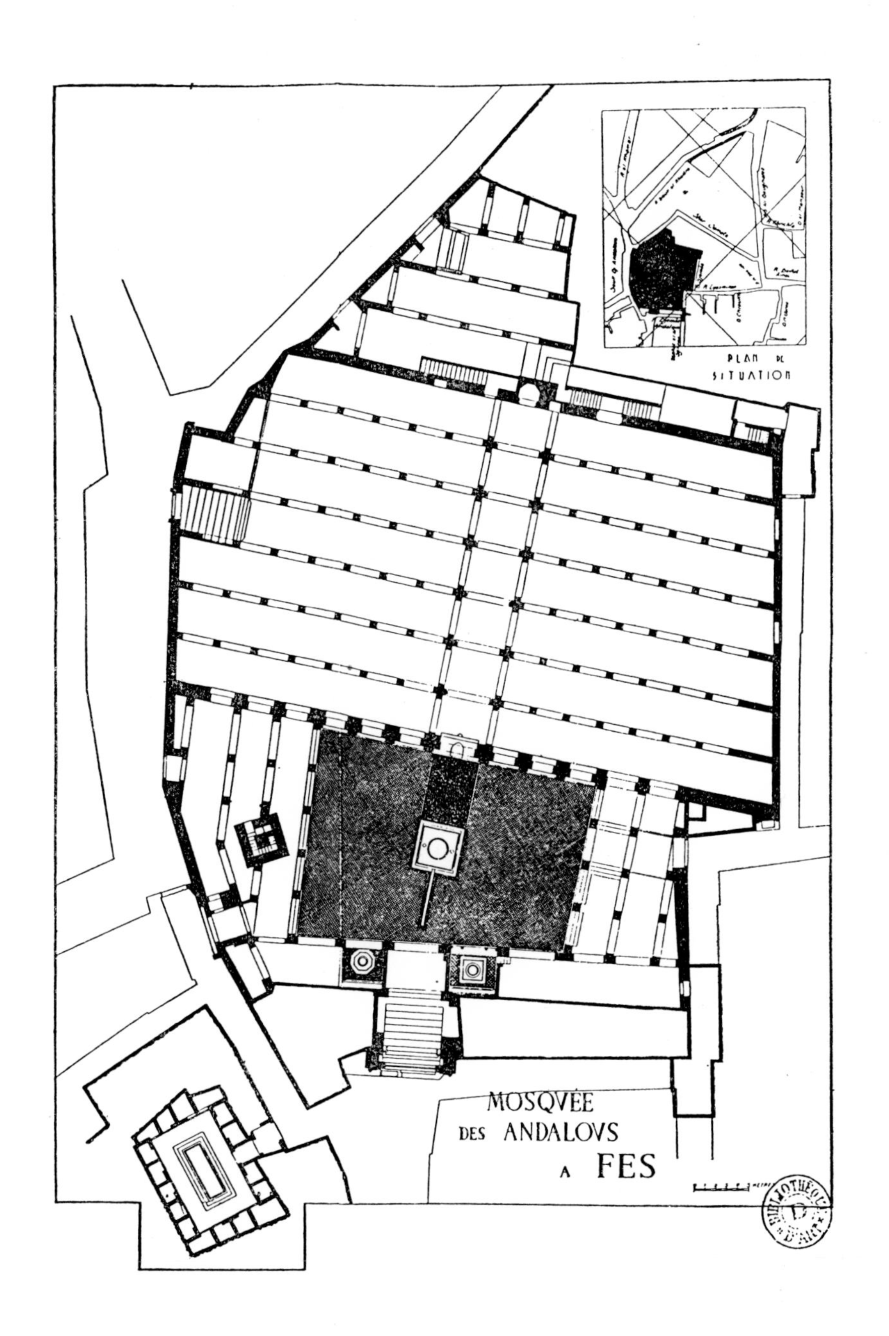
PLAN DE
SITUATION
MOSQVÉE
DES ANDALOVS
A FES
METRES

qu'il eût été contraire à cette politique d'unification de maintenir une aide égale aux deux sanctuaires. D'ailleurs le quartier des Kairouanais commençait à prendre le pas sur celui des andalous : c'est à son extrémité nord-ouest que les Almoravides choisirent de bâtir leur forteresse de commandement.

CHAPITRE IX

LA QARAOUIYINE

On ne peut parler de la splendeur de Fès sans évoquer Al Qaraouiyine, à la fois Grande Mosquée et université, qui fut et demeure le centre religieux et culturel. Le nom même de la Qaraouiyine touche aux racines de l'histoire de Fès. Il rappelle l'existence initiale de deux villes ayant chacune son enceinte : celle des immigrants venus d'Andalousie et celle des Kairouanais, Al Qaraouiyine. Très tôt, la rive kairouanaise, arabe, se distingua de la rive andalouse, hispano-berbère, par le goût du luxe et des manières, l'agencement harmonieux des maisons et l'appétit de culture, duquel naquit la grande Mosquée-université.

Parmi les habitants du quartier kairouanais se trouvait Mohamed Ben Abdallah El Fihri El Kairouani, établi dans la ville au troisième siècle de l'Hégire. A sa mort, ses deux filles Fatima et Maryam héritèrent d'une grosse fortune : Fatima ferait édifier une mosquée dans le quartier des Kairouanais tandis que sa sœur Maryam entreprendrait l'édification d'une autre mosquée dans le quartier des andalous, dont nous avons parlé précédemment.

Soixante onces d'argent prélevées sur son héritage furent donc consacrés par Fatima à l'acquisition du terrain, choisi par elle et acheté à un jeune homme de la tribu des Ouhara. Elle consulta les savants et les spécialistes de l'époque sur la forme à donner à cette mosquée. Les matières premières, et notamment les pierres et le sable nécessaires à sa construction furent extraits sur le terrain même afin de ne pas introduire dans la construction des matériaux impurs. Un puits fut aussitôt creusé sur place pour alimenter la mosquée en eau d'ablutions et le chantier fut lancé le 30 novembre 859.

De forme rectangulaire et d'une superficie de 1 520 mètres carrés, la mosquée primitive de Qaraouiyine mesurait 36 mètres de long sur 32 mètres de large. Elle comptait quatre travées orientées Est-Ouest et douze voûtes orientées Nord-Sud.

Un siècle après sa fondation, il apparut pourtant que la Qaraouiyine n'offrait pas une superficie et des installations suffisantes pour assumer sa double mission religieuse et universitaire. Une première extension fut donc décidée et réalisée par l'émir Ahmed Ben Bu-Beckr Ezzanati en l'an 934 de l'ère chrétienne.

Deux cents ans plus tard, c'est un congrès de professeurs et de jurisconsultes attachés à la Qaraouiyine qui demanda un nouvel agrandissement de la Mosquée. Dès l'an 1137, après ces travaux, la mosquée-université proprement dite présentait donc l'aspect qu'on lui connaît aujourd'hui et qui en fait, autant qu'un incomparable instrument de culture et d'enrichissement de la civilisation islamique, un des plus purs joyaux de l'art musulman.

La Qaraouiyine demeure aujourd'hui le cœur culturel de l'ancienne capitale marocaine. Elle couvre une superficie d'un demi-hectare, complétée dans ses abords immédiats par les médersas (école avec logements pour les étudiants) dont la décoration est si riche que l'une d'elles pût être qualifiée de « merveille de Fès ». Elle compte 18 portails, modèles de majesté et de splendeur dont certains sont recouverts de plaques de bronze ciselées, de dessins et d'inscriptions. Ses coupoles, octogonales, à stalactites ou circulaires, les chapiteaux de ses colonnes, les voûtes de ses arcades, les frises de ses portails sont autant d'œuvres artistiques qui reflètent le génie des architectes et décorateurs maghrébins. Le souvenir de l'Alhambra de Grenade s'impose à la mémoire lorsqu'on regarde le vaste patio de la mosquée dont les fenêtres latérales sont ornées en leur milieu de deux élégants pavillons, reposant sur de grâcieuses colonnes de marbre et abritant deux vasques symétriques à une troisième, centrale.

La Qaraouiyine est en outre le seul monument alimenté par cinq sources destinées à couvrir en toute saison les besoins en eau de l'édifice et de ses dépendances. Peu de canalisations ont été aussi judicieusement conçues : même en temps de dure sécheresse, cette mosquée restait le seul monument où l'eau ne fît jamais défaut.

De toutes les mosquées du monde musulman, la Qaraouiyine possède le plus ancien minaret. Conforme au plan architectural établi il y a onze siècles, ce minaret sert de guide aux 800 autres de la mosquée auxquels il donne le signal de la prière. Ce monument et la chambre qui lui est attenante ont successivement servi d'observatoire et ont contenu de très anciennes clepsydres (celles d'Hybn Al Habback, d'Al Qarastouni, d'Al Javi...) ainsi que des sabliers et des astrolabes. L'ensemble constitua un véritable musée que savants et astronomes s'appliquèrent à organiser et à fournir en instruments propres aux études et observations astronomiques. Ainsi les premières horloges mises au point en Europe firent-elles aussitôt leur apparition dans cet observatoire. Quant au minbar d'Al Qaraouiyine, il est le plus riche et le plus ancien que des professeurs, maîtres artisans, aient façonné de leurs propres mains tout en dirigeant des cours au sein de l'édifice.

Dès la création d'Al Qaraouiyine, la population afflua dans sa zone périphérique. Juges, notaires, astronomes, muftis, imâms, prédicateurs, libraires, médecins, et autres savants y vinrent habiter, attirés par la proximité du lieu de prière et d'étude, par l'éclairage habilement agencé et l'entretien particulièrement soigné de ce quartier.

Avec onze siècles d'existence, la Qaraouiyine est aujourd'hui considérée par les historiens comme la plus ancienne université du monde. Ses fondations furent en effet ébauchées dès l'an 859 de l'ère chrétienne tandis que l'université de Bologne n'apparut qu'en 1119 ; celle d'Oxford en 1229 et la Sorbonne en 1257. Ceci étant dû sans doute à l'étonnant rayonnement culturel de la conquête arabe. Elle apportait un livre, le Coran, lu essentiellement dans les mosquées, lieux de réunion dans les pays de l'Islam. Ces établissements religieux devinrent ainsi de véritables cercles d'étude. La Mosquée de Qibla fut longtemps considérée comme la première école d'Orient. En Afrique du Nord, la première « Qibla » fut tracée dans la mosquée de Kairouan. Puis la formule de la mosquée à la fois lieu de prière et lieu de l'éducation religieuse et scientifique se généralisa dans tous les pays de l'Islam : Mosquée Zitouna à Tunis, Qaraouiyine à Fès, Al Azhar au Caire, celle du Mausolée d'Ali, gendre du Prophète à Najaf El Achraf en Irak, des Omeyyades à Damas, etc... Dans la plupart de ces instituts, les centres d'études furent retirés des lieux de prières, soit provisoirement, soit à titre définitif. L'université Qaraouiyine, elle, ne cessa jamais de répondre aux deux finalités. Cette fidélité s'explique d'autant mieux que le fondateur de Fès voulait que cette ville fût une capitale religieuse et scientifique et non une cité de commerce et d'industrie.

L'influence de Qaraouiyine était telle que, même après la fondation de la nouvelle capitale, Marrakech, les notables de cette ville, Oulémas et Cadis, voulaient que leurs enfants fissent leurs études supérieures à l'université de Fès.

La Qaraouiyine attira ainsi des milliers de familles de diverses régions du Maghreb. Elle exerça aussi son attrait sur des foules d'andalous et d'africains aux côtés desquels on trouva même des persans et des kurdes. C'est donc grâce à son université que Fès put tenir très longtemps son rang de « siège du royaume ». La Qaraouiyine disposait en effet, avec les autres mosquées de la ville, d'une centaine de sections d'étude. Il y en avait dans tous les quartiers. Toutes ces mosquées se soumettaient à l'horaire du minaret de l'université. Mais chacune d'elles était pourvue de chaires et même parfois de bibliothèques. L'université disposait en outre de sections d'étude dans presque toutes les provinces du royaume marocain.

Uniquement à Fès, l'on compta à une époque plus de 140 chaires d'enseignement dont pouvaient bénéficier des auditeurs issus de toutes les couches de la population. Il était notoire que les étudiants non originaires de Fès, s'ils voulaient acquérir plus tard une réputation, devaient nécessairement poursuivre leurs études à la Qaraouiyine.

Ce prestige de l'université dépassa d'ailleurs les frontières du royaume marocain. Au temps de l'obscurantisme moyenâgeux en Europe, nombreux furent les étudiants étrangers à venir compléter leur formation à la Qaraouiyine. Des andalous, en très grand nombre, mais aussi des français : l'évêque Gerbert d'Aurillac fut de ceux-là, comme le rapporte l'orientaliste Christovitch.

Ce rayonnement exceptionnel de la Qaraouiyine explique que la grande mosquée de Fès soit tenue par les historiens comme l'institution qui a permis le maintien de l'Islam et de la langue arabe à travers les terres africaines. Dans la préface de son remarquable ouvrage, « Al Qaraouiyine, la mosquée-université de Fès », M. Abdelhadi Tazi, docteur ès lettres, ancien ambassadeur du royaume du Maroc et directeur du Centre universitaire de recherches scientifiques à Rabat, en témoigne en ces termes : « Le rôle de la Qaraouiyine ne s'est pas limité à l'accueil des fidèles pour l'accomplissement de leurs dévotions et de leurs prières, mais s'est étendu à celui d'un véritable foyer culturel dont le rayonnement englobait les différentes régions du grand Maghreb pour atteindre aussi bien les contrées de l'Orient que les cités de l'Andalousie. Si les historiens considèrent Al Qaraouiyine comme la plus ancienne université du monde, ils visent surtout à mettre en lumière le fait qu'elle fut l'unique institution qui perpétua sa noble mission d'enseignement sans avoir à souffrir des crises et des épreuves que subirent les mosquées de Zaitouna et d'Al Azhar ainsi que le collège Al Mostansiriah. Al Qaraouiyine demeura en effet loin des courants tumultueux qui ravagèrent les métropoles de l'Orient telles que Bagdad, Damas et le Caire et qui en perturbèrent les structures. C'est ainsi qu'elle garda intacte sa personnalité et sa physionomie jusqu'à nos jours.

Les antagonismes entre dynasties régnantes au Maroc, qu'évoque ci-dessus le professeur Tazi, sont intimement liés à l'histoire de l'université

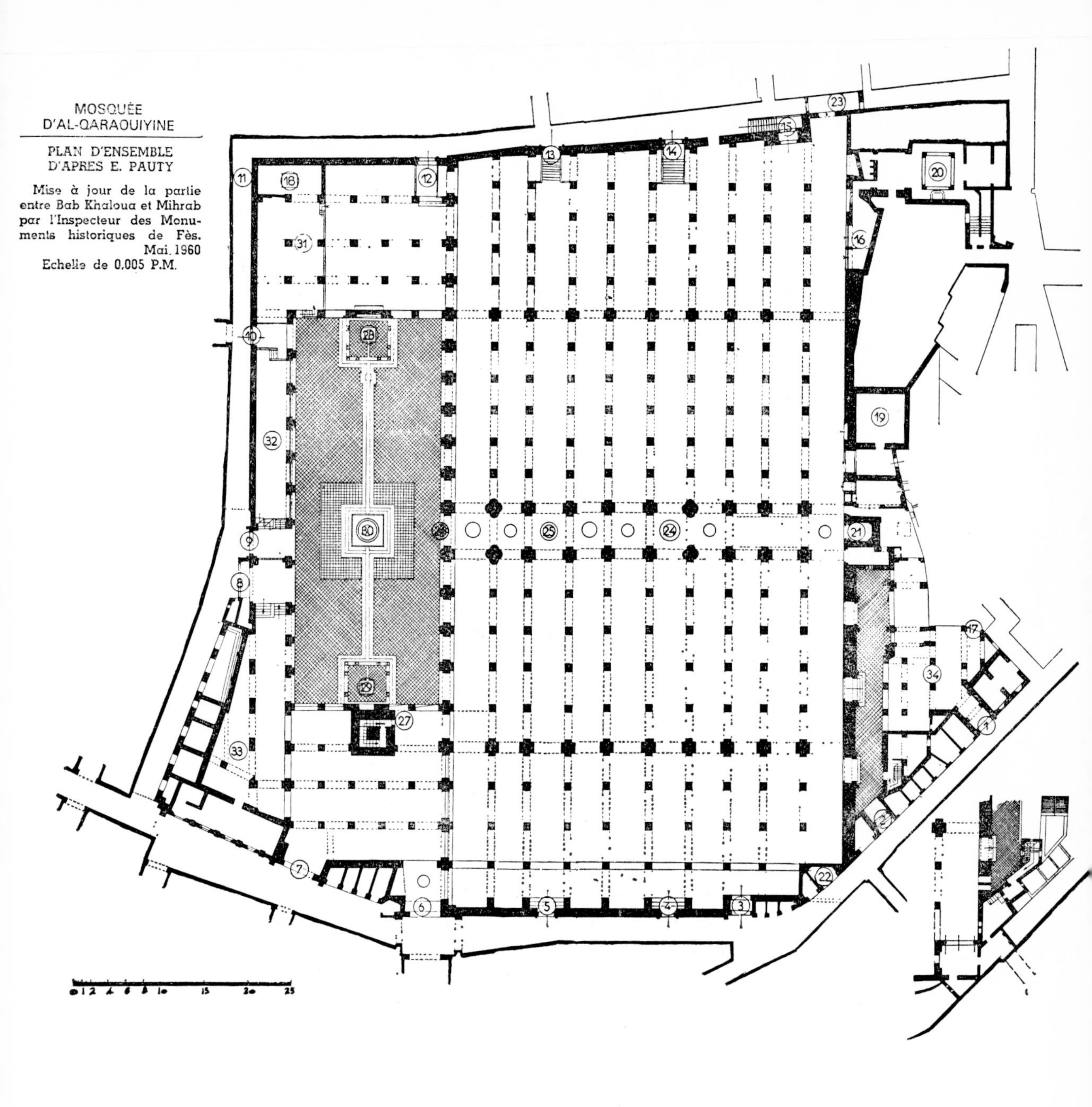

1 — Porte du Conseil des Cadis.
2 — Porte de la mosquée des morts.
3 — Porte des Califes.
4 — Porte des saints.
5 — Porte des Libraires.
6 — Porte Chemmaine.
7 — Porte des Témoins.
8 — Porte des nus-pieds.
9 — Porte des roses.
10 — Porte de la vasque.
11 — Porte des femmes.
12 — Porte d'Ibn Omar.
13 — Porte Ben Hayoun.
14 — Porte es-Seba « Lowiyât ».
15 — Porte El Khaloua.
16 — Porte El Houdoûdi.
17 — Porte El Khoukha.
18 — Bibliothèque mérinide.
19 — Bibliothèque Saadienne.
20 — Bibliothèque Alaouite.
21 — La niche Qaraouyine.
22 — La Khaloua nord.
23 — La Khaloua sud.
24 — Le grand Lustre.
25 — La grande cloche transformée en lustre.
26 — La niche.
27 — Le minaret des zenets
28 — La belle vasque.
29 — La coupole saadienne.
30 — La vasque centrale.
31 — Pavillon de l'iman Ibn Abad.
32 — Le pavillon central.
33 — Le pavillon de la porte des nus-pieds.
34 — La mosquée des morts.

de Fès, tant en ce qu'ils ont été eux-mêmes influencés par le rôle de conseil qu'exerçait la Qaraouiyine, qu'en ce qu'ils ont pesé parfois très lourdement sur les lignes d'enseignement pratiquées à l'université de Fès.

Pour ce qui concerne la pédagogie et les programmes de l'université, le professeur Tazi distingue trois époques.

La première époque, marquée par les affrontements entre dynasties Idrissides, Zénètes, Almoravides, Almohades, se caractérise par une grande instabilité des doctrines d'enseignement et de pratique de l'Islam. La fin des Idrissides, notamment, inaugure une période de troubles dont on peut retenir un net renforcement de l'influence andalouse et l'installation de Fès dans le rite malékite, ainsi que le remarque le professeur Tazi :

« Fès prit dans le rite malékite la même orientation que l'Andalousie qu'elle approuvait également sur le plan politique. En conséquence, les ouvrages de Malik et de ses disciples furent les seuls étudiés et enseignés à l'université Qaraouiyine. Ils étaient d'ailleurs les seuls en vogue durant le règne de la dynastie des Almoravides pour les études purement islamiques qui se poursuivaient en même temps que les autres disciplines. Alors que les Almoravides avaient longtemps manifesté leur opposition, sans résultat, aux ouvrages d'El Ghazali, les Almohades ne tardèrent pas à les prescrire de nouveau en faisant réduire le nombre des ouvrages portés au programme. Ceux-ci, qu'ils trouvaient inutilement surchargés par les Almoravides, furent ainsi allégés. Plusieurs ouvrages, décrétés sans valeur furent jetés au feu et de nouveaux programmes, plus conformes à la Sounna, furent établis. Ils comportaient, outre les divers ouvrages scientifiques étudiés à l'époque, les œuvres suivantes : les recueils du Hadide d'El Boukari Mouslime Et-Termidi, celles de Malik et Aboudaoud que vint couronner l'ouvrage d'El Ghazali (El Ihya). Tous les savants d'Andalousie furent invités à donner des cours à la Qaraouiyine où différentes chaires leur furent offertes ».

La deuxième époque, qui couvre le règne des Mérinides, des Wattassites et des Saadiens, se caractérise principalement par un intense effort d'organisation matérielle et intellectuelle de la Qaraouiyine. De celui-ci, les Mérinides apparaissent sans doute comme les principaux initiateurs. C'est à eux que l'on doit notamment la création des Médersas ainsi décrites par le professeur J. Berque :

« Eau, véhicule de purification ; bâtisse abritant et fixant ce quêteur pieux, volontiers nomade qu'est l'aspirant ès-sciences ; acte juridique immobilisant ce qu'il faut de pain, d'huile et de chandelle pour éclairer et nourrir une humble vie chargée de tant de valeurs spirituelles : voilà ce que représente la médersa mérinide, et cela dans une somptuosité architecturale, une profusion de stucs, de cuivres et de boiseries sentant sa grande époque. (...) Ces établissements ne sont pas comme aujourd'hui de simples hôtelleries d'étudiants mais, conformément au précédent oriental, des cours y sont donnés, comme dans la Qaraouiyine et les autres mosquées de la ville. Et ce sont les cours des plus grands maîtres. Cette situation se prolongera pendant un demi millénaire. D'innombrable fois se retrouve dans les notices biographiques des savants marocains la mention qu'ils ont étudié ou enseigné dans telle médersa ».

Servie par de telles structures, la fonction d'enseigner s'organise. Il n'est certes point question de fonctionnarisation. Le mécénat continue de tenir lieu de traitement et la référence aux textes religieux demeure prioritaire. Mais cette époque est la plus fertile dans la vie de la Qaraouiyine. Les matières enseignées varient et se développent, résultat de l'affluence des gens vers ce centre de pèlerinage intellectuel qu'est devenue la ville de Fès. Il y a des chaires de théologie, de sciences naturelles et de mathématiques. Les étudiants doivent savoir leur texte par cœur, une des expressions alors en vogue disait que « celui qui n'apprend pas le texte est un voleur ». C'est à cette époque que commence à vraiment s'affirmer l'influence prédominante de la Qaraouiyine sur le développement culturel maghrébin. Le professeur L. Berque l'explique ainsi :

« Le cosmopolitisme des grands siècles andalous décroît. La veine ne s'en tarit pas toutefois. Mais on enregistre à présent des formations purement locales. Bien plus, Fès commence, avec la cour mérinide, à jouer le rôle de centre d'attraction, notamment par rapport au reste du Maghreb et même à l'Andalousie. Elle recueille enfin la plus grande partie de l'émigration espagnole et notamment celle de Grenade. Le docteur de Fès commence à prendre, dans le monde musulman, son aspect caractéristique : malékisme insistant, hypertrophie de la mémoire. »

Un détail illustre de façon amusante cette double caractéristique : l'enseignement malékite est essentiellement basé sur la « Mudawwana », ouvrage dont la légende rapporte que, détruit par le feu, il fut reconstitué de mémoire par un docteur de Fès, Abd-Allah at-Tadili...

Quant au rôle que tient désormais la Qaraouiyine dans la vie publique, une anecdote rapportée par le professeur Berque permet de la mesurer :

« Vers 1309, le Cadi de Fès châtie un jour de la peine du fouet un ambassadeur andalou, les adoul ayant témoigné qu'il était ivre. Contre la légitime colère du vizir mérinide, le Cadi se réfugie à Qaraouiyine, le peuple s'attroupant pour l'y protéger comme, à peu près à la même époque, il arrivait au patriarche byzantin de soutenir des sièges dans Sainte

Sophie. Et le sultan cède, préférant un incident diplomatique au scandale ».

On reconnaît ici l'apparition des franchises universitaires encore appliquées de nos jours.

La troisième et dernière époque, dominée par la dynastie alaouite, ouvre l'ère contemporaine. Elle se caractérise par le rétablissement de l'ordre et de la stabilité du royaume et par un vif intérêt de rois tels que Moulay Rachid, Moulay Ismaïl et Mohamed III pour la chose culturelle. C'est ainsi sous le règne de Moulay Rachid que fut instaurée la fête printanière dit du « sultan des tolbas ». En remerciement pour leur fidélité au roi face à ses féodaux, les étudiants avaient chaque année la faveur de désigner parmi eux un sultan dont le règne coïnciderait avec un congé de quinze jours. Seuls les étudiants aisés pouvaient accéder à cette charge qui se vendait aux enchères à un prix très élevé. Grâce au prix de la charge elle-même et aux dons faits par le Palais, les étudiants, les autorités et les notabilités de la ville passaient de très heureuses vacances sur le bord de la rivière « Jawahir ». Le roi de quinze jours vivait entouré de ministres, secrétaires, chambellans, gens du makhzen, tout comme un roi authentique ».

Cette époque marque la fin d'un certain pragmatisme. Jusque-là, en effet, l'université Qaraouiyine n'avait cessé d'assumer ses devoirs de façon spontanée. Les professeurs choisissaient eux-mêmes, en toute liberté, les ouvrages qu'ils jugeaient les plus utiles. Aussi bien dans l'intérêt des professeurs que dans celui des disciples, on dut penser à une réorganisation. Mohamed III se pencha sur ce dossier en l'an 1788 (1123 H.) et prit un décret ordonnant au recteur de l'époque de fixer une fois pour toutes les programmes des études et les ouvrages s'y rapportant. Les historiens soulignent que cette décision royale ne fut prise qu'à la suite d'importantes consultations des savants et professeurs venus de différents pays musulmans, d'Egypte notamment.

Cet effort d'organisation coïncide avec une découverte qui va accroître le rayonnement des travaux effectués à la Qaraouiyine : l'imprimerie lithographique. Dès lors, sous l'impulsion de Moulay Mohamed Ben Abderrahmane et de Moulay el Hassan, la Qaraouiyine commence à diffuser des ouvrages qui feront autorité dans tout le monde islamique.

Plus tard vint le protectorat français, lequel tint à pénétrer une université dont le rayonnement influençait toute la vie marocaine. Sachant que le sultan Moulay Youssef insistait pour qu'une allure moderne fût donnée à la Qaraouiyine, les autorités du protectorat décidèrent de retirer au cadi de la ville la mission de recteur qu'il assumait à la tête de l'université. En 1931, les programmes furent réglementés : un texte officiel précisa que les études à la Qaraouiyine devraient comporter trois cycles : un premier degré, un second degré et enfin un degré supérieur se subdivisant lui-même en deux branches, l'une juridique et religieuse, l'autre purement littéraire.

La Qaraouiyine alla néanmoins de l'avant et fut, en 1942, l'initiatrice du cri d'alarme lancé par le Maroc tout entier contre le fameux dahir berbère. En 1937, les étudiants organisèrent une grève d'avertissement contre le contrôle de l'université par les autorités françaises. Un compromis fut accepté et le roi Mohamed V put confier la direction de l'université de Fès à Mohammed El Fasi qui avait eu le double privilège d'étudier à la fois à la Sorbonne et à la Qaraouiyine.

De cette histoire prestigieuse et mouvementée de la Qaraouiyine, le meilleur témoin reste sans doute l'étonnante bibliothèque de l'université. Elle synthétise de manière particulièrement éclairante pour l'historien les apports des dynasties régnantes successives et des influences qui s'imposèrent au cours des siècles à la vie culturelle de Fès.

La première bibliothèque est fondée aux alentours de l'an 1350. Elle dispose d'un conservateur appointé. Les livres espagnols, en cette époque de prédominance culturelle de l'Andalousie, en constituent le premier fonds, les sultans victorieux sur les troupes chrétiennes restitueront à Fès des centaines d'ouvrages rares repris aux vaincus. Mais c'est surtout à partir du règne des Mérinides que la bibliothèque de la Qaraouiyine s'enrichit des manuscrits rares que chaque souverain se fait un devoir de réunir pour elle. Parmi ces apports successifs, on doit noter ceux d'Abou Youssef, d'Abou Inane et d'El Mansour Saadi. La bibliothèque constituée par ce dernier, en particulier, est d'une richesse telle que sa porte d'entrée est blindée de cuivre et fermée par quatre serrures. Chaque clé est confiée à un huissier qui en est responsable. La porte ne peut être ouverte qu'en présence des quatre employés.

Autre particularité de la bibliothèque de la Qaraouiyine : sa porte principale, construite sous le règne des Mérinides. Richement ouvragée, elle est surmontée d'un frontispice où se trouve gravé le règlement du prêt des ouvrages.

Outre les très nombreux livres produits par l'université elle-même, après l'apparition de l'imprimerie lithographique, la bibliothèque de la Qaraouiyine comporte bon nombre de manuscrits rares, dont certaines pages traduites en arabe de l'Evangile selon Saint Luc et de l'Evangile selon Saint Jean et le fameux manuscrit d'Ibn Rochd El Bayan ou Tahal, datant de l'an 720 de l'Hégire (1320 J.-C.). La réalisation de cet ouvrage de 638 pages a nécessité 319 peaux de gazelle. Détail révélateur de l'application avec laquelle travaillaient les scribes de l'époque : la forme des caractères manuscrits de ce livre ne varie pas de la première à la dernière page.

Lieu de prière et de transmission de la vérité islamique, la Qaraouiyine sut être aussi une université au sens plein du terme : la vie étudiante, l'organisation des cours et le système de sanction des connaissances pouvaient rivaliser avec ceux de nos universités modernes. La Qaraouiyine connut ainsi une organisation précise en ce qui concerne le régime des études et des vacances, ainsi que des traditions particulières relatives aux cycles de cours dont les uns étaient confiés à un seul professeur tandis que d'autres étaient fréquentés uniquement par des étudiants portant le turban alors que la participation à d'autres était interdite aux adolescents.

Conformément à la méthode pratiquée en Orient et en Andalousie, les étudiants se relayaient continuellement avec les professeurs. Il pouvait y avoir parfois plus de vingt sessions.

Certains savants désireux d'acquérir des connaissances particulières ou des points de vue précis assistaient aux cours d'autres professeurs, en compagnie d'autres étudiants.

Quant à la durée des études, elle ne dépassait guère sept ans. Le service des fondations avait pour tâche d'assurer aux étudiants les frais de nourriture et d'hébergement.

Pour ce qui est des congés, l'université Qaraouiyine accordait à ses étudiants le jeudi et le vendredi ainsi que des vacances d'été et de Ramadan.

Une des épreuves les plus importantes que la Qaraouiyine ait connues est le système d'examen final pour l'agrégation des professeurs. Elle consistait en une discussion très argumentée entre les membres du jury et les candidats les plus qualifiés.

A son époque la plus faste, son prestigieux renom permit aussi à la mosquée-université de Fès d'accéder à l'opulence matérielle. Elle connut une prospérité telle que ses ressources, tant en biens immeubles qu'en terres fertiles et en riches plantations, rivalisèrent avec les revenus de l'état lui-même. Celui-ci se trouva même dans la nécessité de recourir au trésor des Waqfs (biens de main morte) pour subvenir à des dépenses publiques ou combler un déficit.

Notons que ces biens constitués en Waqfs n'étaient acceptés qu'après de minutieuses enquêtes destinées à établir la bonne provenance des ressources et la légitimité des droits des constituants. Ce fut d'ailleurs là un principe intangible adopté en faveur de la Qaraouiyine depuis sa fondation. Aussi la confiance que lui témoigne le public amena-t-elle les

Mosquée Cherrattine, patio intérieur.
(Office marocain du tourisme)

Un bouquiniste, en Médina.
(UNESCO / D. Roger)

Patio d'une maison ancienne habitée par un riche commerçant de la Médina de Fès.
(Cl. A. Gaudio)

Vestiges du patio d'une maison fassie qui s'est écroulée en Médina.
La restauration des anciennes maisons est prévue par le projet de l'UNESCO.
(Cl. A. Gaudio)

gens fortunés à mettre en lieu sûr, dans son « dépôt », leurs biens les plus précieux.

Enfin, on ne peut justement évaluer la durable influence qu'exerça la Qaraouiyine sur l'ensemble de la société maghrébine sans noter qu'elle fournit pendant des siècles l'essentiel de ses dirigeants politiques et qu'elle fut, en plus d'un carrefour culturel, l'un des lieux privilégiés où se formait la diplomatie du monde arabe.

La Qaraouiyine assurait pour l'état la formation de cadres à tous les niveaux, aussi bien hommes de lettres de grand talent que magistrats de renom, les uns et les autres exerçant leur profession à Fès même ou dans les autres villes du Maghreb et d'Andalousie. C'est encore parmi ses lauréats qu'on nommait les ambassadeurs devant se rendre en mission dans les lointains pays.

Les personnalités maghrébines dont les noms étaient devenus célèbres en Orient avaient toutes un lien d'appartenance à la Qaraouiyine, notamment Ibn Al Arabi, Ibn Battouta, Ibn Khaldoun Al Maggari.

L'histoire de la diplomatie et des relations internationales du Maghreb était liée à celle de l'université. Rares sont en effet les événements décisifs sur lesquels les oulémas n'avaient pas la haute main. C'est ainsi que les Almoravides ne portèrent secours à l'Andalousie qu'après avoir obtenu une fétoua (consultation juridique) des oulémas de la Qaraouiyine. De même, la première ambassade dépêchée du Maghreb en Orient était sous la conduite d'un alem célèbre qui eut ainsi l'occasion de s'entretenir avec les sommités de Bagdad et d'Alexandrie.

Les guerres défensives engagées par le Maroc profitèrent également à l'institution au même titre que les périodes d'accalmie. Mais le rôle joué par elle, en temps de guerre comme de paix, était différemment orienté selon les impératifs du devoir ou les nécessités de l'intérêt public. La Qaraouiyine demeura la citadelle contre laquelle se brisèrent toutes les manœuvres du colonialisme. Ainsi fut-elle à l'origine de tout mouvement de résistance, notamment à l'époque du protectorat français. Mais n'est-elle pas, en elle-même, un symbole de la résistance au temps ?

A la différence des petites mosquées, la Qaraouiyine, si elle est maison de prière, est aussi haut lieu de savoir. L'origine de son rôle de centre d'érudition se situe au cœur de l'Islam et du Coran, le Livre que Dieu, pour les Musulmans, dicta à son prophète Mohamed. Le Coran est lu dans les mosquées, et cette lecture suscite chez les fidèles assemblés la pratique et l'étude du livre saint.

De cette étude, des coutumes et traditions religieuses prescrites par Mohamed, et de l'étude des mathématiques, sont issues des écoles très diversifiées de renommée internationale comme la mosquée des Omeyyades à Damas, Al Azhar au Caire, Najaf en Irak et la Qaraouiyine à Fès.

Déjà célèbre au VIème siècle de l'Hégire, la Qaraouiyine jusqu'à nos jours a attiré les étudiants ; ils venaient de toutes les régions du Maroc, d'Afrique du Nord, de l'Espagne musulmane et du Sahara. Même quand Marrakech se substitua à Fès comme capitale, les « oulémas » et les « cadiat », docteurs et juges de la loi islamique, continuèrent à envoyer leurs fils à la Qaraouiyine. Et l'influence de Fès continua à s'exercer sur l'Afrique du Nord, l'Espagne musulmane et jusque dans l'Europe chrétienne.

Sous le gouvernement des Alaouites, les programmes d'études et l'administration de l'Université furent réformés. La Faculté et les étudiants de la « Qaraouiyine » s'opposèrent à l'interférence du protectorat français et défendirent la pleine indépendance du pays.

En 1963, l'Université fut réorganisée et transformée de fond en comble : elle devint établissement public sous le contrôle du Ministère de l'éducation. Elle comprend aujourd'hui une faculté de la loi islamique, une faculté d'études arabes qui a son centre à Marrakech, une faculté de théologie à Tétouan et un certain nombre d'instituts, dont le plus important est le « Dar al Hadith », à Rabat, qui forme des érudits religieux.

Compte tenu des besoins actuels, l'enseignement n'est plus donné dans la mosquée, mais dans des casernes que les Français avaient construites, et qui ont été aménagées, dans les faubourgs de Fès. Au cours de ces trois dernières décennies, les femmes ont été admises à l'Université.

On espère que pourrait être créé un centre international d'études islamiques, peut-être aux environs de la mosquée, centre dont le prestige serait comparable aux centres d'études de langue arabe, à Alexandrie, de la loi islamique à l'Université Al Azhar au Caire, ou d'études des problèmes de l'arabisation, à Rabat. A travers tous les changements apportés par les siècles, l'Université ne cesse de chercher à dispenser la connaissance la plus approfondie de l'Islam.

S'il était nécessaire que l'Université quittât la mosquée, son départ, qui eut d'heureuses conséquences, n'en a pas moins été une perte pour la population de la Médina. Artisans et commerçants pouvaient fermer pour une heure leur échoppe, se rendre à la mosquée et écouter la leçon des maîtres. Les liens étroits entre les citoyens de tous âges et leurs maîtres à penser sont désormais rompus.

La Qaraouiyine aujourd'hui

A présent aucun enseignement universitaire n'est plus dispensé à l'intérieur de l'ancienne mosquée, où des « mollah » prêchent librement pour les fidèles entre deux prières.

La faculté de théologie se trouve à Dhar Mahrez, près de la nouvelle Université Moulay Abdallah. Une faculté de langue arabe de la Qaraouiyine a été instituée à Marrakech, et une faculté de philosophie islamique à Tétouan. Les titulaires des licences de ces trois facultés se rendent ensuite à Rabat pour préparer le troisième cycle et le doctorat.

Les professeurs sont toujours des oulémas fassis, assistés par des spécialistes en histoire de la civilisation islamique, en droit islamique comparé et en philosophie, qui proviennent pour la plupart des pays arabes du Moyen-Orient.

Un catalogue des manuscrits

Les éditions « Dar El Kitab » de Casablanca ont publié le premier tome de l'ouvrage de Mohamed El Abed El Fassi comprenant un catalogue des livres et des manuscrits, qui se trouvent à la bibliothèque de la Qaraouiyine de Fès. Cet ouvrage en quatre tomes, préfacé par le fils de l'auteur, Mohamed El Fassi El Fihri, cite tous les manuscrits existant à la Qaraouiyine en donnant une description exhaustive de leur forme et de leur contenu ainsi que des références à leur origine et à la bibliographie de leurs auteurs. Ls titres sont classés et numérotés conformément à leur classification sur les rayons de la bibliothèque sans tenir compte de leur ordre alphabétique ou chronologique.

L'auteur de ce précieux instrument de travail, Mohamed El Abed El Fassi, né à Fès en 1922 et décédé à Casablanca en 1975, a été conservateur de la bibliothèque de la Qaraouiyine, il a enseigné dans les écoles privées créées par les nationalistes pendant la période du protectorat, puis à la faculté des lettres et à la faculté de la chari'a de Fès dans les années soixante, ainsi qu'à Dar El Hadith El Hassania de Rabat jusqu'en 1973.

Il a laissé plusieurs ouvrages notamment sur les habitants de Fès et de Rabat.

La Qaraouiyine, comme toutes les universités islamiques, comprend la mosquée, l'université proprement dite et la bibliothèque. Elle a été fondée dès le IIIème siècle de l'Hégire (IXème siècle de l'ère chrétienne), mais sa bibliothèque qui est la plus ancienne bibliothèque publique ouverte jusqu'à nos jours, n'a été construite qu'au cours du XIVème siècle sous le règne des Mérinides.

Elle a été agrandie et enrichie par les différentes dynasties qui se sont succédé au Maroc. C'est ainsi qu'elle contient actuellement, outre de nombreux ouvrages imprimés, plus de 10 000 ouvrages manuscrits totalisant 30 000 tomes.

Un premier catalogue a été publié sous la signature de l'orientaliste Alfred Bell en 1917, d'autres ont été préparés en 1921, 1954, 1958, 1973 et 1975.

La bibliothèque de la Qaraouiyine possède des manuscrits très anciens, tel un Coran manuscrit sur des peaux de gazelle et datant du IXème siècle, ainsi que des pièces rares comme le livre des lépreux et des aveugles d'Al Jahid et un manuscrit des « prolégomènes » d'Ibn Khaldoun dédié par l'auteur à la Qaraouiyine.

Selon Le Tourneau, cette bibliothèque a été créée par le Sultan mérinide Abou 'Inan (XIVème siècle) et agrandie par le Sultan saadien Ahmed el-Mansour. Autrefois assez riche, elle était tombée peu à peu dans un pénible état de délabrement et d'abandon : les livres étaient empilés sans ordre les uns sur les autres, offrant aux vers une proie facile. Comme il n'y avait ni catalogue, ni registre de prêt, bien des emprunteurs avaient négligé de rendre leurs emprunts de sorte qu'au début du XXème siècle on estimait le nombre des livres à 2 000 dont environ 1 600 manuscrits de médiocre valeur pour la plupart. La surveillance de la Bibliothèque incombait en principe au contrôleur des Habous de la Qaraouiyine, mais il se déchargeait de ce soin sur un étudiant (mkellef) agréé par le Makhzen. En raison de la disparition d'un grand nombre d'ouvrages, le prêt avait été interdit et les étudiants devaient consulter les livres sur place. Il semble qu'ils usaient peu de cette faculté.

On trouvait aussi à la Qaraouiyine, dans la mosquée même, une petite bibliothèque de livres usuels, c'est-à-dire d'exemplaires du Coran et de recueils de Hadith ; elle était confiée à des étudiants qui en détenaient la clef à tour de rôle. Des bibliothèques analogues avaient été constituées dans les Mosquées des Andalous et de R'Cif. Ces étudiants ainsi que le préposé de la bibliothèque universitaire recevaient du Makhzen une rétribution de 10 methkal par mois.

Une autre bibliothèque était celle de Dar el Makhzen créée par Moulay 'Abderrahman et développée par Moulay el-Hassan. Installée dans une dépendance du Palais, près de Mechouar de Bab Bou Jat, elle s'enrichissait des bibliothèques privées tombées en déshérence. Etant donné qu'elle se trouvait dans l'enceinte du Palais, elle n'était pas d'un accès facile.

Une horloge hydraulique

Depuis l'an 685 (1286), des « observateurs » attachés à la Qaraouiyine ont pu réaliser une horloge hydraulique, dans la salle la plus élevée du minaret de la Qarouiyaine, à côté du Babhers et des astrobales qui y étaient déjà.

C'est de cette pièce que les adouls (témoins juristes) observaient l'apparition de la lune et, par là, le début du moins lunaire et inscrivaient leurs observations sur des registres tenus à cet effet. Et c'est au sultan Alaouite Moulay Ismaïl que l'on doit d'avoir institué une organisation d'Adouls chargés d'observer et d'enregistrer les phénomènes célestes, comme l'a souligné l'historien Moulay Abderrahman Ibn Zaïdane dans son œuvre « Addourar Afaknirah ».

La plus antique horloge du monde

Dans l'antique médina de Fès, on a découvert la plus vieille horloge mécanique du monde. Cachée dans un angle obscur de la mosquée, l'horloge représente un singulier type d'appareil de mesure du temps, inventée par les Anciens Egyptiens.

Celle de Fès aurait été, d'après les experts, construite en l'an 1317 de l'ère chrétienne.

Connue comme horloge à eau, elle fut employée par les Anciens Egyptiens pour l'étude de l'astronomie et pour mesurer le temps. On retient que le dessin de l'horloge a été apporté au Maroc par des Arabes d'Alexandrie parce que les appareils chronométriques avaient été décrits dans les livres grecs, conservés dans la fameuse bibliothèque d'Alexandrie.

Selon les écrivains arabes du Moyen-Age, des horloges semblables furent montées à Bagdad et à Cordoue et avaient été employées à Athènes et à Rome.

L'horloge de Fès est construite en bois de cèdre et est taillée et peinte. Elle est longue de 3 m et haute de 60 cm. Elle est composée d'une série de mécanismes reliés à 24 portes et sonneries qui signalent les 24 h du jour. Le mécanisme est mis en mouvement par l'eau à l'intérieur d'un réservoir qui, en retombant, règle le mouvement de la chaîne, reliée avec les portes qui doivent s'ouvrir.

Quand les portes s'ouvrent les sonneries retentissent. Le temps est calculé sur la base des portes ouvertes. On peut savoir les heures en comptant les sonneries variées qui ont des tons divers.

CHAPITRE X

LE MUSEE BATHA

Pas de guide, pas de catalogue pour ce musée ethnographique admirable, aux collections précieuses exposées dans les salles d'un palais royal dont le jardin andalou fait penser au Generalife de Grenade. L'Unesco a pallié cette inexplicable carence en rédigeant une description, bien que sommaire, dans « Informations Unesco » (N° 758-759, 1980), où nous lisons que ces collections d'art et d'artisanat constituent une excellente introduction à la culture marocaine.

Le musée abrite également des livres reliés du XIIème siècle de notre ère, des broderies de style introduit au XVIème siècle par les réfugiés andalous, des pressoirs à olives, et autres instruments aratoires, des jattes de poterie pour le couscous, les doubles portes d'une maison de Fès, dont l'une est assez grande pour que la franchissent un cavalier et sa monture, et l'autre juste assez large pour laisser le passage à un piéton, des monnaies datées des premiers siècles de la cité, un magnifique minbar du IXème siècle, qui doit être restauré, et un astrolabe du XIème siècle, en peau de gazelle, des coffres du XVIIème siècle en bois d'oranger incrusté d'ivoire, des mesures à grain pour le don aux pauvres lors du Id al-fitr, la fête qui marque le dernier jour du Ramadan.

Chaque mesure a été copiée de mesures précédentes et porte sa « généalogie » qui remonte jusqu'au Prophète.

Une collection de tapis magnifiques dont beaucoup de très grandes dimensions, en provenance de toutes les grandes tribus du Maroc, est également exposée, ainsi que des instruments de musique, des bijoux et maints autres objets.

Toute l'organisation du musée est l'œuvre d'Ali Amahan, un Berbère de Marrakech, et de sa femme, une Française. Ils ont commencé à restaurer l'édifice et à aménager les collections en novembre 1978. Sans ménager leur peine, nettoyant eux-mêmes les parquets et les murs qu'ils grattaient délicatement avec des lames de rasoir pour débarrasser les décors de feuille d'or de la crasse qui les recouvrait. M. Amahan est maintenant délégué auprès du ministre d'Etat chargé des affaires culturelles et sa femme a pris sa succession à la direction du musée. Tous deux ont étudié la muséographie à Versailles. Comme l'édifice est à la fois palais royal et monument national, il ne peut être modifié, aussi les Amahan ont-ils dû limiter l'exposition des collections. S'ils n'ont pu raffiner l'éclairage et réaménager l'espace à leur guise, les expositions sont néanmoins fort bien présentées, et parfaitement accessibles au visiteur.

Si l'on veut acheter des poteries de Fès, il est bon de faire préalablement un tour au musée. Les collections permettront à l'amateur de juger de la qualité des pièces qu'il pourra acheter dans le souk.

La céramique marocaine n'a pas subi l'influence turque, à la différence des autres céramiques arabes. Selon M. Amahan, seules trois pièces de la collection du musée présentent une certaine note turque, et encore s'agit-il de motifs italiens repris par les artisans turcs. M. Amahan précise que le fameux bleu de Fès originel a disparu au cours du XIXème siècle avec la vogue des articles européens exportés vers Fès par les marchands Fassi établis à Manchester, à Marseille et à Bordeaux.

Le musée possède, outre les pièces bleues, d'autres céramiques monochromes et polychromes dont l'ornementation comporte des figures géométriques, des motifs végétaux, des inscriptions et parfois des dessins figuratifs. L'apprenti collectionneur doit savoir qu'il est très malaisé de dater une poterie de Fès car pendant trois siècles le style et la couleur présentèrent d'étroites ressemblances. Non certes qu'il n'y eut aucun changement dans cet art traditionnel. D'une période à l'autre, les modifications des styles calligraphiques sont parfaitement connues et ont affecté, au cours d'une période donnée, toutes les formes, quel que fût le procédé artistique, calligraphique, de sculpture sur bois ou de broderie.

M. Amahan rappelle, à propos des artisans modernes, que, dans les années 1930, les écoles d'artisanat insistaient sur l'attrait esthétique des objets.

Si bien, dit-il, que l'artisan voulait faire beau à tout prix et tombait dans l'exagération. « Mais, ajoute-t-il, en même temps, il s'agissait là d'une école de conscience de ce qui est proprement marocain. Cette tendance s'est atténuée depuis la Seconde Guerre mondiale. Et pour l'instant, « il y a », dit-il, « des artisans dont le travail est médiocre et d'autres qui font d'admirables objets ».

Aujourd'hui encore les enfants deviennent, très jeunes, apprentis chez le « mouallem », le maître artisan. M. Amahan trouve ce système excellent. Il souligne que les apprentis, qui seront maîtres à leur tour, ne sont pas exploités, et que si l'on n'a pas appris un métier à l'âge de quinze ans, on ne l'apprendra jamais.

Dans une petite pièce à l'entrée du musée de Batha, Mohamed Naji, ex-conservateur de ce même Musée, approchant l'âge de la retraite, a repris avec joie l'atelier de reliure traditionnelle qui était celui de son père. Il est l'exemple significatif d'un artiste-artisan qui a voulu continuer à participer à la sauvegarde du patrimoine de sa ville. Une reliure courante avec dos en cuir et titre en or ne coûte que 25 DH (environ 28 FF).

CHAPITRE XI

CHRONOLOGIE RESUMEE DE L'HISTOIRE DE FÈS

I. 1. LES ORIGINES

a) *Epoque pré-islamique (des origines à la fin du VIIème siècle de J.C.)*

. Aucune découverte archéologique.

. Deux légendes : une ville détruite au Xème siècle avant J.C. des thermes fréquentés 1 000 ans, puis détruits et remplacés par un oratoire.

b) *Début du VIIIème siècle de J.C.*

. Le site de Fès est occupé par les tentes berbères dans les clairières (tribus Zouagha et Bni-Yarghach).

I. 2. LES IDRISSIDES

172 H./789 : Fondation de Fès, rive droite, par Idris Ier Ben 'Abd-Allah.

192 H./808 : Idris II Ben Idris quitte Walili pour Fès, rive droite.

193 H./809 : Fondation d'El-'Aliya - rive gauche.

ap. 197 H./812 : Les conquêtes militaires d'Idris II aboutissent à un empire dont Fès est la capitale.

213 H./828 : Mort d'Idris II - partage de l'empire entre ses fils.

248 H./862 : Fondation d'un oratoire, future Jama 'el-Qaraouiyine, puis, vers la même époque, de la future Jama' el-Andalous.

933 ap. J.C. : El-Qaraouiyine devient mosquée de prône.

II. 1. LES ZENETES (à partir de 376 H./986-987)

. Premiers ponts du R'Cif et Bin-el-Moudoun, équipement de la périphérie, enceinte autour de la Madina-Fès et El-'Aliya portes et casbahs fondées par 'Ajissa (Bab-el-Guissa) et El-Ftouh (Bab-Ftouh).

II. 2. LES ALMORAVIDES (fin du XIème siècle - début du XIIème siècle après J.C.)

. Nouveaux ponts entre les deux rives, développement du centre de la rive gauche, équipement de la périphérie, travaux d'adduction d'eau de la Casbah, suppression de remparts séparant les deux villes, séjour d'Ibn Khaldoun à Fès.

II. 3. LES ALMOHADES (milieu du XIIème siècle - première moitié du XIIIème siècle après J.C.)

. Nouveaux remparts, fondation de la Casbah-en-Nouar ; mort à Fès de Sidi 'Ali Ben Harazem (1164).
. Siège et destruction de Fès par Abu-Yahya H. 1248 après J.C.

III. LES MERINIDES (deuxième moitié du XIIIème siècle - début du XVIème siècle après J.C.)

. 1276 : Création de Fès-Jdid.
. 1280 à 1355 : Fondation de onze médersas.
. à partir de 1287 : Création d'un Palais Mérinide sur la butte Nord.

Période de prospérité et de développement jusqu'en 1358
. 1337 : Redécouverte du tombeau de Moulay Idris.
. 1438 : Création du Mellah.
. 1515 : (vers cette date) Léon l'Africain à Fès.
. 1522 : Destruction de Fès et des villages à 40 lieues à la ronde par un tremblement de terre.

IV. 1. LES WATTASSIDES (première moitié du XVIème siècle)

. Développement du culte de Moulay Idris.

IV. 2. LES SAADIENS ET LES DILAITES (milieu du XVIème siècle - première moitié du XVIIème siècle)

. Destructions nombreuses dues au siège de 1549.
. 1569 : Tremblement de terre.
. 1580-1590 : Construction du Borj Nord et du Borj Sud.
. 1624 : Tremblement de terre.
. Milieu du XVIIème siècle : destruction du Mellah.

V. LES ALAOUITES (à partir de la deuxième moitié du XVIIème siècle)

. 1664 : Tremblement de terre.	Moulay Rachid
. 1670 : (vers) Fondation de la Médersa Charratîn.	
. Restauration et agrandissement du tombeau Moulay Idris.	
. Meknès devient capitale - déclin de Fès.	Moulay Ismaïl
. 1729 (à partir de) : Construction dans le domaine de Dar-Debibagh.	
. Milieu du XVIIIème siècle : création du quartier et de la mosquée de Moulay 'Abd-Allah. du Fondouk es-Sagha, du Fondouk en-Najjarîn, de Dar-Adiyel.	Moulay Abd-Allah
. Novembre 1755 : deux tremblements de terre.	
. Dar-Aiyad-el-Kbira du Palais Royal - Médersa de Bab-el-Guissa - Jama-er-R'Cif.	
. Début des constructions dans le domaine de Dar-el-Beïda.	Mohamed Ben Abd-Allah
. Jama'-ed-Diwân - Fondouk Jdîd et Kettanîn - nombreuses restaurations.	Moulay Slimane
. 1815 : mort de Sidi Ahmed et-Tijani à Fès.	
. Travaux à Dar-Batha - travaux d'urbanisme par Abd er-Rahmann de Saulty (méchoua de Bab-Bou-Jât), pont de Ben Tato, route Fès-Meknès, autres ponts.	Moulay Abd'er-Rahmann, puis Moulay El-Hassan
. 1880 : (vers cette date) Vieux Palais Mokri Dar-Menehbi.	
. Mur englobant Fès-Jdîd et la Médina.	Moulay El-Hassan
. 1886 : (vers cette date) La Makina.	
. Développement du Palais Royal et des jardins de Boujloud.	Moulay Abd-El-Aziz
. 1911 : Le nouveau Palais Mokri.	Moulay Hafid
. 1912 : Début du protectorat. Dar-Mejliss el-Baladi. Pillage, destruction et bombardement du Mellah.	
. 1913 : Porte neuve du Boujloud.	
. 1915 : Restauration des principales Médersas.	

. 1916 : Débuts de la « Ville Nouvelle » près de la gare.

. 1918 : Incendie de la Qaiçariya. — Moulay Youssef

. 1920 : Construction de l'usine électrique d'Oued ez-Zitoun.

. 1924 : Aménagement de Bou-Kheçîçât.

. 1926 : Débuts du « Boom » de la construction en Ville Nouvelle de Dar-Debibagh.

. 1934 : Fès compte 144 424 habitants.

. 1945 : (Mars) Incendie de la Qaiçariya.

. 1947 : Fès compte 220 000 habitants.

. 1950 : La Médersa es-Sba'iyîn est désaffectée.

. 1956 : Fin du protectorat et indépendance du Maroc.

. 1960 : Mort de Mohamed V.

. 1960 : Transfert de l'Université el-Qaraouiyine, les autres médersas sont désaffectées.

. 1968-1972 : Travaux de couverture du Bou-Kherareb.

. 1972 - (Juin) : Incendie du Fondouk ech-Chamma'în.

DEUXIEME PARTIE

RENOVER UNE MEDINA MILLENAIRE

Médersa Sahrij, la cour.
(UNESCO / D. Roger)

Sur la page ci-contre : Au cœur de la Médina surpeuplée,
huit familles se partagent cette maison.
(UNESCO / D. Roger)

Intérieur d'un palais restauré par un particulier.
(UNESCO / D. Roger)

Jeune mariée fassie le jour de ses noces.
(Office marocain du tourisme)

CHAPITRE XII

LA PAROLE EST AU MAIRE DE FÈS[1]

Une des personnalités fassies dont le témoignage nous a le plus éclairé au cours de notre enquête a été le Dr. Bensalem El Kohen, Président du Conseil Muunicipal. Selon son explication les problèmes auxquels les Autorités et les experts doivent actuellement faire face sont de deux ordres :

« D'une part ceux liés à la sauvegarde d'une Ville historique fondée depuis plus de onze siècles et demi, ayant joué le rôle de capitale politique, économique et culturelle durant l'histoire de mon pays et qui abrite de ce fait, avec la plus vieille Université du monde « la Qaraouiyine », des trésors architecturaux, expression unique dans le monde de la Civilisation arabo-islamique et hispano-marocaine ; elle est le témoignage vivant d'un modèle de ville ancienne, ayant connu une organisation et un équilibre socio-culturel parfait pendant plusieurs siècles, d'une qualité de vie rarement atteinte ailleurs : cependant ma ville est aux prises, actuellement en raison de problèmes démographiques, de l'immigration rurale et de la croissance urbaine incontrôlée et anarchique, à des difficultés graves qui menacent la structure urbaine présente et mettent en cause son avenir.

Mais parallèlement, Fès connaît les problèmes communs à toute agglomération urbaine.

A titre d'exemple la population de la ville qui était seulement de 225 000 habitants en 1963 est passée à 445 000 en 1978.

Les estimations des urbanistes qui président à l'élaboration du Plan directeur d'urbanisme prévoient un accroissement encore plus rapide pour les prochaines décennies tendant au chiffre de un million en l'an

1. Cette interview a été réalisée par l'auteur en novembre 1980.

2 000. Ce qui contribue encore à multiplier les difficultés en raison des problèmes urgents et quotidiens posés par l'habitat insuffisant vu la demande croissante, et l'habitat marginal et insalubre, dépourvu de tout équipement de base qui se développe inexorablement. »

Après l'appel lancé par M. M'Bow, nous avons posé au Docteur El Kohen un certain nombre de questions sur la sauvegarde de la Médina et les possibilités de contribution de la municipalité au succès de l'opération :

Question — La Ville de Fès, centre historique et culturel universel, abrite des monuments de valeur témoins d'une civilisation marocaine millénaire. Seulement, ce patrimoine inestimable est actuellement en dégradation continue. Quels sont, Monsieur le Président, les facteurs qui ont été à l'origine de la dégradation de ce patrimoine historique et architectural ?

Réponse — La dégradation du patrimoine culturel et architectural de la Ville de Fès est la résultante de plusieurs facteurs :

En premier lieu, il faut rappeler la conjonction de deux conditions exceptionnelles après l'indépendance ; un départ massif des habitants de la Médina vers les quartiers modernes, pour des raisons de disponibilité de logement, de confort, de facilité d'accès et de communication ; et d'une manière simultanée, l'afflux vers les maisons presque abandonnées dans la Médina d'un grand nombre de nouveaux venus d'origine rurale; cet exode rural avec implantation en pleine Médina a été massif et désordonné et n'a pas respecté les conditions et traditions habituelles de l'habitat en Médina, mais lui a permis de survivre avec surdensification (900 habitants à l'hectare, actuellement et 225 000 habitants au lieu de 125 000 habitants en 1960).

D'autre part, il y a la vétusté des équipements de base et leur inadaptation, et l'insuffisance de l'eau potable ; de plus le transfert des équipements administratifs et socio-culturels centraux est certainement un facteur de dégradation ; transfert de l'université extra-muros, des étudiants loin des médersas, du Cadi, des adouls (notaires), du Tribunal de 1ère instance, des fonctions municipales, du prévôt des marchands (Mohtasseb), des « oumanas », des corporations et de certains établissements d'enseignement secondaire et même de dispensaires de quartiers ou de centres de santé ; toute cette évolution a contribué à marginaliser la médina, qui n'a pu être abordée que par les accès périphériques ; ceintures Nord et Sud et voie centrale du R'cif, après la couverture du Boukherareb, qui permet à la Médina de respirer par une liaison rapide et commode avec les nouveaux centres d'administration et d'équipements rassemblés dans la ville moderne.

Question — L'UNESCO a adopté une décision relative à la restauration de la Ville de Fès. En quoi consiste, Monsieur le Président, le programme de sauvegarde ? Quelle sera la contribution du Conseil Municipal à l'effort de rénovation de la Ville impériale de Fès ?

Réponse — Le programme de sauvegarde est un programme de longue haleine qui va être échelonné sur plusieurs décennies ; mais les études du Schéma Directeur d'Urbanisme ont pu préconiser un certain nombre d'orientations qui permettent de jeter les bases de ce programme :

1. Dédensification de la Médina (transfert et recasement de 50 000 habitants extra-muros).

2. Développement du quartier artisanal de l'Est (Aïn Nokbi) pour y installer l'artisanat motorisé bruyant et nocif qui s'est implanté en pleine Médina.

3. Extension du périmètre à l'Est.

4. Intégration d'équipements administratifs, culturels, de Santé, de Jeunesse et de Sports en Médina.

5. Rénovations d'équipements d'infrastructure.

— Assainissement - collecte des ordures ménagères.
— Oued Fès.
— Eau potable.
— Electricité.

6. Amélioration de la circulation, des accès et des voies de communication avec les autres pôles de l'ensemble urbain.

7. Restauration des mosquées, universités et cités d'étudiants (Médersas), mausolées, bibliothèques.

8. Création d'un Institut d'Etudes Islamiques au cœur de la Médina.

9. Restauration des Fondouks et Souks et réaménagement en tenant compte de la vocation traditionnelle et des nécessités actuelles.

10. Préservation des Arts et Métiers traditionnels.

11. Réorganisation urbaine redonnant le rôle et la place dûs à la Médina et aux Quartiers traditionnels.

12. Sauvegarde des palais et vieilles demeures.

— La contribution du Conseil Municipal à la réalisation de ce programme est une action permanente et continue pour lui donner toutes les conditions de succès.

— Adoption d'une orientation générale conforme aux recommandations des études urbanistiques du Schéma Directeur ; prévision d'actions ponctuelles annuelles pour la réalisation d'une partie du programme tant en ce qui concerne l'infrastructure, les équipements, que la réorganisation générale, ouverture de rubriques budgétaires spécialement consacrées à la sauvegarde, sensibilisation et mobilisation de la population, action sur le plan national et international par le biais d'organismes de villes et grâce au concours de l'UNESCO.

Question — Il ressort des propositions formulées par le Schéma Directeur d'Urbanisme que la Ville de Fès doit s'étendre du côté de l'Est pour démarginaliser l'ancienne Médina et lui restituer son rôle de centre commercial et culturel d'antan. Quels sont, Monsieur le Président, les projets que la Municipalité compte réaliser à l'Est de Fès pour concrétiser ce vœu du Schéma Directeur ?

Réponse — L'extension vers l'Est ne pourra devenir une réalité que si on entreprend une action rapide de création de zones d'habitats, et de zones d'emplois. Le Conseil Municipal a déjà pris la décision d'acquérir une vingtaine d'hectares qui seront réservés à l'habitat social ; il est indispensable que la Délégation du Ministère de l'Habitat et de l'Urbanisme prenne des mesures urgentes et rapides pour acquérir les terrains nécessaires à cette extension et à l'équipement de la grande zone industrielle prévue et qui doit comprendre 150 hectares.

Question — Le Conseil Municipal avait organisé avec le concours de l'Unesco un séminaire pour la formation des animateurs chargés de la sensibilisation de la population aux problèmes de la préservation de la ville de Fès. Comment concevez-vous, Monsieur le Président, le rôle de ces animateurs et la contribution du secteur privé et de la population à l'effort de restauration de la ville de Fès ?

Réponse — Les animateurs culturels formés par l'Unesco et la Ville sont appelés à jouer un rôle important pour sensibiliser les populations aux problèmes de préservation du patrimoine culturel : ils ont reçu une formation suffisante à cet effet et seront d'une grande utilité au moment du lancement de la campagne de rénovation et dès qu'on commencera les actions ponctuelles - pilotes au niveau d'un quartier par exemple ; à ce moment toute la population sera sensibilisée et mobilisée pour le succès de l'opération et le secteur privé sera appelé à jouer un rôle d'appoint très important, parallèlement à l'action municipale, nationale et internationale.

Question — On sait, Monsieur le Président, que la ville de Fès est jumelée avec plusieurs villes européennes et africaines et membre actif dans des organisations arabes et internationales. Est-ce que vous espérez une aide quelconque de ces villes-sœurs et de ces organisations pour participer aux fonds de restauration de la ville de Fès ?

Réponse — L'appel de l'Unesco s'adresse à toutes les nations amies de notre pays et de la culture et intéresse même nos villes-sœurs et particulièrement Florence qui, sur le plan des architectes et urbanistes spécialisés dans la restauration et la conservation du patrimoine, pourrait contribuer grandement à nos efforts de sauvegarde et de rénovation ; les organisations intercommunales des villes, telles que la Fédération Mondiale des Villes Jumelées, l'organisation des Villes Arabes ou le Centre de collaboration des grandes capitales du monde, sont déjà sensibilisées à notre problème et ont adopté des résolutions invitant toutes les villes adhérentes à contribuer efficacement au succès de la campagne de sauvegarde de la Médina de Fès. J'ajoute que même la ville de Paris en la personne de son Maire, M. Chirac, a promis sa contribution, le moment venu.

Question — L'Artisanat qui fait partie du patrimoine artistique de Fès est actuellement menacé. Quels sont les projets et les mesures prévus pour la sauvegarde et la promotion de ce secteur ?

Réponse — L'Artisanat est en pleine rénovation et il n'y a pas de raison de s'inquiéter outre-mesure à propos de son avenir.

L'organisation des artisans en coopératives, la création de l'institut du cuir et du textile, l'édification de l'ensemble artisanal, la création d'un quartier de l'artisanat moderne à Aïn Nokbi, les mesures préconisées pour fixer l'artisanat de luxe manuel en Médina, dans les anciens fondouks, rénover toutes les mesures prises par le Gouvernement en faveur de l'artisanat, des coopératives de production et de commercialisation concourant à assurer à ce secteur important de la population de Fès une évolution importante dans le strict respect des traditions de qualité et avec le souci de la rénovation et de la modernisation rendus nécessaires par le progrès de l'industrie.

Question — La Ville de Fès, qui fait actuellement l'objet d'un intérêt particulier de l'Unesco et du Gouvernement marocain, est destinée à connaître un meilleur avenir. Comment, Monsieur le Président, voyez-vous la Ville de Fès en l'an 2 000 ?

Réponse — Nous pouvons envisager l'avenir de Fès avec confiance, certes parce qu'elle jouit d'un intérêt particulier de la part du Gouvernement et d'une sollicitude particulière : de Sa Majesté Hassan II d'une part, et d'un organisme international aussi prestigieux que l'Unesco d'autre part. Mais l'an 2000 n'est pas bien loin, c'est dans 20 ans ! Y aura-t-il beaucoup de transformations radicales d'ici là ? Nous l'espérons. Ce que nous pouvons dire, c'est que tout le monde a pris conscience de la valeur à la fois du patrimoine culturel de cette cité, et aussi de ses possibilités immenses de développement, de progrès économique social et culturel. En l'an 2000 espérons que Fès sera un grand centre universitaire avec ses Facultés modernes et traditionnelles, ses grandes écoles technologiques et un grand centre économique et industriel ; équilibrée,

Fès sera la capitale active et rénovée d'une grande Région Economique du Royaume.

Question — Comment la Municipalité de Fès voit-elle le développement Economique et Industriel ?

Réponse — La Ville de Fès souffre de l'insuffisance notoire devenue chronique des Equipements de ses quartiers industriels ancien, nouveau et projeté.

Bien que la sonnette d'alarme ait été tirée à maintes reprises par le Conseil Municipal et le Gouverneur de la Province, les responsables à l'échelon du Ministère de l'Industrie n'ont pas encore pu prendre les mesures nécessaires pour résoudre ce problème. Pourtant les demandes d'investisseurs éventuels dépassent le chiffre de 200 et, même en admettant que tous ne soient pas encore disponibles, il faudrait bien trouver des terrains à distribuer à ces promoteurs qui attendent depuis longtemps et risquent d'être découragés.

Question — Comment se présente la situation ?

Réponse — L'ancienne zone de Dokkarat est pratiquement saturée ; mais tous les équipements sont à refaire : voiries et égoûts en particulier.

Dans la zone de Sidi Brahim les voiries restent entièrement à aménager. De plus, les cahiers de charge d'occupation et d'établissement d'industries n'ont pas été respectés par tous.

Le Conseil Municipal, en accord avec la Province et la Chambre de Commerce, a été amené à prononcer des déchéances à l'encontre des promoteurs occupant des lots sans aucune réalisation industrielle.

Malgré certaines récupérations problématiques, l'extension de la zone de Sidi Brahim est devenue impérieuse, le principe d'une extension de 30 à 40 hectares a été proposé par le Schéma Directeur et la Délégation de l'Urbanisme et approuvé par le Conseil Municipal, la Province et la Chambre de Commerce, toutefois en prenant des précautions plus sévères vis-à-vis des promoteurs défaillants.

Le Conseil avait décidé de recourir à un emprunt F.E.C. pour effectuer les équipements nécessaires. Emprunt qui serait vite rentabilisé et remboursé par la vente des terrains.

Par la suite il a envisagé diverses autres solutions avec la participation de l'O.D.I. ou de la Nouvelle Société Régionale de Développement Industriel, mais aucune n'a abouti à ce jour. Actuellement on s'est orienté vers une solution grâce au concours de l'E.R.A.C. qui prend en charge les Equipements, en attendant le remboursement.

Une troisième zone d'une vingtaine d'hectares est prévue à Ben Souda qui dispose des terrains domaniaux, de la Haute Tension et de la proximité de la voie ferrée ; mais pour des questions délicates d'assainissement, seules les industries non polluantes pourront être autorisées à s'établir dans cette zone.

En plus de la zone d'Aïn Nokbi, réservée aux potiers, le Schéma Directeur d'Urbanisme a préconisé l'établissement systématique d'une grande zone industrielle de 150 hectares à l'Est sur la Route de Sidi Harazem.

Cette zone d'avenir ne pourrait être réalisée qu'après des études approfondies du Ministère compétent et nécessite également de gros investissements qui peuvent être réalisés dans le cadre du prochain plan quinquennal.

Il va de soi qu'il s'agit d'un projet très rentable et qu'il suffit de démarrer pour la réalisation par tranche, par exemple 50 hectares par an, pendant 3 ans, l'opération pouvant être réalisée par un investissement initial et un réinvestissement du produit des ventes au fur et à mesure du passage d'une tranche à l'autre.

En conclusion, ce problème de l'Equipement de nos zones industrielles revêt un caractère d'urgence et devrait trouver une solution radicale et rapide ; outre son intérêt économique, il n'échappe à personne qu'il aura des répercussions sociales non négligeables par les emplois qu'il créera dans notre ville et par les conséquences urbanistiques non moins importantes, en ce qui concerne la mise en application des orientations et des choix préconisés par le Schéma Directeur.

Nous avons tout lieu de croire que les responsables, en haut lieu, en ont pris conscience et auront à cœur de lui trouver une solution rapide dans le cadre des programmes incorporés dans le prochain plan Quinquennal.

L'idée de base du Schéma Directeur d'Urbanisme de la Ville de Fès repose sur la nécessité d'un rééquilibre vers l'Est du développement de la Ville, condition nécessaire à la sauvegarde de la Médina. Il est certain qu'une des actions les plus motrices à ce sujet consiste à localiser dans cette zone Est de nouvelles activités de production offrant des emplois aux habitants de la Médina. Au contraire, il convient de freiner autant que faire se peut l'extension de la Ville vers le Sud (route de Sefrou) et vers le Sud-Ouest (zone de Ben Souda), et donc d'éviter un développement d'activités industrielles dans ces zones.

Des critères d'aménagement du territoire conduisent par ailleurs à recommander un développement industriel intégré au développement urbain de manière à faire bénéficier au maximum la Ville existante de Fès, et ses habitants, des activités nouvelles qui s'implanteront. Il convient donc d'éviter un éloignement excessif des nouveaux quartiers industriels. Un objectif raisonnable à ce sujet consisterait à rejeter tout site distant de plus de 10 km du centre ville. En effet, au-delà de cette limite, il est vraisemblable que de nouvelles activités induiraient un développement spontané de l'habitat à proximité des établissements de production.

Elles conduiraient ainsi progressivement à la création de satellites de Fès avec tous les inconvénients que cela peut entraîner sur le plan de la dégradation de la qualité de la vie pour les personnes concernées, ainsi que sur le plan d'un développement équilibré de la Ville de Fès elle-même.

A l'Est de la Médina, en direction de Sidi Harazem, la nature du relief limite à environ 900 hectares les possibilité d'urbanisme; cependant pour les activités de production ce site présente des caractéristiques favorables, situation en aval de Fès au plan hydraulique et par conséquent sans risque de pollution des eaux pour la Ville.

Au Sud-Ouest, vers Ben Souda, se pose un sérieux problème d'assainissement qui conduit à limiter, voire interdire, toute opération d'urbanisme dans cette direction. Le développement actuel spontané et non contrôlé de l'habitat ne pourrait que s'accélérer si d'importantes sociétés industrielles s'implantaient près de ce village. De plus, l'écoulement des eaux usées industrielles nécessiterait un relevage important et les risques de pollution de la nappe et de l'Oued Fès amont seraient encore accrus.

Au Sud, en direction de Sefrou, d'importantes disponibilités de terrains subsistent ; néanmoins, il s'agit de terrains privés faisant l'objet d'une forte spéculation.

Au Nord et au Sud-Est, la nature du relief constitue un obstacle naturel à l'expansion de l'urbanisme et de l'industrialisation. Toutefois le plateau de Gaada peut présenter des avantages à moyen terme : liaison directe avec la Médina par le Ouislane et l'extension Est.

Ces objectifs et contraintes conduisent à formuler les recommandations suivantes :

— prévoir en priorité la densification des espaces urbains affectés à des activités de production.

— donner la priorité à un développement industriel et artisanal dans la zone située à l'Est de la Médina (Route de Sidi Harazem).

— limiter l'implantation d'usines nouvelles à Ben Souda à un minimum compatible avec les contraintes naturelles du site et à condition de choisir des industries non polluantes.

— accélérer l'Equipement de l'extension du Quartier Industriel de Sidi Brahim.

Question — M. le Président, l'opinion publique est sensibilisée par cet important projet de sauvegarde de la Médina de Fès, surtout depuis l'Appel lancé le 9 Avril 1980 par M. Amadou Mahtar M'Bow, Directeur Général de l'Unesco. Pourquoi n'avons-nous rien vu en cours de réalisation ?

Réponse — Je suis conscient du grand intérêt que porte l'opinion publique nationale et internationale à ce problème de la Sauvegarde de la Médina de Fès, et des bonnes dispositions de tous pour contribuer au succès de cette œuvre de Sauvegarde d'un patrimoine devenu universel.

Je pense que le 9 Avril 1980, le jour de l'Appel, un grand pas a été accompli et que le mouvement a été amorcé. Des actions importantes ont été entreprises, dans le silence, sans publicité, visant surtout à mettre en place les structures internationales, nationales et locales, destinées à être le support et le moteur de cette action continue et de longue haleine que constitue la Sauvegarde.

Le Conseil Municipal, en tant que principal intéressé dans le succès de cette belle entreprise, ne ménagera aucun effort, pour prendre des initiatives, le moment venu, et coopérer avec les organismes nationaux et internationaux, qui entreprennent des actions en faveur de cette Sauvegarde. Nous croyons fermement au proverbe « Aide-toi, le Ciel t'aidera », et nous commencerons par prendre nos responsabilités sur le plan local en incorporant tous les programmes de la Sauvegarde dans nos divers plans de développement urbain, régional et national, et dès le prochain plan Quinquennal 1981-1986.

Il y a donc tout lieu de ne pas s'impatienter et d'envisager l'avenir de notre cité avec confiance et sérénité.

CHAPITRE XIII

LES PROBLEMES DE L'ENVIRONNEMENT

Sur le programme d'aide et d'intervention de l'Unesco, j'ai longuement interrogé M. Najib Laraichi, jeune et brillant technicien marocain, délégué du Ministère de l'Habitat et de l'Aménagement du Territoire. M. Laraichi a commencé par rappeler que la Conférence Générale de l'Unesco, tenue à Nairobi en 1976, a adopté à la demande du Maroc une résolution soutenue par un grand nombre de pays amis, tendant à classer la ville de Fès comme « monument historique » d'une valeur universelle, devant être sauvegardé par une campagne de solidarité internationale, à l'instar des efforts entrepris pour la sauvegarde de Venise.

Durant onze siècles d'histoire, la ville de Fès a connu un développement équilibré répondant aux besoins et aux fonctions de la vie citadine dans les meilleures conditions d'exploitation du site. La plaine du Sais, l'Oued Fès, les cultures environnantes et la montagne du Zalag forment ce site dont le choix fut l'acte d'urbanisme le plus important dans l'histoire de la cité.

Brusquement le cadre assigné à la vie urbaine déborda sous l'effet de puissants bouleversements économiques, sociaux, culturels et démographiques qui caractérisent le XIXème siècle.

La création de nouveaux ensembles urbains à proximité de la Médina et leur développement sur la base d'un modèle urbain qui lui est étranger ont engendré un déséquilibre profond dont souffre encore l'ensemble de la ville et particulièrement l'ensemble « médinois » dans cette nouvelle configuration. Ce déséquilibre peut être cerné à différents niveaux.

Le brassage, jadis caractéristique, du tissu traditionnel, intégrant différentes couches sociales, tend à disparaître en raison de l'émigration interne des couches aisées vers les nouveaux ensembles et la venue à leur place de couches pauvres issues particulièrement de l'exode rural. Ainsi se trouve favorisée la tendance à la ségrégation résidentielle.

Pour ce qui est de l'emploi : la majeure partie des investissements visant à la création d'emplois se concentre à Dar Debibagh au détriment des autres quartiers ; de plus des emplois nouvellement créés restent bien en-deçà de la demande résultant des flots de l'exode, d'où le développement important des petits métiers et des activités marginales. L'artisanat qui constituait la base économique de la médina, a connu une dégradation progressive en raison des problèmes relatifs à son organisation et de la pression des produits manufacturés.

Par ailleurs, le transfert à l'extérieur de la médina de l'université Qaraouiyine, foyer de l'enseignement et de la culture, la désertion et la ruine même des centres d'enseignement qu'étaient les mosquées et les médersas et enfin la réorganisation de l'enseignement de manière générale aux dépens du système éducatif originel, ont eu raison du rayonnement culturel de la Médina. Par ailleurs, la médina devenait de plus en plus dépendante de Dar Debibagh, nouveau centre de décision concentrant tous les équipements administratifs.

Le type de développement de la ville dans son ensemble, caractérisé par les déséquilibres économiques, sociaux et culturels soulignés plus haut est à l'origine des problèmes d'urbanisme de chaque groupe urbain. La marginalisation de la Médina et sa surdensification, la détérioration de son paysage urbain, de son développement hydrologique, et de son environnement, la destruction des aires de commerce et de production, suite au déclin de l'artisanat, sont les manifestations les plus en vue de ces problèmes au niveau de la Médina.

Cerner ces problèmes à l'échelle de la ville, dégager les orientations à même de régler son évolution urbaine dans les perspectives de l'An 2 000, tout cela fut la tâche principale du schéma directeur d'urbanisme de Fès.

Sur le plan urbain, ces orientations se concrétisent par :

— l'urbanisation et la restructuration de l'Est médina offrent des possibilités d'absorption du surplus de population. En effet la médina est étouffée à l'intérieur par une surdensification et à l'extérieur par une prolifération des bidonvilles et des habitats clandestins.

En somme, la zone Est avec des activités artisanales et industrielles, constitue un cadre naturel d'expansion de la médina qui renforce son rôle central dans l'agglomération.

— La réalisation et l'intégration d'équipements à l'échelle de la médina et de ses quartiers de façon à couvrir ses besoins pressants en matière éducative et culturelle, sanitaire et hospitalière, administrative et organisationnelle.

— L'aménagement et la modernisation des équipements d'infrastructures qui sont à la base de toutes actions visant la sauvegarde de la médina. Il s'agit entre autres du renforcement, de la réfection et de la restauration du réseau d'assainissement et du système hydrologique, de la généralisation de l'eau potable et de l'électricité, de l'aménagement des réseaux, des dessertes améliorant l'accessibilité de ceux-ci et du traitement du réseau viaire intérieur.

— La protection et l'aménagement de l'environnement de la médina avec son paysage urbain, ses jardins, ses vergers et son site naturel.

L'oued Fès, la vallée du Ouisslane, le plateau du Bordj Sud, la colline des Mérinides, le Bordj Nord et les flancs du Zalagh, en sont les composantes fondamentales.

— Le raffermissement du tissu urbain et sa restructuration aussi bien à l'échelle de la ville qu'à celle du quartier et de l'unité d'habitation de façon à permettre, à chaque niveau, un fonctionnement meilleur qui tienne compte de la présence et de l'interdépendance des différentes activités.

Vu l'état et la valeur de tissu urbain, la réalisation des centres de quartiers, la rénovation des îlots et parcelles vétustes, la consolidation des bâtisses en mauvais état et l'émélioration des conditions d'habitat sont les principales actions à mener.

— La promotion des activités artisanales et commerciales et la réhabilitation des souks, des fondouks et des dzars (ateliers de tissage) ainsi que les réseaux de commerce et de production dépendant de leur organisation spatiale et de leur situation dans la ville.

L'ensemble de ces points constitue le véritable cadre dans lequel s'inscrit la sauvegarde globale de la médina de Fès. Mais à part son caractère global, cette sauvegarde devrait être une action quotidienne et continue, intégrant l'ensemble des interventions publiques ou privées. Des mesures au niveau économique, juridique, institutionnel et de contrôle devraient accompagner l'opération de sauvegarde pour garantir sa réussite.

Il existe parmi les habitants de la Médina des gens qui préfèrent l'ambiance traditionnelle à celle de ville moderne. Ils préfèrent la médina tout en se plaignant de la dégradation actuelle, dégradation qui, en un certain sens, résulte du phénomène du progrès. De même il existe dans la ville nouvelle des gens qui s'y trouvent mal à l'aise et qui retourneraient volontiers en Médina si leurs activités professionnelles le permettaient. Que l'attachement à la ville de Moulay Idris ait son reflet au niveau national est chose naturelle si l'on se souvient du rôle de Fès en tant que capitale spirituelle du Royaume.

Il est donc tout à fait naturel qu'une action comme celle de la rénovation de la médina de Fès s'appuie sur des efforts de la population auxquels répond une volonté d'aide nationale et internationale. L'action quant à elle doit tenir compte de la nature de la ville en tant qu'elle représente une application particulière de principes toujours valables.

La topographie favorable à l'écoulement gravitaire des eaux (sauf à l'ouest de la ville) a favorisé l'adoption d'un réseau unique pour l'assainissement de la ville nouvelle. L'ossature primaire et secondaire de ce réseau est formée soit par des conduites normales enterrées soit par certains oueds, parfois non ouverts. Le tout se déverse dans le collecteur dit « collecteur général » qui se déverse à son tour dans l'oued Boukherareb traversant la ville ancienne (et couvert dans sa première moitié).

Les eaux usées de la ville nouvelle transitent donc par la médina et se mélangent aux eaux usées qui y sont produites. Contrairement au reste de la ville, le réseau d'assainissement du quartier industriel de Dokkarat est séparé. Les eaux usées sont collectées et déversées dans le collecteur général, les eaux pluviales sont par contre déversées dans l'oued Fès en amont de la Médina. Les pentes en effet sont très douces et la collecte des eaux usées et pluviales aurait nécessité des conduites aux diamètres trop larges.

La collecte des ordures ménagères est tout à fait classique. En l'absence d'une usine de traitement, les ordures ménagères de la ville nouvelle sont déversées à côté d'un pont abandonné à l'aval de la ville (pont Ben Tato) où elles sont évacuées en partie par l'oued.

La médina de Fès est constituée depuis le temps de sa fondation de deux noyaux séparés par l'oued Fès. Le choix de son site semble avoir été motivé par l'abondance des eaux de cet oued aux flancs d'un relief propice à l'écoulement gravitaire des eaux. Tout le système d'assainissement de la médina de Fès est basé depuis le XIIème siècle sur cette abondance des eaux au cœur même de la cité. En effet, par un système fort judicieux, l'écoulement des eaux à l'intérieur de la cité était et est encore utilisé pour :

— l'alimentation des maisons (besoins domestiques), oueds propres ;
— l'alimentation des fabriques artisanales ;
— le fonctionnement des moulins (grâce aux chutes) ;
— l'évacuation des déchets liquides et solides (oueds égoûts).

A cet effet, l'oued Fès est subdivisé à l'intérieur de la médina en 13 « bras » qui atteignent tous les quartiers de la cité, la longueur totale de ces ramifications est estimée à plus de 15 kms avec des pentes généralement très fortes.

Les parties « hautes » de ces ramifications servent aux alimentations, les parties basses à la collecte des déchets solides et liquides. Aucun mélange des eaux propres et des eaux sales n'est possible.

— un oued encore propre comporte des prises d'alimentation du réseau traditionnel et est conçu pour ne recevoir ni rejet d'égoût, ni déversement d'ordures ;

— un oued devenu égoût ne comporte plus de prise d'alimentations et reçoit des rejets d'égoûts et le déversement d'ordures.

Les oueds égoûts du « réseau bas » sont collectés par deux oueds (Boukherareb et Zhoun) qui reforment à leur intersection l'oued Fès aval qui peut donc être considéré comme le collecteur de l'ensemble de l'agglomération. Cet oued verse directement dans l'oued Sébou sans épuration.

Les maisons sont donc raccordées à ces deux réseaux (haut et bas) l'un pour l'alimentation en eau propre, l'autre pour l'évacuation des eaux usées. Les canalisations de recensement (ou quada) sont en poterie cuite vernissée. Ces canalisations étaient sans doute étanches à l'origine mais avec le temps elles ont perdu leur propriété. Le réseau haut est l'originalité la plus importante de l'alimentation en eau de la médina.

La plus grande partie de ce réseau est encore en service actuellement, distribuant gratuitement l'eau de l'oued Fès aux habitations privées et aux édifices publics. Le droit d'usage fait partie de la propriété de la maison, lorsque celle-ci en bénéficie.

Enfin l'eau de ce réseau n'est plus utilisée pour la boisson. Mais elle continue d'être utilisée pour d'autres besoins domestiques, en particulier pour le lavage des cours.

Pour ce qui est de la collecte des déchets solides, l'étroitesse de la voirie à l'intérieur de la Médina rend impossible une collecte mécanisée des ordures ménagères. On les évacue à dos d'âne.

Les déchets sont soit transportés à l'extérieur de la Médina, à la décharge, soit déversé à l'intérieur de la Médina dans les oueds-égoûts. Certains rejets clandestins se font dans les Oueds propres.

Les principes de base peuvent se résumer ainsi :

— éviter tout écoulement d'eau usée dans les oueds découverts que ce soit à l'intérieur de la Médina ou dans la ville nouvelle ;

— éviter que les eaux usées de la ville nouvelle ne transitent par la Médina ;

— protéger l'oued Fès et ses ramifications à l'intérieur de la Médina contre toutes les sources de pollution possible ;

— sauvegarder et protéger au maximum l'écoulement des oueds à l'intérieur de la Médina et éviter en particulier toute ouverture de ces oueds.

Enfin l'alimentation en eau traditionnelle des maisons devra continuer. Naturellement il faudrait prendre des mesures pour dissuader les gens d'utiliser cette eau pour les bassins.

Les solutions préconisées peuvent se concrétiser comme ceci :

— le réseau tertiaire vieux et non étanche de la Médina est entièrement à remplacer par un réseau plus faible, facile à entretenir ; toutes les canalisations doivent être sous les rues ;

— ce réseau tertiaire devra être branché sur des canalisations posées dans les oueds-égoûts actuels, ce qui évitera toute circulation à l'air libre d'eau usée ;

— les lits des oueds à l'intérieur de la médina devront être protégés pour éviter toutes contaminations par des sources souterraines de pollution ;

— L'oued Fès devrait être protégé en amont de la ville. Les eaux pluviales du quartier de Doukkarat devraient être collectées et évacuées par le collecteur de la ville ;

— le collecteur général de la ville nouvelle ne devrait plus se déverser dans l'oued Boukherareb. Il devrait se déverser directement dans la station d'épuration programmée ;

— les déchets solides ne devraient plus être jetés dans les oueds, que ce soit les oueds propres ou les oueds-égoûts actuels : ils devraient être évacués à l'extérieur de la ville, dans une usine de traitement à construire ;

— avec toutes ces protections de l'oued Fès et de ses ramifications à l'intérieur de la médina, le réseau traditionnel pourrait être maintenu pour l'alimentation des maisons. Les habitants devraient néanmoins être dissuadés d'utiliser cette eau pour les besoins pour lesquels elle risque d'être nocive. Une campagne intense d'information sera nécessaire, ainsi évidemment qu'une généralisation des branchements des habitations au réseau d'eau potable de la ville.

Le Fléau des Bidonvilles et de l'Habitat clandestin

Il y a quelques années, le problème des bidonvilles et surtout celui de l'habitat « clandestin » étaient pratiquement inexistants à Fès. Actuellement, il prend des proportions alarmantes mettant en cause l'équilibre social et économique, et l'urbanisme de la ville.

Un rapport établi par la délégation provinciale du Ministère de l'Habi-

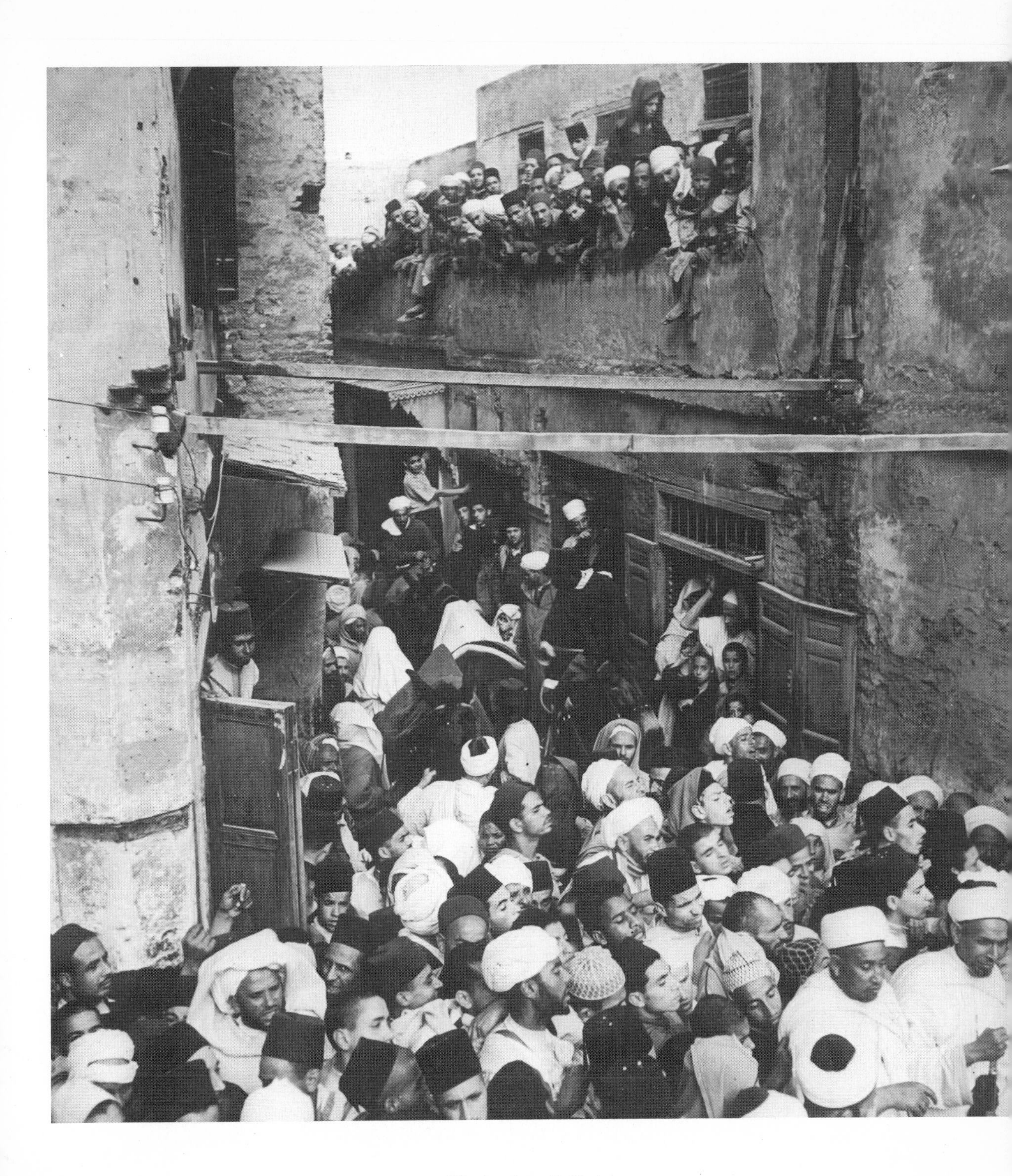

Fès, la place Seffarine.
(Office marocain du tourisme)

Fès, le quartier des tanneurs (voir ci-après).

Sur la page précédente, le cortège du Sultan Tolba, fête universitaire très ancienne et populaire.
(Office marocain du tourisme)

Tanneries de Chaoura, cuve de colorants où sont trempées les peaux de moutons et de chèvres
(Office marocain du tourisme)

tat et de l'Aménagement du Territoire de Fès précise que « l'accroissement urbain qu'a connu la ville en raison de l'exode rural et de l'accroissement démographique naturel, s'est effectué principalement à l'intérieur des murailles de la Médina, aux dépens du bâti historique, de ses jardins et de la logique de sa structure urbaine ».

La Médina ayant atteint un haut degré de saturation et le quartier de Aïn Kaddoua s'étant trouvé rapidement débordé, on assiste à l'éclosion prévisible des bidonvilles et au développement démesuré et incontrôlé des lotissements « clandestins », à la périphérie de la ville.

A l'est de Fès, le quartier des « Jananates » ne cesse de s'étendre. En quatre ans, sa population est passée de 10 000 à 40 000 habitants. La zone construite, en majorité d'immeubles « clandestins », couvre une superficie de 25 ha. La densité est de l'ordre de 1 800 à 2 000 habitants par ha, explique le rapport.

La zone d'Aïn Nokbi, prévue pour être un quartier de production artisanale, se trouve actuellement compromise en raison des récents développements d'habitats « clandestins ». Cette zone est occupée par environ 3 500 habitants.

En ce qui concerne la zone de « Sahrij Gnawa » et « Douar Riaffa », la note de la délégation de l'habitat souligne qu'à l'encontre de « Douar Riafa », dont le développement est resté relativement limité, « Sahrij Gnawa » a vu sa population passer de 2 500 à 15 000 habitants (estimation du Schéma Directeur en janvier 1979).

En plus de ces zones dont le développement compromet toute possibilité de recensement et détruit de façon irrémédiable le paysage de la Médina, le rapport indique que les extensions éparses tendent à encercler la Médina sur toute la frange Est du Bordj Sud à Bab Guissa.

Au Nord de la ville de Fès, le rapport note que Douar « Dhar Richa » retenu pour une opération de restructuration connaît lui aussi un léger développement.

Quant au Douar « Moktaa » qui occupe tout le flanc de la falaise au pied du Bordj Nord, il tend à retrouver par son récent développement la situation qui était la sienne avant son recensement par le Ministère de l'Habitat et de l'Aménagement du territoire sur les terrains de Dhar Lakhmis. Sa population actuelle est estimée à 5 000 habitants à raison de deux familles par maison.

Ce développement s'est effectué malgré sa situation sur la zone de protection de la Médina et sur une partie du circuit touristique « Tour de Fès-Nord ».

Les carrières Kaf El Azba et « Hafat Moulay Idris » demeurent occupées en dépit des éboulements et inondations provoquées par les fortes pluies de 1978.

Le secteur de « Bab Siffer » au nord « d'Aïn Kadous » connaît lui aussi une très forte tendance au développement clandestin dont l'assainissement serait très coûteux.

A l'Ouest, la zone des « Zouagha » ne cesse de connaître un développement d'habitat « clandestin » mettant en danger l'équilibre hydrologique de l'Oued Fès. Des conséquences de pollutions graves sont à prévoir pour la Médina. Selon une étude, l'assainissement de ce secteur serait très coûteux en raison de la présence de la nappe phréatique de l'Oued Fès, de la faible pente et de la dimension du collecteur qu'il faudrait réaliser (longueur et section).

Toujours selon le rapport, l'une des conditions pour la protection sanitaire de la Médina, est la sauvegarde de l'oued Fès de toute source de pollution. Le bidonville « Nzalat Faraji » bordant l'oued Fès et se développant tout le long ne cesse de la polluer, mettant en danger la santé de quelque 250 000 habitants de la Médina.

D'autre part, le développement incontrôlé du centre Ben Souda soulève les mêmes problèmes que « Zouagha ».

« Quant au douars bidonvillois l'Istiqlal et Génie, ils connaissent un développement limité à leur densification ».

Au Sud, sur la route de Sefrou, après les extensions clandestines qu'ont connues les deux secteurs de Mont Fleuri 1 et 2, on assiste à l'émergeance et au développement très récent de Mont Fleuri 3.

On trouve également au sud de Fès les lotissements clandestins de Aouinate El Houjaj, Idrisi et Douar Hendia. Sur ces trois lotissements, celui d'Aouinate El Houjaj connaît l'évolution la plus inquiétante et déborde sur les terrains de l'Etat. Cette évolution s'effectue sur un terrain en forte pente, difficilement assainissable.

Au centre, dans la Médina, à l'intérieur et à l'extérieur des murailles, les lotissements clandestins ne cessent de se développer sur les rares espaces verts et terrains vagues. Cette situation compromet dangereusement le projet de sauvegarde de la Médina dans son ensemble, précise la note.

La note de la délégation de l'Habitat conclut que ces développements clandestins, récents pour la plupart, font que la ville de Fès se retrouve actuellement au premier rang des villes marocaines dans le domaine de l'habitat dit clandestin.

L'analyse de la localisation des lotissements clandestins dans l'ensemble urbain fait ressortir, selon le rapport, deux caractéristiques principales. Les lotissements clandestins se développent sur des terrains non aedificandi ou tout simplement en infraction avec la réglementation en vigueur.

Dans d'autres cas les développements se font sur des terrains non réglementés mais posant des problèmes techniques empêchant leur urbanisation réglementaire.

Ces lotissements clandestins se multiplient sur des terrains généralement valorisés par la proximité des pôles d'activité, quartiers industriels, voie de circulation, etc...

Ces développements sont encouragés par les facteurs suivants :

1) Déséquilibre au niveau de l'offre et de la demande dans les zones d'urbanisation réglementaire.

2) Actions improvisées des différents services non intégrés dans une stratégie commune découlant d'une vision globale et à long terme de l'ensemble urbain.

3) Absence de documents d'urbanisme couvrant toutes les zones d'urbanisation réglementaire.

4) Absence quasi-générale du contrôle de l'autorité et légèreté des peines infligées aux contrevenants à la réglementation d'urbanisme.

5) Non-exigibilité du permis de lotir ou de construire dans la procédure d'achat, d'enregistrement et de conservation des terrains.

Au niveau des lotissements clandestins, le Schéma Directeur d'Urbanisme de Fès a élaboré une esquisse donnant l'image de la ville en 1985.

Les objectifs et les orientations du Schéma Directeur d'Urbanisme de la ville de Fès qui doivent être pris en considération pour le redressement de la situation qui s'aggrave, se résument comme suit :

1 — L'ouverture de la zone Est à l'urbanisation (route de Sidi Harazem).

2 — Diminution de la pression sur Aïn Kadous et plus particulièrement sur Bab Siffer en débloquant la zone Ouest de la ferme expérimentale.

3 — Densification de la Ville Nouvelle et les zones récemment couvertes par des plans d'aménagement, Dokkarat, Hippodrome, route de Ben Souda, route de Aïn Chkef).

4 — Limitation du développement de Ben Souda et arrêt du développement de la zone de Zouagha.

5 — Activation de la réalisation du vaste programme d'action arrêté par le Comité technique provincial au niveau des bidonvilles et des lotissements clandestins.

6 — Arrêt du développement clandestin à l'intérieur et à l'extérieur de la Médina par un contrôle vigoureux.

7 — Préparation des documents d'urbanisme des zones d'extension retenues par le Schéma Directeur d'Urbanisme de la ville de Fès.

8 — Protection de l'Oued Fès, de sa nappe phréatique et du réseau d'eau traditionnel.

9 — Sauvegarde du grand paysage de la ville de Fès et de la ceinture verte entourant la Médina.

En ce qui concerne les mesures suggérées pour remédier au problème des bidonvilles et des constructions clandestines, le rapport de la délégation insiste notamment sur « l'importance vitale de l'ouverture à l'urbanisation réglementaire de la zone est et sur la nécessité de la réalisation de la zone artisanale d'Aïn Nokbi et d'un quartier industriel, en tant qu'éléments inducteurs pour l'urbanisation de ce secteur. »

Cette zone, indique le rapport, « par ses potentialités d'absorption de la pression exercée par la Médina et sa périphérie immédiate, se trouve être l'unique solution à même de régulariser le déséquilibre qui caractérise actuellement le marché de l'offre et de la demande des terrains destinés aux catégories démunies ».

Le rapport de la Délégation provinciale de l'Habitat et de l'Aménagement du Territoire souligne également la nécessité de la restructuration des Jananates en relation avec l'extension urbaine vers l'Est, de l'élimination définitive des constructions illégales et de la généralisation des mesures de contrôle à toutes les zones sensibles aux développements clandestins, plus particulièrement Dhar Lakhmis et les carrières Zouagha ainsi que les abords d'Oued Fès, la route de Sefrou et Aouinate El Hajaj.

CHAPITRE XIV

L'EAU A FÈS : LA « RIVIERE DES PERLES »

La ville de Fès est riche en eau ; tous l'ont souligné, depuis l'auteur du Rwad el-Kirtas jusqu'aux savants modernes comme E.F. Gauthier. Cette eau est fournie par quelques puits localisés presque uniquement dans le quartier des potiers, par de nombreuses sources, comme l'atteste la toponymie de Fès ; Aïn el-Bghel (la source du mulet), Aïn el-Khil (la source des Chevaux), Aïn Azliten (d'origine berbère), Aïn 'Allou (la Source d'Allou) etc... La plupart de ces sources jaillissent dans les quartiers de la Rive Gauche ; mais sources et puits ne suffiraient pas à alimenter en eau courante un nombre très considérable de demeures.

C'est donc à la rivière elle-même que les Fassis ont pris l'eau dont ils avaient besoin pour faire tourner leurs moulins, entraîner leurs ordures, remplir leurs fontaines et leurs bassins, irriguer leurs jardins. Pour cela, ils ont entrepris des travaux considérables dont nous ne pouvons nous faire une idée très exacte, en raison de leur ancienneté.

L'oued Fès, à l'heure actuelle écumant de pollution et de déchets, était jadis une rivière fraîche et limpide. El-Bekri, dans sa description de Fès aux premiers siècles de son existence, nous dit qu'on y trouvait « beaucoup de poissons de l'espèce nommée lebîs ».[1]

Il n'est pas très facile, en effet, de retrouver avec précision le cours naturel de l'Oued Fès ; après avoir cheminé lentement dans la plaine du Saïs, il arrivait dans une zone de marécages, d'où il sortait peut-être par plusieurs issues, l'une à l'ouest du Mellah, le long de Bab el-Amer et de l'ancien Bordj el-Mahrèz, une autre peut-être légèrement au Nord de Bab Jiaf, l'essentiel enfin dans la zone comprise entre le Bordj Cheikh Ahmed

1. El Bekri, « Description... », Trad. de Slane (A. Maisonneuve, Paris, 1965, pp. 226-259).

et Bab el-Hadid. La construction de Fès Jdid et du Palais a certainement provoqué le déplacement vers le Nord au cours de l'oued Fès qui s'appelle à cet endroit Oued el-Jawahir (la rivière des Perles), mais on peut supposer que bien avant des travaux avaient été entrepris pour mener l'eau vers le centre de la ville. On arrivait ainsi à fournir l'eau courante à une grande partie de l'agglomération et à restreindre le débit de la rivière qui, au moment des crues, provoquait des catastrophes.

Ce qui est certain, c'est qu'au XIVème siècle (et bien avant selon toute vraisemblance) Fès disposait d'un système d'amenée d'eau et d'égoûts qui, depuis, a subi seulement des modifications de détail. Les branches principales du réseau de distribution sont de véritables cours d'eau artificiels, tantôt à ciel ouvert, tantôt couverts, passant par les maisons, les moulins, les mosquées ou les rues. Les noms des ponts, en ont gardé le souvenir en quelques endroits (Kantrat Bou Rous par exemple). Les canalisations secondaires étaient faites de poteries emboîtées les unes dans les autres, fabriquées par les artisans de Fès.

Les principales canalisations

Voici le schéma général du système de distribution d'eau pour la Médina. L'eau y arrive en deux endroits ; dans la région de Bou Jloud (oued el-Jawahir) et à Bab Jdid (oued ez-Zitoun, oued Bou Fekran).

I — Après son passage dans les jardins de l'Aguedal et dans le Mechouar de Bab Bou Jat, l'eau arrive à Bab Dekaken, n'ayant subi que trois prélèvements insignifiants.

La rivière passe sous le Vieux Mechouar et en sort par un répartiteur à 4 voûtes ; chaque paire de voûtes forme une section ; l'une envoie son eau à la Rive des Kairouanais, l'autre à la Rive des Andalous. A partir de là, l'eau est divisée en 4 canalisations. Ce sont du Nord au Sud :

a) *l'Oued Fejjalin* qui, juste avant l'actuelle Résidence Générale, se subdivise à son tour en deux grands cours d'eau : l'Oued el-Lemtiyin au nord, l'Oued Fejjalin proprement dit au sud.

b) *l'Oued el-Hamiya* qui se subdivise en 4 cours d'eau qui sont du Nord au Sud : l'Oued Chain el-Mlih, l'Oued Sowwalin, l'Oued Dra'el-Jnan et l'oued Zbel.

c) *la Sakyyat el-Abbasa,* qui sert à irriguer des jardins entre Fès Jdid et Bab el-Hadid, 24 heures par semaine avec un débit de 50 litres-seconde.

d) enfin, *l'Oued Chracher* (la Rivière des Pinsons) qui, après avoir irrigué les jardins étagés entre Fès Jdid et l'oued ez-Zitoun, et même au moyen d'un aqueduc quelques jardins de la rive droite de cette rivière, déverse le surplus de ses eaux (11/44 du volume sorti de Bab Dekaken) avec un débit de 600 litres-seconde dans l'oued ez-Zitoun.

II — Une partie de l'Oued ez-Zitoun est dérivée à hauteur de l'actuelle usine électrique et pénètre dans la Médina par Bab ech-Chobbak où elle prend le nom d'Oued Masmouda. C'est ce canal, renforcé par celui de la Mosquée des Andalous, qui sert à l'alimentation de toute la Rive des Andalous. Il convient d'ajouter que le quartier de Bab Sidi Bou Jida est tributaire de quelques sources autour desquelles Moulay Idris jeta les fondements de Fès. Toutes ces eaux vont, elles aussi, rejoindre l'Oued Bou Kherareb avant qu'il ne sorte de la ville, mais sur la Rive Droite.

Comme l'a dit le Dr Weisgerber, « les trois grandes régions de Fès sont chacune arrosée par une branche de l'Oued ; la région d'el-Lemtiyin est tributaire de l'Oued Fejjalin, la région d'el-Andalosiyin de l'Oued el-Hamiya (sauf la branche Dra el-Jnan), la région d'el-Adoua de l'Oued Masmouda. Peut-être même les contestations relatives à la distribution des eaux eurent-elles leur part dans les luttes qui opposèrent au XVIIème siècle ces trois grandes régions de la Médina. »

Nous savons, en effet, qu'un important différend s'éleva, sous les Saadiens, au sujet de l'Oued Masmouda et qu'il ne fallut pas moins, pour le trancher, que l'arbitrage du saint personnage Sidi 'Abd el-Kader el-Fassi. On peut supposer que d'autres contestations aussi graves, au sujet d'autres branches de la rivière, ont eu d'importantes répercussions politiques, particulièrement en des périodes d'anarchie où le Gouvernement n'était pas assez fort pour faire respecter les droits de chacun.

Les contestations à propos de l'eau

On se doute en effet que les contestations sur les droits d'eau étaient fréquentes, surtout en été, au moment où les sources sont moins abondantes. D'autre part les répartiteurs, souvent peu solides, étaient fréquemment détériorés, si bien que, périodiquement, le Cadi était saisi des plaintes des habitants de tel ou tel quartier ; comme l'affaire était épineuse et avait des incidences politiques certaines, le Cadi en référait au Maghzen et celui-ci nommait une commission où voisinaient les représentants des parties en présence et des experts pris dans les divers corps de métiers qui avaient quelque expérience en la matière. J'ai déjà cité la sentence de Sidi 'Abd el-Kader el-Fassi dans la première moitié du XVIIème siècle. Il ne fit sans doute que consacrer le travail d'une ou plusieurs commissions d'enquête. Moulay Ismaïl, au début du XVIIIème siècle, fut saisi d'une querelle de cette sorte.

Il y eut encore deux commissions arbitrales qui furent réunies sous le règne de Moulay 'Abderrahman (1240/1825) et de Moulay el-Hassan en 1884.

Les contestations n'étaient pas limitées aux gens de Fès entre eux, mais s'étendaient aux campagnards d'amont. Les Fassis, en effet, prétendaient avoir droit de propriété sur toutes les eaux du bassin de l'Oued Fès depuis que Moulay Idris avait acheté le terrain de la ville — et l'eau qui l'arrosait — aux Beni Yarghach et aux Zouagha. Ils s'élevaient donc avec intransigeance contre toute prise d'eau faite en amont de la ville et n'hésitaient pas à organiser de véritables commissions d'enquête pour vérifier que les campagnards d'amont respectaient bien les droits de la cité d'Idris.

De temps à autre d'ailleurs, le Sultan reconnaissait officiellement les droits de Fès et ordonnait la destruction des ouvrages de captage édifiés en amont de la ville. Il est possible que cette situation ait amené les Sultans à établir des tribus militaires ou Makhzen sur une partie du bassin de l'oued Fès car ces tribus obéissaient plus facilement aux ordres du Souverain et risquaient moins d'entrer en conflit avec les Fassis à propos de l'eau. En tout cas, le Sultan avait souvent à arbitrer des querelles relatives à la rivière entre les habitants de la ville et les campagnards d'amont.

Ces affaires étaient d'un règlement délicat. Il fallait donc pour les résoudre des spécialistes avertis ; il s'en trouvait de deux sortes : les juristes, comme Sidi 'Abd el Kader el-Fassi, qui alliaient une maîtrise approfondie de la jurisprudence de l'eau à Fès à une science juridique reconnue, et des techniciens connaissant dans le plus petit détail le système des canalisations, répartiteurs et égoûts de la ville de Fès : c'étaient les Kawadsiya (employés des canalisations).

La plupart des Kawadsiya n'étaient pas Fassis d'origine ; ils venaient, partie du Rif, partie des régions sahariennes. Ils avaient pour mission de veiller à l'entretien des canalisations et ouvrages d'art, d'ouvrir et de fermer les vannes pour assurer à chacun son dû et enfin, tout naturellement, de donner leur avis technique en cas de contestation.

En dépit des efforts de ces spécialistes, le système de distribution d'eau ne donnait pas toujours satisfaction. Cela tenait au mauvais état des canalisations que l'on se contentait de réparer là où il y avait fuite, alors qu'on aurait dû, de temps en temps, les remettre entièrement à neuf. D'autre part les Fassis jetaient n'importe quoi dans leur Oued sans se soucier des conséquences de leur geste : L. Harris signale que le lit de la rivière était rempli de cadavres d'animaux « qui répandaient la corruption dans toute la cité » et obstruaient parfois certaines grilles d'égoûts. Nonobstant ces inconvénients graves, il faut remarquer, comme le fait

Coustaud, que Fès est « à peu près certainement la ville du monde la plus riche en eau », puisque chaque habitant arrive à disposer de 3 000 litres alors que dans des villes particulièrement favorisées, comme Rome et Marseille, la quantité allouée à chacun est de 1 000 litres et qu'elle est seulement de 150 à 250 litres dans de très grandes villes comme Londres ou Paris.

Les porteurs d'eau

En raison de cette abondance, bien des maisons étaient alimentées en eau courante, mais cette eau était rarement potable ; beaucoup de demeures pauvres, surtout dans les quartiers de la 'Adoua, manquaient complètement d'eau ; enfin dans la rue, au souk, au cimetière, sur les places autour des bateleurs, on avait souvent soif et l'on était bien content de s'abreuver à l'outre du porteur d'eau.

Les porteurs d'eau de Fès étaient tous des Berbères recrutés dans les mêmes groupes ethniques du Haut Guir que leurs cousins, les Zerzaya ; ils formaient une corporation dirigée par un amin où l'on n'était admis que sur présentation de deux parrains.

Portant sur le flanc leur outre en peau de bouc, ils passaient leur journée à circuler dans les rues, remplissant leur outre dès qu'elle était vide. Dans les réunions populaires, ils faisaient régulièrement tinter une clochette de cuivre pour rappeler leur présence. Leur rétribution était faible car donner à boire aux gens est considéré comme une bonne œuvre qui mérite récompense de ceux qui peuvent la donner, mais non salaire : les femmes, les enfants, les pauvres buvaient donc sans bourse délier.

Le vendredi et le jour de la 'Achoura, on les priait volontiers de verser une outre sur les tombes « pour rafraîchir les morts ». Ils faisaient aussi office de pompiers.

Un plan de canalisations de Fès au temps de Moulay Ismaïl

Dans une communication présentée au VIIIème Congrès de l'Institut des Hautes Etudes Marocaines (Rabat, Avril 1933) l'historien I.S. Allouche fit état d'un grand nombre de documents anciens inédits relatifs à la question de l'eau à Fès.

Soucieux d'établir leurs droits sur des preuves authentiques, des Fassis ont rédigé eux-mêmes ou fait rédiger, par des notaires (adal), des actes où, en même temps qu'ils signalaient les abus dont ils étaient victimes, ils consignaient ces droits, jusque-là sauvegardés seulement par l'usage et la notoriété publique.

Le texte arabe dont la traduction va suivre appartient à cette catégorie. Il est inclus avec un certain nombre d'autres actes similaires dont il est le troisième, dans un recueil factice de manuscrits de la Bibliothèque générale du Protectorat à Rabat qui figure sous le N° 504-VII du catalogue de M. Lévi-Provençal. Il est daté du mois de Ragab 1127 (1715). C'est une sorte de déclaration où le rédacteur, Muhammad al'Arad b. 'Abd as-Salam b. Ibrahim, homme de bonne volonté, a voulu d'une part signaler tous les abus de ce genre qu'il avait constatés à son époque, qui est celle de Moulay Ismaïl, et d'autre part, indiquer d'une façon précise les droits des différents quartiers, pour couper court aux conflits que la question de la répartition de l'eau ne cessait de soulever périodiquement entre leurs habitants. En outre, et c'est la partie la plus importante du texte, pour éviter les détournements clandestins, il a donné un plan des canalisations qui sillonnent la ville.

Ce document, qui est d'un intérêt certain pour l'historique de ces canalisations et des différents quartiers de la ville, apporte aussi une petite contribution à l'histoire des techniques. On y trouve, en effet, la description détaillée d'un système de barrage en bois, très ancien, qui servait à la fois de dispositif d'accumulation, de répartition et de trop-plein.

Voici la traduction d'extraits du document qui figure à la Bibliothèque de Rabat : l'auteur du Présent acte déclare :

« Je n'ai pas cessé, depuis l'époque où je suis parvenu à l'âge de raison, de chercher à savoir si quelqu'un a parlé de cette rivière bénie qui passe à Fès, ou a consigné par écrit ses poches d'eau, ses ruisseaux et ses ramifications. Je n'ai rien trouvé qui puisse servir de document sur lequel on se baserait pour couper court aux discussions et aux querelles. Il résulte d'une minutieuse enquête que j'ai faite auprès des spécialistes et du public, après avoir pris connaissance des textes, des historiens et des chroniqueurs relatifs à cette ville idrissite, que des innovations ont modifié la répartition des eaux de cet oued béni sur lequel notre Seigneur Idris a bâti sa ville.

On innova il y a environ quinze ans des prises d'eau à la hauteur du jardin de Sidi Ahmad al-Bahlul. A cet endroit, le lit de la rivière étant resserré et embarrassé, des infiltrations se produisirent et l'eau coula en dehors du lit de la rivière. Des chefs et des notables de l'armée n'ayant en vue que leur intérêt personnel et désireux d'augmenter leurs revenus, pratiquèrent à cet endroit une ouverture d'où ils firent jaillir l'eau qui coula le long du rempart jusqu'au Mellah des Juifs et installèrent sur ce nouveau canal un moulin à deux pivots.

Moulay Ismaïl a donné l'ordre de démolir le moulin et de faire rentrer l'eau dans le lit de la rivière.

Actuellement, toute l'eau de la rivière pénètre dans Fès la haute par quatre voûtes, en forme d'arches de pont, au-dessous du passage qui se trouve entre Bab as-Sab' et la porte qui lui fait vis-à-vis en face de la fontaine d'Ibn Hilal, et sort au-dessous de cette dernière par quatre voûtes également, vers le vaste espace libre qui est à proximité du mausolée du saint Sidi Magbar. L'eau des deux voûtes qui font face au rempart de la ville coule vers la 'Adwat al-Andalus et celle des deux autres, qui sont placées devant le Mausolée, va vers la 'Adwat al Qaraouiyine. Les deux premières sont séparées des deux secondes par un mur qui pénètre jusqu'au fond du lit de la rivière. Cependant, le côté dont l'eau coule vers la 'Adwat al-Andalus est resserré et son cours est embarrassé du fait du moulin qui se trouve à Wadi'l-Izam à l'intérieur de la ville et dont on dit qu'il est de construction récente. Le côté de la 'Adwat al-Qaraouiyine est au contraire libre et bien en pente. Les discussions et les querelles n'ont pas cessé, depuis plusieurs années jusqu'à nos jours, entre les habitants des deux rives, ceux de chaque rive prétendant avoir été lésés et ne pas recevoir la part qui leur revient.

Un barrage était autrefois constitué par un large mur en maçonnerie qui allait jusqu'au fond de la rivière et avait, à son extrémité supérieure, un dispositif de trop-plein en maçonnerie ayant deux ouvertures dont le diamètre était de cinq empans et séparés par un autre mur perpendiculaire au premier. Ce mur servait de séparation entre les parts d'eau revenant à chacune des deux rives. C'est pour cette raison qu'on lui a donné le nom de Minhar (nez) à cause des deux ouvertures et du mur de séparation qui rappellent le nez de l'homme. Ce dispositif servait à dégager la rivière en temps de crue, après des pluies persistantes.

Le mur de séparation des deux ouvertures de Minhar est tombé en ruine sur sa plus grande partie. Le laisser dans l'état où il est actuellement constitue un grave danger pour les habitants de la rive d'al-Qaraouiyine.

Lorsque ce mur sera reconstruit et que la part des habitants de la rive d'al-Qaraouiyine sera entière, elle coulera vers la noria d'al-Matlas puis de là au grand étang qui se trouve dans la rue d'al-Mars, où aboutit également la part d'eau d'as-Sab'at al-Akdam.

L'ouverture par où passe l'une d'elles est égale, quant aux dimensions, à celle de l'autre et mesure trente quatre empans. Néanmoins, la partie Est est plus affaissée et plus en pente que l'autre, de sorte que l'on a dû y établir un barrage, afin que l'eau s'y amasse et que son niveau s'élève pour pouvoir également alimenter la partie nord qui est plus élevée. Ce barrage est d'une forme ancienne très peu connue et n'est pas actuellement en usage.

Ces deux parts doivent couler dans des conduites de diamètre égal, l'une ne devant pas être plus abondante que l'autre.

En résumé, la part qui se dirige vers l'est du côté d'al-Andalous est constituée par la quantité d'eau qui sort des quatre igmaz (pouce), celle qui passe par-dessus la pièce de bois sur la longueur de neuf empans et enfin celle qui sort par le Kadas de Moulay Idris. Toute l'eau qui reste constitue l'autre part.

En outre, dans le cas où le débit de la rivière diminuerait au point qu'il n'en resterait que la mesure de deux ou trois déversoirs, toute l'eau passerait par les igmaz et l'autre côté en serait complètement privé. Il va de soi qu'une part ne porte ce nom que si elle augmente ou diminue dans les mêmes proportions que les autres. Là est la cause du désaccord qui divise les habitants des quartiers qui reçoivent respectivement l'eau des deux parts.

Il faut que deux bassins en maçonnerie soient installés au même niveau pour recevoir chacune des deux parts d'eau, à savoir : six parties pour la première et cinq pour la seconde. On mettra ainsi fin aux querelles et l'on demandera aux usagers une contribution une fois pour toutes. Quant à laisser les choses dans l'état où elles sont actuellement, c'est vouloir manifestement causer du tort aux usagers et faire preuve d'une ignorance qui sera funeste aux deux parties adverses. Il faut d'ailleurs ajouter à cela que le fait que le dispositif de distribution de l'eau est en bois constitue une cause d'ennuis, car le bois pourrit rapidement et occasionne ainsi des dépenses continuelles aux meuniers et aux usagers, parmi lesquels il y a des pauvres, des orphelins, des interdits et des détenteurs de biens hubs.

L'Oued Fès : source de vie et danger de mort

Dans le cadre de la célébration de la Journée mondiale de l'Environnement et de la Campagne de propreté, le Conseil Municipal, la délégation régionale du Ministère de l'Habitat et de l'Aménagement du Territoire ainsi que les délégations des principaux ministères ont déclenché une campagne de sensibilisation dans les différents quartiers de la ville et en particulier ceux de l'ancienne médina et de Aïn Kadous. Parallèlement, une campagne visant le nettoyage, la désinfection et le ramassage des ordures, a été organisée.

Apportant son concours, la délégation du Ministère de l'Habitat et de l'Aménagement du Territoire a organisé une exposition à cette occasion tout en participant au nettoyage des espaces verts et des lotissements d'Etat.

Par ailleurs, une intéressante projection de diapositives commentées a eu lieu sur l'Oued Fès à la délégation du Ministère de l'Habitat et d'Aménagement du Territoire.

Voici le texte qui accompagne cette projection :

« L'oued Fès, l'oued El Jawahir chanté par la poésie populaire a donné la vie à la cité d'Idris : la présence de cette rivière généreuse a motivé le choix du site de la ville. Après avoir bâti avec intelligence son plan sur les ravins creusés par l'eau, on s'est ingénieusement appliqué à la maîtriser, à la dompter, la domestiquer, à l'asservir à tous les besoins : l'alimentation d'abord, puis la propreté de la maison, l'hygiène, les jardins, mais aussi les activités nécessaires à la vie et à la prospérité de la ville, les tanneries, les moulins, les teinturiers, les blanchisseurs et d'autres petits métiers, nombreux, qui n'auraient pu exister sans l'eau ou qui se sont créés au service de l'eau comme l'importante corporation des Kwadsias qui tenait entre ses mains le fonctionnement de l'immense toile d'araignée de seguias et de canalisations qui irriguaient chaque maison, chaque recoin de la cité.

Il est certain que Fès devait pour une large part sa prospérité à l'eau dont la signification traditionnellement attachée à la cité islamique a pris dans cette ville une dimension exceptionnelle profondément ancrée jusqu'à nos jours dans le cœur de tout fassi, tant il est vrai que la civilisation de Fès est aussi la civilisation de l'eau. A Fès, l'eau fait partie des plus vivantes traditions.

Pendant près de dix siècles, la grande machine hydraulique poussée à la perfection par les Almoravides et qui peut à juste titre être considérée comme l'une des plus perfectionnées du monde fonctionnait sans désemparer à la satisfaction de tous. Il fallait attendre notre époque contemporaine avec ses bouleversements socio-économiques, technologiques, et culturels pour que le merveilleux système millénaire soit brutalement et globalement mis en question.

Le doublement de la population de la Médina, passée de 100 000 à plus de 200 000 habitants en un demi-siècle, apporte une surcharge considérable au vieux réseau d'eau domestique de la Médina. Celui-ci souffre des dégradations liées à son grand âge et du manque d'entretien depuis que les corporations des Kwadsias et les organismes traditionnels de gestion de la vie communautaire ont pratiquement disparu.

Aujourd'hui avant de pénétrer en Médina, les eaux sont déjà polluées par les douars et les lotissements irréguliers qui ne cessent de se multiplier et de s'étendre sur les rives de l'oued jusqu'à Ben Souda ainsi que par les produits toxiques qui s'échappent du réseau d'égoûts défectueux du quartier industriel de Dokkarat.

Peu avant Bab Jdid, les égoûts de Fès Jdid et des villes nouvelles de Dar Débibagh et d'Aïn Kadous — soit plus de 250 000 habitants — se jettent dans la Bou Kherareb avant de traverser la Médina de part en part.

Sur le réseau intérieur de la Médina, les eaux propres et les eaux sales se mélangent à la faveur de ruptures de canalisation et de mauvais branchements. Les répartiteurs en mauvais état fonctionnent mal ou plus du tout.

Et pourtant les ordures : celles qu'on jette à partir des maisons, celles que déposent les « chouari » de la municipalité dans les vieux collecteurs répartis dans les quartiers, celles que l'oued Mahrez arrache aux décharges de Dar Débibagh, celles de Fès Jdid que l'on jette dans l'oued Fès tout près du Mechouar et dans l'un des bras d'oued — totalement embourbé — qui pénètrent dans le Parc de Jenane Sghir. Celles que les camions déposent dans l'oued Zbel et dans le Bou Kherareb, au cœur de la Médina, au R'Cif, à Khérachfiyine, à Bin el Moudoun, rejoignent celle des tanneurs de la Chouara et font de l'oued Fès à la sortie de la Médina comme de l'oued Zhoun qui le rejoint peu après un immense cloaque nauséabond que viennent grossir encore un peu en aval, à Ben Tato, près de 100 tonnes quotidiennes d'ordures de la collecte municipale.

Les puits, les sources qui faisaient l'orgueil de certains quartiers, sont totalement pollués et l'on continue à en boire.

L'eau providentielle est devenue responsable du développement des maladies hydriques qui menacent dangereusement la santé de la population. Au point qu'on en est venu à penser qu'il faudrait définitivement supprimer l'eau de l'oued, des puits et des sources de l'ensemble de la Médina. Mais que serait Fès sans ses fontaines, sans son eau qui a fait sa richesse et sa renommée ! ?

Le vaste lac artificiel du futur Parc de l'Oued Fès contribuera efficacement à l'épuration résiduelle de l'oued et à la décantation des argiles tout en offrant d'inestimables possibilités de baignade, de sports nautiques et de détente.

Une bonne organisation de la collecte et du traitement des ordures ménagères, viendrait aisément à bout de cette gangrène qui ronge la ville et son site.

Enfin, il serait possible de séparer, dans toute la traversée de la Médina, les eaux propres des eaux usées, puis au niveau intérieur de la Médina, par un patient travail de remise en ordre et de modernisation du réseau traditionnel permettant de restituer une eau claire aux fontaines des maisons, comme dans les grands bras de la rivière de l'oued Zhoun, du tronçon découvert de Bou Kherareb, de l'oued Fejjaline, de l'oued Hamiya dont il importe d'exploiter la qualité des paysages ; tout comme plus haut, entre Bab Boujat et Boujeloud, le monumental développement de remparts de jardins et de canaux d'une valeur exceptionnelle.

C'est à ces conditions que l'oued Fès pourra continuer, fidèle à la tradition, à remplir demain son rôle d'axe de vie de la cité ; non seulement de la ville ancienne mais de l'ensemble de l'agglomération d'un million d'habitants en voie de formation. »

Par ailleurs, le 9 décembre 1980 le ministre de l'Equipement et de la Promotion Nationale, M'Hamed Douiri, réaffirmait, en présence du Président du Conseil Municipal et du Gouverneur de la Province de Fès, l'objectif visant à augmenter la quantité d'eau potable existant dans la ville jusqu'à une capacité de 120 litres par seconde en 1981 et de 200 litres par seconde dans les années suivantes. Il a également souligné les efforts déployés par son département pour la construction d'une station de traitement d'eau qui entrera en activité en 1982. Le gouvernement royal, a encore indiqué M'Hamed Douiri, réalisera tous les projets, même les plus ambitieux, pour satisfaire les besoins en eau des citoyens de Fès, aussi bien en Médina qu'en ville nouvelle, et de leurs activités artisanales ou industrielles.

Fès, les tanneurs, le découpage des peaux.
(Office marocain du tourisme)

Le souk des teinturiers.
(UNESCO / D. Roger)

Sur la page ci-contre, travail des peaux aux tanneries de Chouara.
(UNESCO / D. Roger)

Sur la page suivante, le quartier des potiers à l'est de Bab Ftouh.
(UNESCO / D. Roger)

CHAPITRE XV

L'EXODE RURAL VERS LA MEDINA VU PAR L'UNESCO[1]

A Fès, il n'est pas que la tradition spirituelle qui soit bien vivante. La vie économique y est également florissante. Fès continue à assurer à ses environs les biens et les services, et son activité a, au cours des trois dernières décennies, attiré la population rurale dans la cité. Comme bien d'autres à travers le monde, les campagnards abandonnent les mancherons de la charrue pour venir vivre en ville — si modestement que ce soit. Aujourd'hui, sur les quelque 550 000 habitants du Grand Fès, 60 pour cent sont d'origine rurale.

Dans la Médina et le Fas al Jadid, leur arrivée massive s'est assortie du départ des nantis, surtout pour Dar Debibagh, la ville européenne bâtie par les Français, où sont regroupées l'administration, les services municipaux, les tribunaux, les banques, et les sièges sociaux des entreprises industrielles, et dont le quartier résidentiel foisonne de belles demeures et de jardins.

Le nombre des nouveaux venus dépasse de loin celui de ceux qui ont quitté les quartiers historiques. Au début du siècle, il y avait dans la Médina, le « Fas al Jadid » : 120 000 habitants, chiffre comparable à celui de l'époque Almoravide. Aujourd'hui, il y en a plus de 250 000. Ce surpeuplement, dans ces quartiers, est nuisible aux structures spirituelles comme aux structures matérielles.

Les nouveaux venus ne sont pas en mesure d'acheter des appartements, surtout dans la Médina où les prix de l'immobilier sont très élevés. Aussi sont-ils contraints de louer, non pas une maison, mais des pièces dans une maison. Rien ne les incite à maintenir la maison en bon état, ni à en respecter les qualités artistiques. La structure de 6 000

1. « Informations Unesco », N° 758-759.

demeures construites de manière traditionnelle — murs en briques et en torchis, plâtre et chaux, tuiles — est fragile, et ne résiste guère à l'incurie. Les propriétaires, quand il s'agit de familles qui ont quitté Fès pour Rabat ou Casablanca, se soucient peu de faire des frais pour entretenir des maisons qu'ils ont souvent laissées à l'abandon après en avoir déménagé le mobilier. Ajoutons les dégradations que subit l'édifice, quand les bois peints et sculptés, les plâtres ouvragés et les céramiques ont été arrachés pour être vendus.

Dans ces maisons construites pour abriter une seule famille (même si elle comptait deux ou trois générations) vont et viennent une foule de gens, des familles qui ne se connaissent pas : cet état de choses a compromis une valeur fondamentale de l'Islam, le « haram », le respect de l'intimité, nous dirions du « mur de la vie privée ». La division catégorique entre lieux de travail et de résidence s'est estompée avec les petits ateliers à domicile des nouveaux venus.

Les bâtiments publics, comme les « fondouks », les portes de la ville, les fortifications, les jardins, appellent également d'urgentes restaurations. Du fait des « habous » (donations pieuses) les édifices religieux sont généralement en bon état, mais un certain nombre de « madaris » (médersas) tombent en ruines.

Il faut veiller aussi à l'infrastructure urbaine, comme le prouve le vieux système de distribution de l'eau. Créé il y a huit siècles, c'est un magnifique travail d'ingénieur, qui pourvoyait chaque demeure en eau potable, alimentait d'innombrables moulins, les célèbres tanneries de la ville, et irriguait des jardins enchanteurs.

Mais les conduites sont aujourd'hui rompues en divers points et l'eau est menacée de pollution. Aussi ne peut-elle plus être employée qu'à la lessive et pour les jeux d'eau des jardins et des fontaines ornementales. Un système moderne assure la distribution d'eau potable. De plus, le sol sur lequel l'eau de l'oued Fès passe dans la cité est lui-même pollué.

Le vieux réseau d'égoûts, lui aussi, a été détérioré à cause de l'accroissement de la population et de ses activités. Les canalisations ont été obstruées par les déchets. Dans les années 1960, une route a été construite sur l'oued Bou Khrareb, dans lequel les collecteurs se déversent, et qui est devenu un chenal pestilentiel. Il a fallu abattre des maisons construites sur les rives. On a laissé une voie ouverte au trafic motorisé pénétrant dans la Médina. La route semble traverser un site bombardé.

Autre perte : au cours des 20 dernières années, 70 pour cent des espaces ouverts ont disparu, y compris les plus beaux des jardins particuliers. Cette aire a été couverte d'immeubles neufs, y compris les édifices publics comme écoles et dispensaires.

En dépit de ces graves altérations urbaines, Fès n'en a pas moins gardé son véritable génie : avec son histoire millénaire, c'est une ville jeune, robuste, en plein essor. Dans le « Fès al Bali », 60 pour cent des habitants ont moins de vingt ans. En l'an 2 000, le Grand Fès comptera un million d'habitants. Dans la Médina, la diversité des emplois est plus grande que n'importe où ailleurs dans la cité. En fait, 60 pour cent des emplois y sont concentrés, et le volume des affaires ne cesse de s'accroître.

Le problème fondamental est démographique. Si les demeures et les institutions sont restaurées, si elles ont de nouvelles fonctions et que la Médina garde cependant son caractère historique, alors la population qui y vit devra trouver ailleurs des logements et du travail. Il s'ensuit que les problèmes qui concernent la Médina et le « Fès al Jadid » impliquent le développement futur de Fès tout entier, englobant Dar Debibagh et les nouveaux quartiers, Aïn Kadous, vers le nord, et toute la périphérie. En un mot, c'est une planification urbaine décisive qui s'impose.

Les autorités marocaines, sous le gouvernement du roi Hassan II, en sont conscientes et en 1974-1978 un Schéma Directeur d'Urbanisme de Fès a été établi par une équipe d'architectes, d'urbanistes, d'économistes, d'ingénieurs et autres spécialistes, marocains et étrangers.

CHAPITRE XVI

FÈS, CAPITALE DE L'ARTISANAT MAROCAIN

Centre principal de l'artisanat du Maroc depuis des siècles, Fès suscite un intérêt particulier pour la diversité de ses corporations.

Pour se limiter aux corporations artisanales que l'on peut chiffrer à une cinquantaine, on remarque que les artisans encadrés par des Oumanas (prévôts des marchands) et le Mohtasseb (contrôleur des prix) exerçaient leur profession au sein de la cité dont ils formaient l'élément productif. L'artisanat était le seul mode de production connu. Il ignorait la concurrence industrielle ou artistique. Il correspondait aux besoins réels du pays.

Maisons et Palais étaient construits par les artisans. Diverses corporations participaient ensuite à la décoration intérieure, les zelligeurs, les sculpteurs sur plâtre, les ébénistes et bien d'autres.

Venait ensuite la corporation des artisans tisserands, celles des tisseuses de tapis, de vêtements, des brodeuses sur tissu et sur cuir, des fileuses. Les lanterniers fournissaient de délicats chefs d'œuvre de métal ciselé ou gravé, des services de thé, des brûle-parfums, etc...

Hors de la maison, on trouve à chaque pas les signes de l'activité d'un artisanat toujours présent, tanneurs, maroquiniers, potiers, bijoutiers, nattiers, etc...

A tous ces métiers produisant des objets de caractère artistique s'ajoutaient les innombrables phalanges d'artisans produisant les objets utilitaires, fabricants de peigne, tisserands, briquetiers, fabricants de socs de charrue et d'outils, tonneliers, fabricants de soufflets et de tamis, etc...

Ainsi la totalité des besoins du pays était couvert à 100 pour cent par l'artisanat. Pendant cet âge d'or des métiers et des arts manuels, les artisans occupaient une place élevée dans l'échelle sociale. Mais dès que s'établit le premier contact avec le commerce mondial, cette structure traditionnelle s'est peu à peu ébranlée et l'artisanat s'est engagé dans une lutte inégale dont il ne survit que grâce à des mesures de sauvegarde et de redressement prises par le gouvernement marocain.

Depuis, l'artisanat est parvenu petit à petit, d'une part à se reconvertir aux nouvelles méthodes de fabrication utilisant un outillage et un petit matériel moderne, et d'autre part à s'adapter à l'évolution des modes d'existence et des goûts de ses consommateurs. Actuellement, l'artisanat conserve encore une place de choix dans l'économie de cette cité. Il occupe près de 30 000 artisans. Si l'on suppose que chaque artisan subvient au besoin de 5 personnes, on peut arriver au chiffre approximatif de 150 000 personnes vivant du revenu de l'artisanat.

Source de devises pour le pays, l'artisanat est exporté. C'est ainsi que Fès vend à l'étranger pour 30 000 000 de dirhams environ par an.

Mais quoique la part de l'exportation reste assez modeste par rapport aux productions, il y a d'une part l'auto-consommation, qui reste assez importante malgré l'évolution des goûts des nouvelles générations, et d'autre part l'écoulement fait par le canal des autres villes, car il est prouvé que les produits artisanaux fassis sont d'une qualité marchande incomparable.

Dans le cadre du mois de l'Artisanat, qui a lieu chaque année, une exposition de tapis est organisée à la Coopérative des Tapis de Fès.

Cette exposition draîne un grand nombre de visiteurs, et met en relief un remarquable éventail de tapis fassis, réputés pour leur qualité, leur originalité et leur authenticité.

Le tapis fassi se distingue par des caractéristiques très spécifiques qui lui valent une excellente réputation à l'étranger et une demande croissante. Ainsi 22 616 tapis de qualité ont été estampillés durant le premier semestre 1980 à Fès. Leur superficie s'est élevée à 75 980 mètres carrés. Le droit d'estampillage a été de l'ordre de 87 335 dirhams. Au cours de ce même semestre, des tapis fassis d'une valeur globale de 12 498 980 dirhams ont été exportés. L'exposition permanente pour la vente, sise au Complexe Artisanal de Fès, a vendu, durant le premier semestre, plusieurs tapis fassis d'une valeur totale de 19 320 dirhams.

Dans le cadre également du Mois de l'Artisanat des journées consacrées à la céramique fassie et aux articles d'argenterie ont été organisées.

Une menace

L'artisanat de production est sérieusement concurrencé par l'industrie moderne. Prenons le cas du cuir. Un artisan traditionnel, nous dit M.

Filali, directeur général du complexe artisanal, s'approvisionne sur le marché des peaux de la Médina en même temps que l'industriel. Si l'industriel avec ses procédés modernes vend ensuite son produit entre 4,50 et 6 Dirhams le pied carré, l'artisan le vend à 1,50 Dirhams aux babouchers, aux maroquiniers et l'industriel aux usines de chaussures et de vêtements en cuir.

Avant, quand le Maroc vivait en économie fermée, l'artisanat était souverain et c'était le seul fournisseur de biens de consommation courant pour toute la population. Aujourd'hui il y a un projet pour la création d'une Ecole pour la conservation des métiers traditionnels où les apprentis apprennent à exercer et à garder les techniques souvent secrètes de leurs parents et que ceux-ci refusent de communiquer aux étrangers.

La ville de Fès dispose d'un réseau très important de centres d'apprentissage. Ces centres, dont le nombre atteint 11, reçoivent annuellement un effectif de 1 000 apprentis.

Ils sont destinés à la fois à la formation accélérée et à la manipulation d'un matériel moderne.

Parallèlement à cette formation et conscient de ce que le travail individuel nuit non seulement à l'approvisionnement en matière première mais aussi à l'écoulement des produits finis, les responsables se sont préoccupés de promouvoir la coopération.

Ainsi la ville de Fès constitue un noyau de coopératives. Ces Coopératives au nombre de 15 réalisent un chiffre d'affaires annuel de 15 000 000 de dirhams. En général les coopératives artisanales sont mal installées et souffrent d'une insuffisance de trésorerie et de cadres qui ne leur permet pas d'évoluer favorablement.

Pour permettre à ces coopératives de travailler dans des conditions saines et avantageuses et les rendre accessibles à une surveillance, il faut les regrouper dans un établissement qui reflètera la situation artisanale de la région et constituera un atout pour le développement de la ville, notamment dans le domaine touristique.

Ainsi l'ensemble artisanal de Fès regroupe 2 coopératives : la coopérative des Tisseurs de Tapis, la coopérative lapidaire.

Dans cet ensemble la formation professionnelle a le mérite d'être une formation à pied d'œuvre. Les apprentis en contact direct avec les problèmes auxquels se heurtent la profession profitent de la compétence des artisans.

Par ailleurs, les artisans disposent désormais d'un foyer où ils peuvent se rencontrer pour échanger des idées. Ce foyer destiné aux jeunes artisans a pour but de lutter contre l'analphabétisme, d'organiser des excursions et des voyages d'études.

Le Conseil Municipal de Fès a pour sa part décidé d'exproprier 52 hectares à « Aïn Nokbi » et de les réserver aux artisans pour l'implantation de leurs ateliers. Plus de 200 lots de terrain du lotissement d'habitat, « Narjisse » (Route de Sefrou) ont été réservés aux artisans pour la construction de logements. Une enveloppe estimée à 100 millions de centimes, sera consacrée à la restauration de deux anciens « Fondouks » pour le groupement de certaines catégories d'artisans.

Le Schéma Directeur de la ville de Fès et le projet de sauvegarde de la ville retiennent d'importants projets pour le développement de l'artisanat. Ces projets prévoient la restauration du réseau de tannage, la réhabilitation et l'équipement du réseau des moulins, la réalisation d'une école de préservation des arts et métiers du bâtiment. Ainsi l'artisan fassi sera le principal bénéficiaire du projet de sauvegarde de la Médina de Fès.

Les projets artisanaux proposés dans le cadre du prochain Plan Quinquennal 1981-1985 et leur estimation s'établissent comme suit :

Extension du complexe artisanal de Fès (1 500 000 dirhams), réalisation d'une cité artisanale (20 millions de dirhams), construction d'une école pour la préservation des arts traditionnels (2 600 000 dirhams).

Restauration des centres d'apprentissage (4 millions de dirhams).

Renouvellement des équipements, des centres d'apprentissage (3 100 000 dirhams).

Achèvement de la construction de l'Ecole des métiers de bâtiments (3 millions de dirhams).

Restauration et réaménagement des Fondouks (33 millions de dirhams).

Construction du siège de la Chambre d'artisanat (2 millions de dirhams).

Réalisation d'un ensemble intégré au quartier Nejjarine (3 500 000 dirhams).

Rôle économique et social du secteur artisanal

Le secteur de l'artisanat au Maroc est d'un apport considérable dans le développement de l'art en général et de l'économie nationale en particulier. La ville de Fès offre à cet égard un meilleur exemple de l'importance économique, intellectuelle et sociale de l'artisanat qu'il convient de relever. Elle compte à elle seule 50 catégories de métiers.

L'importance de ce secteur se traduit également par l'exportation des produits qui ont atteint en 1977 une valeur de 35 537 000 dirhams. Compte tenu de la qualité de ses produits et du prestige dont ils jouissent à l'étranger, une partie non négligeable de la production artisanale fassie est exportée à partir d'autres villes marocaines.

D'autre part, dans le but d'aider les artisans et de protéger leurs acquis, le ministère des Affaires Sociales et de l'Artisanat continue d'encourager la création des sociétés coopératives pour l'augmentation et l'amélioration de la production. L'objectif de ces organismes est la formation des artisans et leur initiation à la gestion administrative et commerciale, ainsi que leur organisation pour faciliter leur approvisionnement en matières premières à des prix abordables.

Le nombre des coopératives reconnues à Fès s'élève à 15 unités groupant 1 500 adhérents. Ces coopératives ont enregistré au cours de 1978 un chiffre d'affaires de 21 571 000 dirhams.

Dans ce domaine, l'artisanat s'inscrit dans la ligne des tendances visant à la conservation de la moralité de l'homme. Il fait le contrepoids à l'automatisme adopté par la Société technocrate, lequel dépersonnifie l'homme et le déshumanise une fois qu'il est placé derrière une machine. L'idée de la perpétuation de l'artisanat renforce l'homme dans son essence même et l'humanise davantage. Car l'artisanat est un travail intellectuel qui met en relief les aptitudes du travailleur manuel dans la création et l'invention, et sa capacité dans la production d'articles de qualité.

Si l'on scrute la civilisation marocaine, on s'aperçoit que l'artisan constitue l'élément fondamental de l'idée de la préservation du patrimoine culturel et de l'authenticité marocaine.

Dans le dessein de défendre leurs intérêts et de garantir leurs droits, l'Association des affaires sociales et de l'artisanat a été créée. Son principal but consiste à améliorer la situation sociale de ses adhérents, qu'ils soient artisans ou fonctionnaires dépendant de la direction de l'artisanat.

C'est ainsi que l'Association a procédé à l'organisation de colonies de vacances au profit des enfants des membres adhérents, d'une loterie nationale et des tournées artistiques à travers les provinces du Royaume. Cette Association organise également des conférences sur des sujets relatifs à la vie économique, sociale et culturelle des artisans.

Cependant l'Association a encore besoin d'être soutenue et renforcée sur le plan matériel par les artisans et les responsables de l'artisanat.

Par ailleurs, les projets qui ont été inscrits dans le cadre du plan quinquennal 1973-1977 ont été réalisés :

1) Construction d'un ensemble artisanal à Fès ; cette assistance étatique consiste dans la mise à la disposition des artisans d'ateliers de

travail et dans leur rapprochement de l'administration pour qu'ils puissent profiter de ses orientations et de son contrôle. Ce complexe dispose d'une salle d'expositions où se vendent les articles d'artisanat à des prix raisonnables.

2) La Restauration des Centres de stages relevant du Ministère de l'Habitat dans ce domaine est bénéfique. Ce département a joué un rôle prépondérant dans la conservation des métiers d'artisanat qui étaient sur le point de disparaître et dans le développement des autres métiers par l'introduction de moyens modernes garantissant la qualité des produits confectionnés suivant l'esprit du temps et les goûts.

Dans le but également de résorber le chômage et de récupérer les exclus des établissements scolaires, le ministère a créé des Centres d'apprentissage. La province de Fès dispose actuellement de plusieurs centres de formation professionnelle dont le nombre des stagiaires dépasse 1 000 personnes. Le ministère élabore à leur intention des programmes d'études théoriques et pratiques.

3) L'école de conservation des métiers : le ministère des Affaires sociales a réservé une enveloppe budgétaire de 100 millions de centimes pour la création d'une école des métiers traditionnels dans un cadre qui témoigne de l'art authentiquement marocain. La création de tels établissements dans des palais antiques a pour principal objectif la préservation de ces maisons et leur réhabilitation.

Le premier choix s'est porté sur le palais du pacha Fazi, mais devant les difficultés rencontrées, dues essentiellement à des prix exorbitants exigés par les héritiers, la Délégation de l'Artisanat cherche l'acquisition du palais Ababou.

D'autre part, dans la campagne internationale de l'UNESCO pour la restauration et la réhabilitation de la ville de Fès, la Délégation de l'Artisanat a formulé plusieurs propositions dont notamment la restauration de palais dans la Médina pour le groupement des artisans au sein de quartiers industriels dotés d'administrations spécialisées pour leur contrôle et leur orientation.

Dans un dessein de promotion du secteur artisanal, le Gouvernement de S.M. le Roi a adopté un code qui encourage les investissements, la production, l'exportation et l'embauche de la main-d'œuvre.

Le nombre des bénéficiaires de ce code d'investissements s'élève actuellement à Fès à 45 investisseurs dont des menuisiers, des maroquiniers, des tanneurs, des tapissiers, etc... Le volume de leurs projets a atteint 12 400 000 dirhams. Ces projets garantissent l'emploi à 2 713 artisans.

Restauration des Fondouks

Il existe aussi un projet prévu dans le cadre du prochain plan pour réunir dans les 22 Fondouks de la Médina des artisans traditionnels. Dans chaque Fondouk seront aménagés une salle de vente, un bureau de contrôle de la qualité et un centre de recherche et de promotion. Les premier et deuxième étages des ateliers de production seront attribués soit à une coopérative, soit à des unités de production. Pour la plupart, il s'agit de fondouks en ruines dont ce projet comporte en même temps la restauration intégrale.

Dans le quartier des Andalous, il y a encore un ancien fondouk appelé « Derb Bellamti ». Les marchands qui le fréquentent depuis des siècles sont appelés « Attar ». Il s'agit surtout de Berbères du Moyen-Atlas qui descendent à Fès avec les marchandises de leur terroir : laine, peaux, poils de chèvre, céréales, objets anciens. Ils achètent en Médina des épices, des bijoux et des ustensiles que leurs femmes, dans les villages, troqueront à leur tour contre des denrées de consommation quotidienne.

Le fondouk le plus connu est celui des Tétouanais (fondouk Tattawiyin) construit sous les Mérinides (XVIème siècle), situé au numéro 26 du Derb Touil, en face du mur oriental de la Mosquée Qaraouiyine. L'entrée est formée par une grande voûte en bois sculpté parfaitement conservée. Marçais a donné une très intéressante description de ce fondouk dans son « Manuel d'art musulman, Architecture » (I, 307-313). Par ce porche d'époque on entre dans une cour assez vaste, entourée d'une galerie soutenue par des piliers carrés en briques : c'est là qu'on loge les bêtes. Sous les mêmes piliers s'ouvrent des pièces sombres qui servent d'entrepôts pour les marchandises. A l'étage, tout le long de la galerie en bois, s'alignent les chambres pauvrement meublées qu'occupent les marchands et les muletiers.

Jusqu'au Protectorat, les fondouks étaient nombreux et les gérants, ou les propriétaires, louaient les services aux gens de leurs régions d'origine. C'est ainsi que le fondouk de Derb el-Lemti, sur la rive des Andalous, était fréquenté presque exclusivement par les caravaniers du Tafilalet. D'ailleurs aux portes de la ville se trouvaient des fondouks-caravansérails, comme ceux de Bab Guissa, Bab Ftouh et Bab Bou Jloud, où toute une vie commerciale se développait et attirait les gargotiers (chouta), les vendeurs de brochettes, de viande hachée, de beignets, les prostituées et les courtiers de tout genre.

CHAPITRE XVII

L'EVOLUTION INDUSTRIELLE ET UNIVERSITAIRE A FÈS AU COURS DES DERNIERES ANNEES

Les trois périodes de l'industrialisation

L'industrialisation moderne de la ville de Fès s'est échelonnée en trois périodes.

Au cours de la décennie 1950-1960 ce sont les artisans de la Médina qui ont promu l'installation des premières unités industrielles. Elles comprenaient notamment des minoteries, des huileries et des usines de tissage. Ces trois formes de production ont été de tous temps, comme on l'a vu, à la base de la prospérité fassie. C'est de cette période également que date la grande importation des machines italiennes parfaitement adaptées aux besoins exprimés par la population de la ville et qui ont équipé presque entièrement les usines et les ateliers.

Entre 1960-1970 l'Etat marocain a pris en main le développement industriel de la ville. Des complexes plus importants ont été installés, dont la COTEF (Complexe Textile de Fès) devenue, avec 1 700 ouvriers, une des plus grandes usines de textile du continent africain.

Les années 1970-1980 ont été celles de l'initiative privée, avec la promulgation d'un code avantageux pour les investisseurs. On a créé, entre autres, une laiterie, une usine de levure, une cimenterie, et une usine de confection pour l'exportation. Chaque unité industrielle a représenté un investissement moyen de 2 milliards de dirhams.

Le Conseil Municipal de la ville de Fès cherche actuellement une réserve foncière hors du périmètre urbain ayant une surface suffisante pour absorber le maximum d'usines avec un projet de 10 000 nouveaux emplois par an. Avant 1990 on a prévu l'extension de Sidi Brahim, l'ouverture d'un quartier industriel à Ben Souda où les terrains seront attribués à 32 entreprises. Ce plan d'expansion industrielle intéresse le Canada, qui, dans le cadre de la coopération avec le Maroc, a proposé la création à Fès de sociétés mixtes.

Actuellement la ville de Fès exporte vers l'étranger des confections, tissus et draperies, huile d'olive, levure pour panification, conserves de câpres, olives, cornichons, bagageries et articles en cuir, tapis et dinanderies. Les principaux clients des produits fassis sont la France, l'Allemagne, les U.S.A., la Tunisie et la Libye. Avec la Tunisie il y a une union douanière totale qui consent aux produits des deux pays l'entrée et la libre circulation.

« Le complexe textile », grande unité industrielle de la région de Fès

Le Complexe Textile de Fès (COTEF), par l'importance de ses investissements initiaux, sa dimension, le personnel qu'il emploie, la gamme étendue de ses productions, est de loin la plus grande unité industrielle de la région de Fès et du secteur textile national.

Ce complexe est une création de l'Etat marocain qui détient 98 % du capital. Il est administré par un conseil que préside le Ministre du Commerce et de l'Industrie.

Le « Complexe Textile de Fès » groupe quatre unités de production :

— Une filature de 50 000 broches de filage et 5 000 broches de retordage travaillant des mélanges de coton pur, coton peigné, viscose et cellulose mélangés.

— Un tissage de 960 métiers automatiques.

— Un finissage, teinture, impression et blanchissement répondant aux exigences des marchés marocains et étrangers.

— Un atelier de fabrication de fil à coudre, de fil à broder et de fils teints en coton, en fibre polyester.

L'usine située dans le quartier industriel de Sidi Brahim sur un terrain de plus de 15 ha, dont 5,23 sont couverts, a nécessité un investissement global de 150 000 000 de dirhams.

L'implantation de ce complexe à Fès répondait aux objectifs essentiels suivants :

— Doter l'industrie textile nationale d'un outil moderne et important capable de faire face à une demande intérieure et extérieure accrue.

— Décentraliser l'industrie marocaine et favoriser en particulier le développement de la région de Fès.

— Créer le maximum d'emplois nouveaux dans la région.

La conception et le démarrage du « COTEF » correspondaient encore à une période où le secteur n'avait pas à couvrir les besoins du pays et bénéficiait d'une protection douanière très efficace dont profitaient surtout des unités relativement anciennes dominées par des intérêts étrangers.

La protection douanière, l'intérêt pour le secteur textile d'un plus grand nombre d'industriels marocains et les lois de marocanisation ont permis une progression fulgurante de ce secteur. Ces nouvelles données ont transformé complètement l'évolution du secteur textile. Le Maroc, importateur, a retrouvé assez vite l'équilibre puis est devenu exportateur.

L'activité du « COTEF » s'est très vite adaptée à cette évolution et la recherche de marchés extérieurs constituera dès lors un des principaux objectifs de la société. Cette recherche est favorisée par les atouts suivants :

— « COTEF » peut répondre à des demandes de grandes quantités d'articles qui rentrent dans son programme de fabrication dans des délais rapides.

— « COTEF » peut également offrir une régularité certaine dans ses livraisons et une gamme d'articles variés à base de matières premières diverses.

— La position géographique du Maroc est relativement privilégiée pour répondre aux besoins des pays du Marché Commun.

Il est intéressant de noter l'évolution du volume des exportations de la société qui a atteint 14 millions de dirhams en 1977. Ce volume est passé à 25 millions de dirhams en 1978.

La recherche de débouchés extérieurs, la diversification des produits, une politique d'investissement axée sur la création d'une gamme de plus en plus élaborée, ont permis à la société, malgré les crises aigües que traverse le secteur, de connaître une évolution très significative. Le chiffre d'affaires de la société est passé ainsi de 32 millions de dirhams en 1972 à 65,5 millions de dirhams en 1976 et à 82 millions de dirhams en 1977.

« COTEF », principal fournisseur du marché national, est également producteur d'une gamme complète destinée aux différentes administrations et en particulier à la Défense nationale. Elle prend une part de plus en plus importante dans le domaine de la confection et a déjà des clients réguliers dans plusieurs pays européens, africains et arabes.

Le complexe emploie actuellement 1 650 personnes réparties comme suit :

— 185 cadres, agents de maîtrise et employés.

— 1 485 ouvriers toutes catégories.

Depuis son démarrage, en 1972, les frais de personnel ont connu une évolution très sensible. Ces frais sont passés de 6 millions de dirhams en 1972 à 15 millions de dirhams en 1977. Le personnel du « COTEF » a déjà acquis l'ensemble des avantages sociaux courants dans les sociétés anciennement implantées, c'est-à-dire les primes de logement, les primes de rendement, les primes de panier, la mutuelle, le transport et autres.

D'autres activités sociales très diverses se développent au sein de la société.

« COTEF » œuvre continuellement pour le développement de son programme social et pour le relèvement du niveau de vie de son personnel. Elle a facilité notamment l'accès à la propriété pour ses cadres et agents de maîtrise ; l'acquisition d'un terrain pour la construction d'une cité ouvrière est à l'étude.

« COTEF » consacre un important budget à la formation professionnelle de son personnel qui se fait de deux manières :

— Soit sur le tas, à l'intérieur des départements où des sections pilotes permettent à l'ouvrier de s'initier à la production.

— Soit par la participation active aux divers séminaires et stages de formation qui se déroulent aussi bien au Maroc qu'à l'étranger.

En conclusion, nous pouvons affirmer que la Société « COTEF » a réussi dans sa mission et a donc contribué fortement à l'industrialisation de la région de Fès. Grâce au développement de ses exportations, elle participe activement, à l'effort entrepris à l'échelle nationale et qui a pour objectif de modifier la structure des échanges extérieurs du Maroc.

Elle joue par ailleurs le rôle d'une vaste école de formation technique et professionnelle favorisant aussi le développement de l'esprit industriel dans la région de Fès.

Cette industrie mise à part, le développement industriel a pris à Fès un essor particulier.

Nous avons demandé au docteur Bensalem El Kohen de vouloir bien nous en résumer les lignes directrices. (Cf. Chapitre XII, pp. 166 à 168).

Trois nouveaux établissements universitaires

Trois nouveaux établissements universitaires sont actuellement en cours de construction à Fès. Il s'agit de la Faculté des Sciences, de la Faculté de Droit et de la Cité Universitaire.

La première tranche de la Faculté des Sciences de Fès se compose de 8 amphithéâtres dont un de 450 places, deux de 300 places chacun et 5 de 150 places chacun. Elle se compose aussi de 12 salles de travaux dirigés et de 5 départements spécialisés.

Le département des « sciences de la vie » comprend deux salles de

Grand jardin andalou du Musée Batha.
(A. Gaudio)

Très ancienne inscription coranique dans le Musée Batha.
(A. Gaudio)

Très ancien manuscrit coranique conservé au Musée Batha.
(A. Gaudio)

Entrée de la grande mosquée de la confrérie Tidjani.
(A. Gaudio)

Intérieur de la mosquée Abdallah (désaffectée).
(Office marocain du tourisme)

Détail sculptural d'une ancienne mosquée fassie.
(Office marocain du tourisme)

travaux dirigés (TD), quatre laboratoires de travaux pratiques (TP), une bibliothèque, un bureau, une salle de réunions et un laboratoire photographique.

Le Pavillon des « Sciences de la terre » comprend 2 salles de TD, 4 laboratoires de TP, une bibliothèque, un bureau, une salle de réunions et un laboratoire photographique. Celui des « Sciences mathématiques » se compose de 2 salles de TD, d'une biblothèque, d'un bureau et d'une salle de réunions.

Le département des Sciences physiques comporte 2 salles de TD, 5 laboratoires de TP, une bibliothèque, un bureau, une salle de réunions et un laboratoire photographique.

Le département de la Chimie comprend 2 salles de TD, 4 laboratoires de TP, une bibliothèque, un bureau, une salle de réunions et un laboratoire photographique.

Le décanat comprend le bureau du doyen, le bureau du vice-doyen et du secrétaire général et une salle de réunions.

Le service de scolarité se compose de 4 bureaux.

La première tranche de la Faculté des Sciences de Fès est dotée aussi d'une bibliothèque pour les étudiants et est équipée du chauffage central et de climatiseurs dans tous les amphithéâtres ainsi que dans le décanat.

Le coût total de la construction des équipements et matériel scientifique est estimé à 36 millions de dirhams.

La capacité d'accueil de cette première tranche de la Faculté des Sciences est évaluée à 3 000 étudiants.

Quant à la première tranche de la Faculté de Droit, elle se compose de six amphithéâtres dont 2 de 700 places, 2 de 300 places et 2 de 300 places. Elle comprend également 6 bureaux pour les conférenciers, des services techniques et sanitaires et des galeries de circulation.

La réalisation de la première tranche de la Faculté de Droit nécessitera une enveloppe budgétaire estimée à 13 500 000 dirhams. Sa capacité d'accueil s'élève à 3 000 étudiants. La surface construite atteint 6 000 mètres carrés.

En ce qui concerne la premiètre tranche de la cité universitaire, elle se compose de 500 chambres de 3 lits. Chaque chambre a une superficie de 18 mètres carrés et un volume de 50 mètres cubes.

La Cité Universitaire est dotée d'un foyer. Les étudiants seront nourris par le restaurant de la Cité déjà existante.

La première tranche de la Cité Universitaire couvre une superficie bâtie de 18 000 mètres carrés.

Une association pour la sauvegarde de Fès

Pour sensibiliser l'opinion internationale et surtout européenne au dossier de la sauvegarde de Fès et établir un lien entre la ville sainte et tous ceux — investisseurs, artistes, architectes — qui pourraient contribuer à son rayonnement, une Association française pour le développement et la sauvegarde de Fès (A.F.D.S.F.) a été constituée en 1981. Son comité d'honneur est présidé par M. Mohammed el Fasi, président de la Commission nationale marocaine pour l'Unesco, et par le ministre marocain du tourisme Moulay Ahmad Alaoui. Cette association est également animée par plusieurs personnalités non marocaines dont l'architecte-urbaniste Jean-Paul Ichter.

L'AFDSF, dont l'action se veut à la fois complémentaire et indépendante de celle entreprise par l'Unesco, estime que « si l'on ne veut pas faire de Fès une ville-musée, il faut promouvoir l'expansion économique de la ville en même temps que son essor culturel ». Pour cela, elle se propose de prendre en main les relations publiques de la ville en recherchant les partenaires économiques (chambres de commerce, investisseurs) et culturels (universités, jumelages) dont Fès a besoin.

Dès novembre 1979, à l'issue du 26ème Conseil International tenu à Fès même, la Fédération Mondiale des Villes Jumelées accorde son total appui à l'action engagée par le Gouvernement Marocain en faveur de la sauvegarde de la cité historique.

> AUJOURD'HUI, AVEC LE CONCOURS DE «HADARA », LA FEDERATION MONDIALE DES VILLES JUMELEES PROPOSE UNE PREMIERE ACTION CONCRETE IMMEDIATE DE SOLIDARITE AGISSANTE AVEC LA VILLE DE FES A TRAVERS LA CAMPAGNE :
>
> « UNE VILLE - UNE MAISON »
>
> QUI APPELLE TOUTES LES VILLES DU MONDE A PRENDRE EN CHARGE INDIVIDUELLEMENT OU EN SE REGROUPANT, LA RESTAURATION DE MAISONS ET DE SITES URBAINS QUE LES FAMILLES ET LA COLLECTIVITE SEULES NE SONT PLUS EN MESURE DE SAUVER.

La prise en charge technique et de gestion des travaux (études d'exécution, consultation des entreprises, surveillance des travaux, etc...) sera assumée sous le contrôle et en collaboration avec les autorités locales par le *Collectif d'Urbanisme des Cités Unies* et en priorité par ses membres marocains assistés de tous les spécialistes internationaux adhérents.

Des conventions seront passées sous l'égide de la F.M.V.J. entre les villes intéressées et les propriétaires (Etat ou privés) des immeubles, définissant pour chaque cas les conditions d'intervention et la contrepartie morale, qui reviendrait aux donateurs. Cette convention pourrait — pour les maisons privées en particulier — et selon les vœux des parties engagées, comporter un bail de location partielle ou totale ou un *simple droit d'utilisation permanente ou occasionnelle d'une partie ou de la totalité des lieux. Dans tous les cas, le nom de la ville-mécène* (ou d'un groupement de villes) *sera associé pour l'histoire, au nom de la maison sauvegardée, témoignant de la solidarité effective des cités unies.*

Un premier programme de douze opérations significatives et expérimentales de restauration est proposé, comptant :

La Maison de l'Horloge

— Origine : dynastie mérinide — 7ème siècle de l'Hégire/(14ème siècle de l'Ere Chrétienne).

— Seule subsiste la façade d'un édifice ayant abrité un mécanisme hydraulique complexe aujourd'hui oublié, destiné à marquer l'heure.

Façade parfaite de décors en cèdre et plâtre sculptés, malheureusement exposée aux atteintes du climat.

La maison, derrière cette façade originale aurait été habitée au 12ème siècle par le philosophe Cordouan Maïmonide de réputation universelle.

La Placette du Derb Bou Haj

— Exemple d'espace public de quartier de petite dimension comportant une fontaine (décors de mosaïque classique de Fès), une école coranique (cloisonnée de panneaux de « moucharabieh » (grilles en bois de cèdre formées d'un assemblage géométrique de petites pièces finement travaillées) et d'un arbre centenaire.

Mosquée de Sidi Lemlili

— Petite mosquée de très belles proportions ayant souffert des travaux d'assainissement et de couverture de la rivière traversant le centre de la médina (Oued Bou Kherareb).

Pratiquement désaffectée.

Synagogue « Sabbah » de Fès Jdid

— Datant du 18ème siècle, à l'abandon depuis 1960, menace ruine.

Un modèle de l'intégration de l'art musulman et des traditions hébraïques de Fès.

La Maison d'Ibn Khaldoun

Le célèbre historien et sociologue du 14ème siècle avait fait sa demeure, au cours de son séjour à Fès, de cette petite maison aujourd'hui occupée par une famille de condition moyenne et qui mérite une restauration générale de son décor et quelques consolidations.

On pourrait envisager un rachat pour la création d'un « musée Ibn Khaldoun ».

La Maison d'Ibn Khatib

Ibn Khatib — Homme de Lettres et Médecin, y a vécu au 8ème siècle de l'Hégire (14ème siècle de l'Ere Chrétienne). Aujourd'hui aménagée en foyer des services de Jeunesse et Sports, appelle une restauration complète des portes, sols, décors.

Cette maison restaurée pourrait parfaitement conserver sa fonction, dans des conditions de qualité exceptionnelle.

Dar Adiyel

Ancienne maison privée datant du 12ème siècle de l'Hégire (18ème siècle de l'Ere Chrétienne) devenue conservatoire de Musique Andalouse, aujourd'hui désaffectée pour menace de ruine. Très belle ordonnance du patio décoré de bois et plâtres sculptés très endommagés.

Le Riyad Ba Mohammed Cherqui

Le jardin intérieur le plus original de Fès, appartenant à la résidence d'un ancien notable : une composition géométrique classique de jardinières revêtues de magnifiques céramiques occupe le sol du patio entouré de galeries fleuries de jasmin.

La réfection du sol partiellement effondré et des couvertures de tuiles des galeries s'impose d'urgence.

Un jardin public au cœur de la Médina

— Jardin en terrasses s'étendant sur plus de 2 000 m2 et ouvert sur une magnifique vue panoramique de la ville. Les bâtiments contigüs d'un ancien palais ayant été aménagés en appartements, cet espace unique à Fès présente une vocation publique évidente, seule à même de le sauver et de le revaloriser.

Dar Chorfa Alaouiyine

— Groupe de maisons d'une famille de descendants du Prophète au cœur de la cité, remarquables par les proportions et les couronnements en bois sculpté des patios et tout particulièrement par leurs façades sur une place publique récemment ouverte. Les compositions de façades extérieures sont en effet exceptionnelles à Fès, les maisons étant systématiquement organisées sur le patio intérieur.

Dar El Mokri - rue Oued Souaffine

— Ancien « Palais » de notables du 19ème siècle, dont les vastes salons ouvrent, au-delà d'une cour dallée de marbres et d'un riche jardin sur le panorama du cœur de la cité historique.

Maison exceptionnelle, aujourd'hui entièrement abandonnée et en voie de dangereuse dégradation. La protection et la restauration immédiates permettraient d'envisager son affectation à un usage public de qualité.

Dar Dkour Allah (la colombe)

— (Tombeau du père du Saint Sidi El Khayyat — maison — jadis habitée par l'écrivain français Bujeau).

Maison privée attenant à un vaste jardin. Seule l'aile centrale des bâtiments subsiste et doit être restaurée. La reconstruction des ailes latérales est possible dans le cadre d'une affectation à un usage d'intérêt public (la « Maison des Cités Unies »).

En conclusion de cette partie, nous pouvons affirmer que la restauration des monuments en péril, l'intervention des architectes pour rétablir la beauté des formes et des matériaux anciens, sont en Médina de Fès de nécessité absolue. Mais il serait tout autant souhaitable que des historiens et des ethnologues se donnent pour tâche de relier les fils abîmés ou brisés du tissu humain et social de cette grande cité, qu'ils aident les Fassis à repenser un nouvel art de vivre, et d'adapter leur travail à la nouvelle infrastructure urbaine dont le schéma directeur indique objectivement les grandes options.

TROISIEME PARTIE

SI FÈS NOUS ETAIT CONTEE...

Quelques textes anciens et modernes

CHAPITRE XVIII

FÈS, PATRIMOINE MAROCAIN ET UNIVERSEL A SAUVEGARDER

(Extrait de la conférence faite par M. Mohamed Mezzine) *

A l'occasion de l'appel lancé par le directeur de l'UNESCO à l'ensemble du monde depuis le noyau de la vieille cité de Fès, il nous a semblé nécessaire de brosser un tableau dynamique de l'évolution de cette cité à travers les divers écrits anciens et récents qui ont décrit la célèbre cité du Moyen-Age, la capitale politique des temps modernes et la capitale intellectuelle contemporaine.

Il serait vain d'essayer de citer toutes les sources, encore plus tous les écrits qui l'ont abordée de par son importance politique et son rôle dans l'évolution de toute une société.

C'est pourquoi il nous a semblé préférable d'essayer de la décrire à son âge mûr. Nous ne dirons pas à son apogée, car ce fut une époque où elle connut toutes les vicissitudes du monde, mais à une époque où ses constructions et son environnement sont les plus connus.

Nous nous appuierons donc en premier lieu sur la description que nous a laissée Léon l'Africain (El Ouazzane) tout en la complétant selon les sujets par les descriptions que nous ont laissées les auteurs marocains comme El Jaznaï (Zahrat el As) ou Ibn Abi Zarà (Rawd El Kirtas ou Ibn El Kadi (Jadhwat El Iktibas) ou El Kattani (Salwat El Anfas). Nous serons aussi amenés à citer certains auteurs français, anglais et américains qui ont décrit Fès à une époque plus ou moins avancée.

* Mohamed Mezzine, Maître Assistant à la Faculté de Lettres de l'Université Mohamed ben Abdallah à Fès et Secrétaire Général à la même Faculté a écrit une étude sur Fès.

Lauréat du prix « Maroc 1979 des Sciences Humaines et Sociales » décerné par le Ministère d'Etat chargé des Affaires Culturelles. Premier prix : « Fès et sa campagne de 1549 à 1637 ». Contribution à l'Histoire du Maroc Saâdien (en arabe).

Dans toute cette littérature, il paraît clair que Fès est un patrimoine non seulement marocain, musulman, mais encore plus universel, que chacun de nous doit chercher à sauvegarder, à préserver.

En effet, Fès, seconde patrie de Léon l'Africain, est analysée d'une façon remarquable au Livre III de son œuvre. Cette description nous est d'autant plus précieuse qu'elle montre sous sa forme éternelle et universelle une cité marocaine, la seule qui ait subsisté avec son complet développement d'entre les cités musulmanes du moyen-âge andalou ou maghrébin. Son développement exceptionnel, sa vitalité, sa personnalité tiennent à trois séries de causes.

Géographiquement, Fès s'est trouvée voisine de grands espaces verts (céréales), de forêts, de carrières, de mines (fer), argile à potier, gypse et sel.

Située à un point stratégique, à la jonction des routes de l'Espagne vers Tlemcen et du Sahara vers le Rif, son développement économique a été très hâtif, malgré les guerres, grâce au voisinage et à l'activité d'un contingent de tribus berbères dont l'importance numérique était constatée par des proverbes locaux dès le Xème siècle. Enfin, elle est devenue historiquement le centre religieux et lettré de tout le Maghreb extrême, d'abord à cause de son fondateur Moulay Idris II, ensuite et surtout parce qu'elle s'est trouvée jusqu'au XIVème siècle sur la grande route des pélerins andalous qui y développèrent une vie intellectuelle croissante et un échange incessant d'idées.

Grâce à eux, les berbères établis là entre les silhouettes du « bouc » (zalag') et de la « chèvre » (Tog'at), devinrent les citoyens policés d'une vraie capitale. Et il y a peut-être lieu d'invoquer pour cette transformation l'arrivée des tribus arabes au XIIème siècle, dont toute l'influence s'est traduite par une orientation plus accentuée vers l'Est.

L'étymologie du nom Fûs est incertaine. La tradition propose quatre solutions : renversement du nom de « Sâf », ville d'ailleurs inconnue, abréviation des noms Fàrs (perçe) ou Faris ou bien le mot « Fâs », hache ; le souvenir incomplet de cette dernière (pioche) en or du Roud a dû amener Léon à celle qu'il donne : « Fâs » = or. Il suffit ici de remarquer que celle de « al Fez = la hache » était populaire au XVIème siècle. Quant à la véritable prononciation, on pourrait s'aider de trois formes de transcription du nom « Fis, Fâs, Fûs, Fâç ». Et l'opinion de Slousch qui rapproche « Fâs » et « Fazaz » semble plausible.

Comme on l'a déjà vu, la formation de la ville s'est réalisée d'abord en deux étapes. La ville orientale : Moulay Idris II s'installa d'abord sur la rive droite de l'Oued aj-Jawahir, auprès du « Bir-al-as'iâk ». Et c'est là, sur la colline du kaddân que restèrent concentrés les nobles idrissides, autour de la première mosquée k'athib, la jama'ah al Anouar appelée au XIVème siècle « jama'ah as Sabirîn » (At Tanassi Beni Zeiyan, trad. Bargès 1852). Jusqu'en 818 après J.C. la nouvelle cité dut s'appeler « Madinat al'Aliyan » (monnaies). Puis des réfugiés cordouans lui firent donner le nom de « Madinat ahl al Andalous » (Al Ya'quoubi) puis d'« Adoûat al Andalous » qu'elle a gardé.

En ce qui concerne la ville occidentale, Idris II passa presque aussitôt de la rive gauche sur la future « Adouat al Qaraouiyine » fondée dès 801, sous le nom de Madinat-Fûs. Les réfugiés juifs s'y concentrèrent, surtout dans la partie Nord (Fondaq el Iboudi). Le centre religieux fut la jama'ah as's'orfa (Zawiya Moulay Idris), K'athib jusqu'en 918-932 puis la jama'ah as'S'orfa al Qaraouiyine fondée en 859). La ville, elle aussi, prit le nom des réfugiés kairouanais, expulsés de l'Ifriqîah.

A l'inverse de la ville orientale, celle-ci se trouva promptement à l'étroit dans l'enceinte tracée par Idris, elle fut étendue de Bab Hiçn Sa'doun à Bab Siâj (900) puis de Bab Ajis'â à Bab al Jîsâ (1204).

Ajîs'â réunit les deux cités par une enceinte extérieure commune mais c'est Ibn Tas'fin qui les unit véritablement en abattant les murs extérieurs de séparation (1069) ; Fas al-Bâli était créée.

Après 1069 les traits de la physionomie de Fès achèvent de se fixer. A son apogée au recensement d'An-Naçir (1199-1214) Fès possède 785 mosquées et 89 236 maisons. Et les troubles du XIIIème siècle coupent cours à toute transformation de la ville. Elle se resserre, se concentre sur elle-même, se cristallise : c'est l'époque mérinide. Une série de traditions statistiques s'établissent qui ne varieront pas. Fès a 18 quartiers.

Dès lors la population paraît avoir atteint, dépassé même, 125 000 habitants.

Fâs aj-Jdid (nouvelle ville) : Durant toute son histoire la tendance constante de Fès a été de se déplacer vers l'ouest, de s'élever vers le Saïs. La tente du souverain idrisside passa très tôt sur la rive gauche ; la casbah de ses successeurs suivit le mouvement, montant vers Bou Jloud, poursuivie et rejointe par les souks et les médersas. Aussi les souverains Mérinides, soucieux de leur sécurité, s'avancèrent de deux kilomètres à l'ouest pour fonder une ville à part uniquement administrative et militaire. C'est Fas aj-Jdid. Elle se divise en trois, selon Marmol :

1) Madinat al-Baidhâ « Palazzo reale della Città Bianca » dar al-makhzen actuel, fondée en 1276. Un aqueduc, venant de Aïn Omaïr, y accède du côté sud.

2) Madinat Himç — Casbah fondée peu après pour les archers. Le sultan installa à leur place les Juifs de la vieille ville. Ils ne purent y

retourner que de jour et seulement auprès des 'Atharin. C'est le Mallah actuel, après la dar sikkah (Monnaie ancienne).

3) Rabidh an-Nçara. Faubourg chrétien de la même époque, contenant la casbah de la garde chrétienne qui exista de 1120 à 1420. C'est la ville neuve actuelle à l'Est du palais, pourvue d'une longue artère « piazza della città ». La casbah devint au milieu du XVIème siècle la dar aç cina'ah (darçana, MRM, arsenal), puis la dar sikkah.

4) L'enceinte — Celle du XIIIème siècle fut doublée, puis redoublée sous Moulay Al Hassan (1873-1894). Les portes, existant au XVIème siècle étaient : « Bib Ceba », Bab as Saba vers Fas al Bali, Bab 'Ouyun Canhajah Bar el Gadar Bab el K'adhrâ (1964 et Bab aj Jiaf (1904) jusqu'au XIXème siècle Fas aj Jdid resta complètement distincte de Fas al-Bali.

Fâs al Bali (*Fès la vieille*)

La description de Léon est encore si minutieusement exacte que j'ai pu la suivre pas à pas sur le terrain même en mars 1980. En 1069, l'union des deux « adoua » juxtaposait deux cités jeunes pourvues chacune de tous ses organes sociaux, édifices religieux, militaires et administratifs, fabriques, halles et boutiques. Dès lors elles vont évoluer comme un organisme unique. Les édifices militaires se groupent les premiers dans un quartier spécialisé, à la lisière ouest de la cité occidentale avec l'administration royale ; et dès le XIIIème siècle nous avons vu que le Maghzen entier était transporté au-delà dans une cité à part ne laissant subsister dans son ancien quartier de Fès qu'un minimum de fonctionnaires pour l'administration municipale, la justice, les douanes et la police des marchés.

Dans la ville, associations et confréries se multiplièrent sous l'influence d'une vie religieuse intense qui est demeurée jusqu'à ce jour diffusée dans tous les quartiers. Il nous reste à examiner la répartition de ces corporations ou corps de métiers.

Entre les deux rives le besoin incessant de moyens de transport, fit naître une corporation puissante et respectée de portefaix.

Les grands traits de la topographie économique de Fès sont donc depuis le XVIème siècle déjà établis. Nous les retrouvons presque inchangés à la veille du protectorat.

1) La Rocca à l'ouest, sur la hauteur. Ribath almoravide bâti à la sortie de Bab Iaslitan avant 1103. Elle est enclavée bientôt dans l'enceinte et reste la résidence des « châtelains » gouverneurs de Fès. C'était véritablement une ville à part ; elle avait de grands jardins avec deux

bassins (Saharij) et des pavillons (qoubbat ar-Rifdha) une mosquée (jama'ah Filalah).

2) Aïn allou (partie occidentale) (12 quartiers = h'aoûmah). Autour de la Qaraouiyine (à l'est : as-sab'a loûïat, Kattani). A partir des murs, en allant vers le Sud : Notaires 80 échoppes ; Librairies 30 ; revendeurs de babouches 150 ; cordonniers d'enfants 50. Au nord-ouest, revendeurs de légumes 50. A l'est, les chaudronniers en cuivre (çaffârin).

De la porte de la Qaraouiyine jusqu'au souk ad-douk'ân : vendeurs de cire, merciers. Le souk des fleurs, oranges et citrons, laitiers aux vases de maïolique, vendeurs de coton, de corde, de harnais à gaines et fou-reaux. Le souk du sel et du plâtre ; vendeurs de vases de maïolique monochromes, mors et selles ; viandes frites à l'huile ; montée de la piazza de fumo, où se vend le « panimelato ».

De ce souk au souk al-g'zal, il y a les quartiers S'arabliin-Cag'a, Zoqaq ar'roumman.

Le quartier carré (qa'al az-zit actuel) où les 'abbârin mesurent l'huile, encore vendue (par les baqqâlin) avec le beurre salé et le miel, les bouchers (gazzarin) dont l'abattoir (mid'bab) est près du fleuve.

La place où se vendent les effets de grosse laine criés par 60 dallâlin ; polisseurs d'armes, poisserie (h'outiah), vanniers (sallâlin, dont les cages sont empilées auprès de la fontaine de la Qobaïbat an-naqç, savonneries (de g'assoul), fariniers, grains et légumes ; c'est la plus ancienne des cinq halles aux grains actuelles. La célèbre « piazza del Filato » avec ses quatre loggias et ses mûriers où les femmes viennent encore vendre la laine qu'elles ont filée.

A l'ouest du souk ad-douk'ân jusqu'à Bab al mad'roûq (Porte di Mecnase-quartiers, Siaj, D'oûgh).

Corroyeurs de sacs de cuir pour les puits, fabricants de huches à farine, revendeurs de babouches, cordonniers populaires, vendeurs de boucliers de cuir ; lavandiers, auprès des canaux voisins à l'est de la médersa bou'Inaniah ; au-delà, vers la casbah, ce sont des fournitures militaires : bois de selles et de lances.

On est à la casbah d'où trois « couloirs » mènent l'un à Bab al-al-k'adhrâ (Fas Jdid, l'autre à Bit Lot et le troisième directement à Aïn 'Allou.

La « place des Marchands », citadelle ou « Caisaria » (Qaisariah) quar-tier an-Najjarin, Kattani. C'est le bazar central de Fès, d'Aïn 'Allou (ouest) à la Qaraouiyine (est) développé graduellement autour des halles de vêtements.

Léon décrit son enceinte, ses 12 portes, ses 15 sections :

A l'est — 1-2 : Babouches (souk Aççobat), 3-4 : soieries et ceintures de femmes (h'izam), 5-6 : lainages d'Europe (malf etc) vendus par des marchands grenadins et matelas. Au sud « piarra dei gabellieri » qui surveillent et taxent les ventes faites à la criée par 60 çagua cadores, souk -al h'aik è-ç : tailleurs ; 10 : turbans, 11-12 : toiles fines, chemises de femmes ('ammaiah), 13 : burnous, 14 : vêtements de confection européenne (souk al Marqthan), 15 : vieilles toiles et tapis (souk Albali).

Au nord puis à l'est de la Qaisariah jusqu'à Bab as-silsikah (quartiers Darb thouil oûa'I Balidah ; Jiza-Skoun ; Jisa, bou Skroun-Ar Raçif oûa Quqâliuin, Bab Noqbah (Kattani).

Au nord, nord-ouest, la longue et belle « contrada degli spitiali » (souk al'athârin) rendez-vous des élégants où se vendent épices et drogues. A l'est se vendent les peignes de buis, tourniers-savons et balais et l'on rejoint le souk A-al-g'zal, coton, légumes, tentes et literies ; « piazza degli uccelatori » où se vendent oiseaux (souk ad-djaj, pigeons et cordes de chanvre d'où son nom « Borça » ; socques de luxe, arbalètes, balais de palme (mçalah), clous (sammârin ; vases-barils de bois et mesures (qollah) pour l'huile ; « calle de los mantulines » où l'on traite les peaux de moutons abattus pour leur laine, leur cuir. Au-delà, tanneurs de peaux de bœufs (ba dabbag'in), vanniers en couffins (al h'alfâouin), rejoignant les çaffarin entre l'oued et la Qaraouiyine. Mesures et peignes à carder, « Lunga piazza » réunissant les affineurs de ferrures et d'outils agricoles, « une très belle fontaine des teinturiers » (Aïn Aççabbâg), teinturiers qui atteignaient aussi le pont actuel de Jiza 'ben-Skoun.

A l'ouest les fabricants de « bastili » (bâts) sur une jolie place fraîche, plantée de mûriers (Bab-as-silsilha), maréchaux-ferrants (h'addâdin), arcs d'acier pour arbalètes, fers à chevaux, calandreurs de toiles (quqaliin) sur la route d'Al Jorf et d'Al-Ouyoûn (Kattani).

Léon n'indique pas où était de son temps la place des charbonniers (fondaq-al-fak'ar ou fondaq al fah'um actuel) et des colombes (boutiques).

« El Beleyda » (Al Bolqidah), partie orientale (Andalous). Quartiers : Darb-as S'isk'oûa Jazirah, kaddân (Kattani). Les souks de la rive droite étaient déjà en pleine décadence. La « piazza di spitiali » ('thârin,) vers l'est et l'enceinte les fak'k'ârin actuels (briquetterie et portes, toujours installés au quartier de qaouaouah au nord de Bab fotoûdâh. Revenant au nord halle aux grains (rah'bat az-zara'aç Gafi Caffah'), et à la porte du temio magiore (Jama'ah al andalous) una piazza di diversi arti et mistieri, la Caffah actuelle.

Quartiers : Jiza-Ibn Barqouqa oûal mokfiah, Alqoûas S'iboûbah oûah R Roumilah, Sidi-al'-Aouad (Kattani).

La grande industrie était dès lors concentrée sur les canaux de la

Saqiah Masmoudah et de l'oued, au sud-ouest. A l'ouest 520 ateliers de tissage employant 20 000 ouvriers ; 300 moulins (Gaillard) avec autant d'ouvriers et de portefaix amenant le grain des halles ; 50 blanchisseries pour la laine filée, des alberghi, traduction du mot fondaq, installés en scieries où travaillaient les esclaves chrétiens.

Mais il serait difficile de comprendre l'activité de cette ville, sa vitalité et la pérennité de ses monuments et de ses quartiers sans connaître, ne serait-ce que superficiellement, l'importanc de son arrière-pays.

La ville d'Idris est placée dans une région riche et peuplée pour le Maroc. Elle touche à la plaine du Saïs ; les plaines du Sebou et de l'Ouergha moyen, les hauts plateaux du Moyen Atlas sont à proximité, c'est-à-dire que Fès est forcément le centre d'attraction de populations assez denses et dont les ressources sont souvent complémentaires : ici la culture des céréales, là l'élevage et les produits forestiers, ici les cultures de printemps, là les cultures d'été ; son rôle de lien d'échange régional est attesté, dans ses ruelles et sur ses places, par le va-et-vient incessant des campagnards, particulièrement nombreux le jeudi et reconnaissables à leurs vêtements plus rudes, à leur parler original et au fait que leurs femmes soient peu voilées.

Cette fonction de Fès en tant que marché régional remonte bien entendu à sa fondation. Elle est confirmée par Léon l'Africain qui, passant en revue les régions et localités du nord marocain, ne manque pas de signaler en maintes occasions la nature de leurs échanges avec Fès : c'est Beni Guareval (zéroual) qui envoie à Fès ses fruits (raisins, pommes, coings, citrons) et ses toiles, Bni Isasga qui produit des tissus de laine vendus sur le marché de Fès « trois, quatre, voire jusqu'à dix ducats la pièce » et de l'huile en assez grande quantité ; Bebi Bahloul, peuplé de bûcherons, pourvoit Fès en bois, Sahla el Marga fournit à Fès du charbon de bois, des poutres et chevrons, Beni Gualid lui envoie des raisins à faire sécher, des pignes, des amandes et des olives, Beni Guederfath fournit une grande quantité de buis dont se servent les pigniers de Fès. Enfin Beni Guiriten dont les habitants apportent à Fès leur blé, leur bétail et une grande quantité de riz. Ce sont là seulement des exemples car la liste serait longue, des localités dont Léon l'Africain ou Marmol signalent les relations commerciales avec Fès.

Ainsi apparaît donc Fès au XVIème siècle, à une époque où Ibn El Qadi disait d'elle que c'était la plus belle cité du monde, et que ses mosquées et minarets ne se comptaient plus.

Si nous avons tenté la description évolutive rapide de cette cité, c'est d'abord et surtout pour montrer que la sauvegarde ne devrait concerner en aucun cas ses monuments seulement mais aussi ses maisons, son mode de vie. Celui-ci semble actuellement s'orienter vers le commerce touristique, vers une imitation plus ou moins réussie d'un mode qui à longue échéance devrait conduire à la destruction de ce précieux patrimoine.

Sculpture murale extérieure de la grande mosquée Qaraouiyine.
(M. Baistrocchi)

'ombeau de Moulay Idriss, patron de la ville de Fès.
(A. Gaudio)

Nouveau complexe artisanal en ville nouvelle.
(A. Gaudio)

Tapis et dinanderie fassis exposés au centre artisanal.
(A. Gaudio)

Tailleurs et brodeurs d'habits marocains traditionnels au travail dans un atelier du Centre artisanal.
(A. Gaudio)

Tailleurs de zellijs (petits carreaux).
(UNESCO / D. Roger)

Intérieur du sanctuaire de Moulay Idriss.
(A. Gaudio)

Ancien fondouk restauré.
(A. Gaudio)

CHAPITRE XIX

ELOGES ET MERITES DE FÈS

(*Extrait de « Zahrat El As » — fleur de myrte — traitant de la fondation de Fès*)
par Abou Al Hassan Ali El Djaznaï

Il a été dit : « O Fès ! c'est à toi que l'on cherche à ravir toute beauté ; quant à tes habitants, je les félicite car ils sont bien dotés. (Qu'est ce vent ?) Est-ce ton zéphyr ou bien un souffle qui nous repose ? (Qu'est cette eau ?) Est-ce ton eau fraîche et limpide ou de l'argent (qui coule ?) Ton territoire est une terre que sillonnent les fleuves, ainsi que les groupes d'hommes, les souks et les chemins ».

Un autre poète a dit : « C'est une ville à laquelle la colombe a prêté son collier et que le paon a revêtu de son plumage. On dirait que ses fleuves roulent du vin et que le seuil de chaque maison est une coupe (attirante) ».

(Voici des vers) du faqih Abou Abdallah (Mohamed) El-Maghili dans (sa) description de Fès qu'il aimait, lorsqu'il fut nommé Cadi de la ville d'Azemmour :

« O Fès ! qu'Allah fasse revivre ton sol par l'humidité — qu'Il l'arrose de la pluie du nuage généreux. O Paradis de ce monde ! toi qui surpasse Hims par ton panorama splendide et admirable.

« Des maisons surplombant des maisons, au pied desquelles coule une eau plus agréable que le vin délicieux.

« Des jardins (comme) de la soie décorée de dessins ressemblant à des serpents ou à des lions !

« Dans la Mosquée d'El Qaraouiyine — que son nom soit ennobli ! — est une société — gardons-en le souvenir — qui jette le trouble dans l'âme.

« Son atrium, en été, est plein de bienfaits (par sa fraîcheur) ; c'est là que le soir les étrangers se rendent.

« Là, va t'asseoir, auprès de la vasque ; désaltère-toi et bois-y à longs traits de ma part, je t'en serai reconnaissant ».

Un autre poète a dit encore : « Adouat el-Qaraouiyine, toi qui es généreuse, puisse ton rivage honoré ne cesser d'être peuplé !

« Qu'Allah ne t'enlève point le manteau de Ses Grâces ; ton nom a repoussé le crime et l'injustice ».

Et un autre : « (Fès) n'a-t-elle point sur les autres cités une grande supériorité que nul ne s'oppose à admettre ; n'est-elle point la terre (d'élection) de tous les serviteurs d'Allah ; et tous (y sont également) les serviteurs de son roi ».

Les sages ont dit : « Ne cherchez à habiter qu'un pays dans lequel se trouve un sultan puissant, un habile médecin, une rivière d'eau courante, un cadi équitable, un marché achalandé ». Et aussi : « La meilleure des villes est celle qui réunit cinq qualités : une rivière, de fructueux labours, des affaires faciles, un rempart bien fortifié, un sultan puissant grâce auquel la réussite arrive dans les entreprises et la sécurité règne dans la région ».

Or Fès réunit ces qualités qui font d'elle la perfection des cités et leur exemple. Elle a même en outre de nombreux avantages dont je vais exposer quelques-uns.

Le fleuve qui l'arrose, connu sous le nom de Nahr El-Djawahir (la rivière des perles) (prend sa source dans la plaine qui) la domine (à l'Ouest), à environ six miles (de la ville, exactement 14 kilomètres) ; il sort d'environ soixante sources jaillissantes, l'une d'elles se trouvant vers le Sud et quelques autres vers l'Ouest. Cette rivière est d'un charme étonnant grâce à la pureté (de l'eau) et à sa translucidité.

L'eau sortie de ces diverses sources se réunit pour former un fleuve important qui coule dans une large plaine. A tel point que le courant est imperceptible du fait du peu de pente du terrain, jusqu'au moment où la rivière descend vers la ville où elle se divise en un faisceau de nombreux bras ; elle divise la plupart des quartiers et se ramifie dans chacun d'eux ; elle dessert les mosquées, les fontaines, les maisons particulières, les moulins, les bains et arrose les jardins. Puis la rivière sort de la ville.

Ce fleuve n'a pas de pareil pour sa pureté, la douceur de son eau et de ses rives, la fraîcheur en été de ses sources, et sa tiédeur en hiver. Cette eau s'échauffe très vite et se refroidit de même. On retire de cette rivière le coquillage précieux qui donne la perle, d'où son nom de rivière des perles.

Au plan médical, cette eau a de multiples vertus : digeste, elle est aussi utilisée pour les maladies rénales... La faune y est abondante et variée.

Non loin de la ville, des mines de sel s'étendent du village d'Essâtibî jusqu'à l'Oued Meknès, sur une distance de dix-huit miles. Parmi ses surprenantes propriétés, le sel de ces mines favorise la culture des céréales ; et l'on rencontre des attelages au milieu du sel, au cœur d'une tendre verdure, élançant ses tiges, par une faveur et une grâce divines.

Il y a aussi des carrières de gypse d'argile, différentes roches et du sable ; dont il est facile aux habitants de tirer les avantages.

Entre autres ressources de Fès, citons encore le bois de cèdre amené à la ville des montagnes des Beni Yazgha, à environ trente mille (au Sud) de Fès. Il en arrive chaque jour de nombreuses charges. Ce bois peut demeurer inaltéré à l'abri de l'humidité, pendant des millénaires.

Nombreuses et diverses essences arrivent à Fès de tous côtés, notamment du Djebel Bahloul. Ces bois de chêne vert arrivent chaque jour par charges (en bêtes de sommes)...

Fès a sur son territoire des cultures considérables, tant en terrains irrigables qu'en terres à céréales ; (sa région) compte aussi de nombreux villages, comme n'en possède aucune autre ville du Maghreb.

Elle a l'avantage d'être éloignée des régions où l'on a redouté les troubles et les incursions armées.

Elle se distingue par la production de toutes sortes de fruits d'espèces diverses, par la variété de ses plantes potagères et de ses nombreux légumes, ainsi que par ses plantes d'agrément et ses fleurs de toutes les variétés. Ainsi il n'est pas difficile à quiconque désire n'importe lequel de ces produits de s'en procurer. A Fès et dans ses environs le gibier est aussi en abondance.

Non loin de la ville sont des sources chaudes comme celles de Khaoulân, de Ouachtâna et d'Abou Ya'quob. Ces sources ont entraîné la création d'établissements thermaux. L'Emir des Musulmans Abou L-Hassan prit soin de faire construire un établissement à même la source chaude de Khaoulân.

A Fès ni la chaleur ni le froid ne sont excessifs et les deux saisons extrêmes, l'été et l'hiver, y sont tempérées. Le passage de l'automne à l'hiver se fait sans changement sensible de température ; il en est ainsi pour les quatre saisons au cours desquelles on passe de l'une à l'autre insensiblement.

C'est pour cette raison que le territoire de Fès se rapproche du climat tempéré, que sa terre est favorable aux cultures, que son eau est douce, que les arbres y croissent, que les fruits y mûrissent, que les terres à céréales y sont fertiles, que les ressources y sont abondantes, que le caractère des habitants y est amène, que ceux-ci sont beaux, que leur intelligence est séduisante, qu'il y a peu de différence entre les uns et les autres dans le naturel, les caractères physiques, la beauté, la propreté. Les habitants de Fès surpassent les autres hommes dans les sciences, les arts et l'aptitude au négoce.

Notons encore à l'avantage de cette ville que ses habitants sont peu enclins à la désobéissance envers leurs chefs, qu'ils sont particulièrement soumis à leurs administrateurs et à leurs préfets.

Autre avantage : la proximité du fleuve Sebou sur lequel peuvent se déplacer les barques et les petits bateaux jusqu'à l'Océan (Atlantique) et inversement peuvent remonter de l'Océan jusqu'au confluent de l'Oued Fès. C'est ainsi que Fès eut un atelier de construction de barques et de bateaux, à l'endroit nommé El-Hobbâlât, sur le territoire des Beni Abbouda et non loin du confluent de l'Oued Fès et du Sebou, au temps de l'almohade 'Abd el-Moûmen, lorsqu'il voulut entreprendre la conquête d'El-Mahdiya, en 552 (1157 J.C.). J'ai trouvé cette indication écrite de la main du Faqîh Abou 'Abd-allâh Mohamed, fils du cadi Ahmed Ben Mimoun el-Fichtâli.

Le Commandeur des Croyants Abou 'Inân donna également l'ordre de faire deux vaisseaux de guerre, dans le port de Khaoulân, dont l'un à deux mâts pouvant porter cent vingt guerriers ; le second était un challir portant deux cents guerriers ; ils furent lancés sur le fleuve Sebou et naviguèrent jusqu'à la (forêt de) Mamoura de Salé. Ceci eut lieu en l'an 756 (1355) sous la direction de l'homme de confiance du souverain Abou Otman Sa'îd ben Khazar. Celui-ci avait déjà transporté pour notre maître, feu l'Emir des Musulmans Aboul-Hassan (le Mérinide), un bassin de marbre blanc du poids de cent quarante-trois quintaux, qui fut amené d'Alméria jusqu'à la ville de Larache ; de là on lui fit remonter la rivière de Qsar Abd El-Karim. De cette rivière il fut placé sur un char de bois que traînèrent les gens des environs et leurs chefs, jusqu'au village des Oulâd Mokharreba situé sur les bords du Sebou.

De là il fut transporté sur ce fleuve jusqu'à son confluent avec l'Oued Fès, puis ensuite sur des chars de bois que traînaient des hommes, pour l'amener à la Médersa Sahrij située dans le quartier des Andalous. Quelques années plus tard, le bassin fut transporté de cette Médersa dans celle (d'El-Mesbâhiya) que (le sultan) Abou El-Hassan avait fait construire (en 749-1348) à côté de (la Mosquée) El-Qaraouiyine. C'est ce bassin qui se trouve aujourd'hui au milieu de l'atrium de cette Médersa.

CHAPITRE XX

FÈS CHEZ LES GEOGRAPHES ARABES DU MOYEN-AGE

(Communication présentée au VIIIème Congrès de l'Institut des Hautes Etudes Marocaines par R. Blachère, avril 1933, section II)

Les sources essentielles, en arabe, pouvant servir à l'histoire de Fès, au Moyen-Age, demeurent : le *Rawd al-kirtàs* d'Ibn Abi Zar' (mort après 1324 (725), le *Ganâ zahrat al-'âs* d'al-Gaznâ'i (seconde moitié du VIII/XIVème siècle) et l'introduction de la *Gadwat al-iktibâs* d'Ibn al-Kâdi, écrite en 1594 (1003).

Toutefois, à côté de ces ouvrages, il est une série de compilations très capables de compléter nos informations sur Fès à l'époque médiévale. Ce sont les écrits des géographes arabes.

A vrai dire, c'est seulement assez tard que ces auteurs s'intéressent à la ville de Fès. Ibn Hurdadbeh (mort vers 885 (272) [1], le père de la géographie descriptive, en Islam, Ibn al-Fakih (mort après 903 (290) [2] et Kudama (mort après 932 (320) [3], qui, tous deux, travaillent sur la même source qu'Ibn Hurdadbeh (à moins qu'ils ne plagient celui-ci), mentionnent simplement Fès comme capitale du royaume Idrisside, à leur époque.

Il faut arriver au *Kitâb al-buldân* d'al-Ya'kûbi (mort après 891) (287) [4] pour rencontrer enfin quelques détails sur cette ville. Ce savant oriental écrit : « *La cité nommée Ifrikiya* (sic) *se trouve sur un grand fleuve appelé Fâs, un des plus grands du monde, et c'est là que réside*

1. *Al-Masâlik wa al-mamâlik* ; ed. de Goeje, Leyde, 1889 ; 88.
2. *Kitâb al-buldân* (Leyde, 1885), 8 P. Il est à remarquer qu'Ibn Rosteh (mort après 290/903) ne mentionne même pas Fès dans son *K.al'a'lâk an-nafis.*
3. *Kitâb al-harag* (ed. de Goeje, Leyde, 1889), 266.
4. Ed. de Goeje, Leyde, 1892, 357-8 ; cf. de Goeje, *Descriptio al-Maghribi* (Leyde, 1860), 127.

Yahyâ ibn Yahyâ », petit-fils d'Idris Ier. Cependant « *la ville* (le quartier) *nommée Ville des Andalous est occupée par Dawoûd ibn Idris* », et, entre ces deux émirs, les conflits sont continuels. La cité, ajoute al-Ya'kûbî, « *est considérable et très peuplée. Sur la rive occidentale du fleuve Fâs, il y a trois mille moulins qui travaillent et toute la région est constituée par des agglomérations, des propriétés et des terres cultivées arrosées par ce cours d'eau dont le débit est constant* ».

D'un intérêt moindre est le passage consacré à Fès par le persan al-Istahri (mort après 951) (340)[5], qui écrit : « *Tanger est une immense province* (kûra) *comprenant des villes, des villages et de nombreuses campagnes* (bawâdi) *peuplées de Berbères. La ville principale de cette province, qui en est aussi le chef-lieu* (kasaba) *se nomme Fès. C'est la ville où réside Yahyâ le Fâtimide* ». Comme on peut voir, ce géographe oriental étend au Maghreb Extrême une division ancienne propre à l'Orient 'abbâside[6].

Un autre géographe, continuateur d'al-Istahri, Ibn Hawkal (mort après 977) (367), qui visita l'Occident musulman vers 951 (340), donne, au contraire, des renseignements plus précis[7]. Il note, lui aussi, que Fès est « *une ville importante qu'un cours d'eau partage en deux parties que gouvernent deux émirs différents. Entre la population des deux parties se produisent des rixes continuelles, des conflits sanglants et perpétuels*».

Ailleurs (p. 59), il signale, en passant, le caractère mercantile de la population qui, sans scrupule, entretient des relations commerciales avec les hérétiques Bargawâta occupant le Tamasna. Il rappelle aussi la richesse de cette cité où « *les fruits, les céréales, les denrées alimentaires, les marchandises, le produit des taxes et des impôts surpassent en quantité ce qui se trouve* » dans les autres agglomérations urbaines du pays.

Il note aussi que les rues de la ville sont dallées. Surtout, comme tous les Orientaux, il insiste sur la répartition idéale des eaux de l'oued Fès, qui actionnent de nombreux moulins et font de la ville un centre privilégié où « chaque jour en été, on lâche dans les marchés (l'eau de) la rivière qui lave le sol et rafraîchit les dalles ».

A cette notice intéressante, celle fournie par un autre géographe d'Orient, al-Mukaddasi (mort après 988) (378), ajoute fort peu de chose.

5. *Al-Masâlik wa l-mamâlik,* ed. de Goeje, Leyde, 1870, 39.

6. Au IV/Xème siècle, les géographes divisent le monde musulman en un certain nombre d'*iklim* (régions) subdivisées en *kûra* (provinces) dont le chef-lieu porte le nom de *kasaba.*

7. *Al-Masâlik wa l-mamâlik,* ed. de Goeje, Leyde, 1873 ; 56, 65 ; de Slane, *Description de l'Afrique septentrionale,* dans le *Journal Asiatique,* 1842, 236 sv.

Cet auteur, il est vrai, n'est pas venu en Occident et ses informations sont tirées, soit de sources livresques, soit de récits de voyageurs. Ainsi qu'al-Istahrî, al-Mukaddasi [8] considère Fès comme le chef-lieu d'un vaste pays où il fait rentrer toutes les régions du Rif, de Taza, de l'Warga, du Sebou et de la Tamasnâ, en un mot tout le pays désigné sous le nom de « Sous Antérieur » (as-Sûs al-Adnâ) [9]. « Fès, dit-il ailleurs (p. 229), est constituée par deux grandes villes dont chacune est fortifiée et qui sont séparées par un cours d'eau tumultueux arrosant des jardins et actionnant des moulins. L'une des villes (= quartier) est sous l'autorité du Fâtimide, l'autre sous celle de l'Omeyade. De là, que de guerres, de meurtres et de conflits ! Les deux villes sont construites en terre et leurs fortifications en pisé. Là se trouve la forteresse de Samît, édifiée par Ibn al-Bûri [10]. Une autre, sur le cours d'eau, a été construite par Ibn Ahmad [11] ».

Ce géographe dit encore un mot sur les produits des jardins de la ville à l'époque où il écrit, mais il remarque que « les habitants de Fès, vous le voyez, du fait des guerres, sont dans la détresse ; ils sont lourds et grossiers et ils ont peu de savants, mais beaucoup de séditieux ! ».

A l'Andalou al-Bakri (= Bekri, mort en 1094) (487), revient le mérite d'avoir le premier, comme géographe, donné de Fès une description vraiment digne de ce nom. Dans son *Kitâb al-masâlik wa l-mamâlik* [12], il ne consigne d'ailleurs pas des observations ou des renseignements personnels (car il n'est pas venu en Afrique du Nord), mais, au travers des documents d'archives omeyades qu'il utilise, il met bien en lumière l'importance économique et politique de Fès.

Il note d'abord, avec infiniment plus de détails et d'exactitude que ses devanciers, la position de la cité sur les grandes voies de passage qui convergent vers elle d'Oujda (p. 88, trad. 205), de Tanger (p. 109, trad. 249), de Ceuta (p. 88, trad. 258) ou le relient à Sijilmâsa (p. 146, trad. 326) et au Maroc central (p. 154, trad. 241). Surtout (p. 262-266, trad. 115-7), il condense tous les renseignements importants qu'il possède sur la ville en son temps. Chacun des deux quartiers composant la cité, le quartier des Andalous et celui des Qaraouiyine, est séparé de l'autre par l'oued Fès et entouré d'une muraille percée de portes. Pour le premier, ce sont les portes de :

8. *Ahsan at-takâsim*, ed. de Goeje, Leyde, 1906 ; 57, 219, 229.

9. Cet auteur distingue dans le Maghrib six grandes provinces (kûra) : le pays de Barka, l'Ifrikiya, le pays de Tahert, de Sigilmâsa, de Fès, et le Sûs-Extrême.

10. Isma'il ibn al-Bûri ibn Mûsâ ibn Abi l-'Afiya.

11. Halûf ibn Ahmad.

12. Ed. de Slane, Paris, 1911. Trad. du même, *Description de l'Afrique septentrionale,* Paris, 1859.

— Bâb Futûh, au sud, d'où part la route d'Oujda.
— al-Hawd, à l'ouest, en face du quartier des Qaraouiyine.
— al-Kanisa, à l'est, conduisant au Rabad al-Murdâ.
— Abi Hallûf, à l'est.
— Hisn Sa'dûn, au nord.
— al-Fawwâra.

Pour le second ce sont :
— Bâb al-Hisn al-Gadid, au sud, d'où part la route des Zuwâga.
— as-Silsila, à l'est, faisant face au quartier des Andalous.
— al-Kanâtir, à l'est.
— Siyâg, au nord, d'où part la route des Magila.
— Sûk al-Had, à l'ouest.

Chaque quartier a sa mosquée. La Qaraouiyine a six nefs et celle des Andalous trois. La cour de l'une et de l'autre est ombragée par de beaux arbres. La répartition des eaux de l'oued Fès fixe naturellement l'attention de ce compilateur. Il signale que « dans le quartier des Qaraouiyine, chaque habitant a devant sa porte un moulin à lui, un jardin rempli d'arbres fruitiers, coupé par des rigoles, et il a aussi sa maison traversée par une canalisation d'eau vive .» La ville a trois cents moulins et vingt bains publics. Les jardins donnent des fruits en abondance, mais chaque quartier a sa spécialité. Ainsi celui des Qaraouiyine donne des pommes dites de Tripoli, absentes dans l'autre quartier qui, en revanche, produit d'excellents citrons. Al-Bakri, enfin, rappelle les aptitudes commerciales de la population qui compte beaucoup d'Israélites et fait du négoce avec toute l'Afrique du Nord.

La notice d'un autre géographe occidental, al-Idrisi (Edrisi, mort en 1166) (560) [13], n'ajoute que fort peu de choses à celle d'al-Bakri. Cet auteur signale aussi que les eaux de l'oued Fès, venues des sources des Sanhâga, font marcher des moulins nombreux, travaillant à bas prix, et servent au lavage de la ville, la nuit, dans le quartier des Qaraouiyine, tandis que, plus rares dans celui des Andalous, elles n'y sont amenées que par une canalisation unique. A remarquer aussi qu'al-Idrisi parle pour la première fois de la beauté des édifices : mosquées, fontaines monumentales etc., dont le nombre est au surplus fort grand.

Après cet auteur, il faut arriver à un autre compilateur oriental,

13. *Description de l'Afrique et de l'Espagne* (éd. Dozy et de Goeje, Leyde, 1864-6, 80 sv., trad. 92 sv. ; il est à remarquer que le texte édité est moins développé que celui offert, au Moyen-Age, par certains manuscrits. C'est ainsi qu'Ibn Fadl Allah a utilisé, au XIV/VIIIème siècle, une version légèrement plus détaillée, pour Fès, que celle que nous possédons aujourd'hui. Cf. Gaudefroy-Demombynes, Masâlik al-absâr, 160 et la note 1.

Yâkût (mort en 1229) (626), pour trouver dans la littérature géographique un nouveau texte relatif à Fès. Voici le début de l'article consacré à cette ville par ce polygraphe, dans son dictionnaire des noms de pays [14] : « Fès est une cité célèbre et considérable du continent occidental, dans le pays des Berbères. Elle était la capitale de la mer (Hâdirat al-Bahr) (sic) et la ville la plus importante avant la fondation de Marrakech. Elle fut tracée entre deux collines élevées. Les habitations ont escaladé le flanc de celles-ci jusqu'à atteindre le plateau qui les couronne.

« La ville entière laisse jaillir des sources qui coulent au fond de la vallée, vers un cours d'eau de moyenne importance, dévalant sur le sol, venu de sources situées à l'ouest de Fès, à deux tiers de parasange, dans la Gazîrat Dawî, décrivant ensuite des méandres parmi de vertes prairies. A son entrée dans la ville, dévalant vers la partie basse, ce cours d'eau se ramifie en huit ruisseaux qui traversent la cité et actionne environ six cents moulins qui tournent sans arrêt, nuit et jour. De ces ruisseaux se détache une canalisation dans chaque maison, grande ou petite.

« Il n'est pas, en Occident, d'autre ville ainsi traversée par les eaux, sauf Grenade, en Espagne. A Fès, on teint des étoffes de pourpre et des vêtements passés au kermès. La citadelle de la ville est sur le point le plus élevé et elle est traversée par un ruisseau nommé al-Ma' al-mafrûs (l'Eau épandue) qui, aussitôt la citadelle dépassée, actionne un moulin situé là. Fès possède trois mosquées-cathédrales où est célébrée la Prière du Vendredi ». La fin de l'article ne nous apprend rien de nouveau : c'est un extrait d'al-Bakri [15].

Un autre compilateur d'origine espagnole, Ibn Sa'id (mort vers 1286) (685), dans un ouvrage sur la géographie universelle [16], se borne à reproduire al-Idrisi, à la description duquel il ajoute seulement la latitude et la longitude de la ville et quelques détails sans importance tirés d'al-Bakri, al-Ya'kubî, etc.

De même, le célèbre Abu l-Fidâ (mort en 1331) (732) [17], comme à son habitude, borne sa tâche à reproduire Ibn Sa'id, dont il rectifie seulement les données indiquant la position de Fès, 8° de long., 32° de lat. selon

14. *Mu'yâm al-bukdân* (Caire, 1906) ; VI, 329-331ᵉ; *Jacut's géographisches Wörterbuch* (éd. Wüstenfeld, Leipzig, 1924, 2ème éd.) III, 842 sv.

15. L'abrégé du dictionnaire de Yâkût, intitulé *Marâsid al-ittilâ'* (éd. Juynboll, Leyde, 1851-64), II, 332-3, composé par 'Abd al-Mu'min ibn 'Abd al-Hakk (mort en 735/1339) (4), reproduit ce texte exactement jusqu'à « 600 moulins ». La suite manque et le développement d'al-Bakri est résumé en trois lignes.

16. *Bast al-ard,* mss. de la Bibliot. nationale, n° 2234.

17. *Géographie,* éd. Reinaud et de Slane (Paris, 1840), p. 97 ; trad. Reinaud (Paris, 1848), 1, 171.

l'ouvrage anonyme *al-Atwâl* [18], ou 8° de long., 35°35' de lat. selon al-Biroûni, contre 10°50' de long., 33° de lat. d'après Ibn Sa'id.

Il n'y a rien à dire du *Mi'yâr al-ihtiyâr* [19] d'Ibn al-Hatîb (mort en 1374) (783), dont le passage prétendant décrire Fès est un pathos en prose rimée aussi imprécis que pédantesque et maniéré [20].

Tout au contraire, la vaste encyclopédie écrite, peu d'années auparavant, en Syrie, par Ibn Fadl Allah al-Umarî (mort en 1349) (749) [21], donne dans le chapitre 13 traitant du Maghreb, des détails curieux et abondants sur Fès à cette époque. La documentation d'al-'Umarî, comme celle de presque tous ses prédécesseurs orientaux, est soit orale, soit livresque. Le début de la notice — la partie d'ailleurs la plus intéressante — provient d'un informateur maghrebin, as-Salalgi [22], et se rapporte à la ville mérinide, dans la première moitié du VIIIème-XIVème siècle. La cité (p. 153-158) se compose alors, d'une part, d'al-Madînat al-baîda' (la Ville-Blanche) appelée encore Fâs al-Gadîd (Fès-la-Neuve = Fès Jdîd), de Homs (= le Mellah ou Ghetto), du Faubourg des Chrétiens ; d'autre part, de la ville ancienne divisée elle-même en quartier des Andalous et quartier des Qaraouiyine. Al-'Umarî définit ainsi la situation réciproque de ces agglomérations : « Le Faubourg des Chrétiens est situé à distance de la rivière, en face de Fez-l'Ancienne, sans en être exactement symétrique. La Ville-Blanche, qu'on appelle aussi Fez-la-Neuve, s'étend du nord du Faubourg des Chrétiens jusqu'à la rive du fleuve. »

18. Sur cet ouvrage, probablement écrit au IV/Xème siècle, cf. Reinaud, *Introd. à la Géogr. d'Abu l-Fida'*, I, LXXXIX.
19. Ed. de Fès, 1325, p. 47-9.
20. Voici un échantillon de ce morceau : « Quel bel antre pour les lions mérinides ! Fès est une ville à laquelle la colombe a prêté (les plumes) de sa gorge et que le paon a revêtu des plumes de son aile » et tout est écrit de cette encre.
21. Traduit et annoté par Gaudefroy-Demombynes, t. I, *L'Afrique moins l'Egypte* (Paris, 1927) ; Gaudefroy-Demombynes a signalé déjà l'importance de ces textes dans le *Mémorial Henri Basset* (Paris, 1928) I, 270.
22. Sur ce personnage, voir Gaudefroy-Demombynes, p. 138, note 2.

CHAPITRE XXI

LA FAMILLE FASSIE DANS L'ŒUVRE DE SEFRIOUI

Il est vain de décrire de l'extérieur la vie de famille à Fès sans connaître d'abord les récits « de l'intérieur » recueillis par M. Ahmed Séfrioui dans ses deux livres « Le chapelet d'Ambre » et « La boîte à Merveilles ».

A. Sefrioui est né en 1915 à Fès, de parents d'origine berbère. Son père, vieux baroudeur, abandonna le fusil pour devenir meunier. Après l'école coranique, l'enfant fréquenta l'école française puis le collège de Fès. Sefrioui exerça ensuite divers métiers avant d'entrer au Service des Arts et Métiers marocains à Fès. Son premier livre « Le chapelet d'ambre », a obtenu le Grand Prix littéraire du Maroc.

Les quatorze récits qui forment les grains de ce « Chapelet » ne doivent rien au folklore mais ils en ont toute la saveur et le charme. C'est qu'ils sont nés d'une imagination qui transfigure le monde. Ici, la réalité la plus proche se fond toujours dans un jeu d'illusions et de miroirs.

Ahmed Sefrioui s'est inspiré de tout le petit peuple de Fès, la vieille ville fabuleuse où se côtoient les étudiants et les âniers, les vagabonds et les pélerins, les artisans et les boutiquiers : babouchiers, encenseurs, tisserands, tanneurs, potiers, marchands de soie ou de menthe...

De ce merveilleux conteur, Robert Kemp a pu écrire qu'il est aussi « un très pur écrivain en français ». Il ajoutait « Son œil voit bien, sa plume a la souplesse d'un pinceau et la pointe aiguë d'un crayon ».

« La boîte à merveille », c'est ce coffret où le jeune Sidi Mohamer gardait précieusement des billes de verre, des médailles, une fleur sèche... mais c'est en même temps son trésor personnel : le trésor qu'il nous distribue à poignées en se penchant maintenant sur son enfance.

Voici Fès, la Medina, l'école coranique, l'agitation des bains maures, les longues conversations des femmes, les pélerinages aux tombeaux des saints, la prière qui jaillit tout le jour au long des circonstances. Voici les amours, les drames, les passions d'un monde où souvent le cœur des hommes s'émeut, où leur sang court plus vite. Mais aux heures de paix ils retrouvent toujours l'enchantement secret de la boîte à merveilles.

Une première fresque de la vie quotidienne dans sa maison, Séfrioui nous la dépeint ainsi dans « La boîte à merveilles » :

« Le lendemain du bain, ma mère ne manquait pas de raconter la séance à toute la maison, avec des commentaires détaillés où abondaient les traits pittoresques et les anecdotes. Elle mimait les gestes de telle chérifa connue dans le quartier, la démarche de telle voisine qu'elle n'aimait pas, parlait avec éloge de la caissière ou se révoltait contre les masseuses, ces entremetteuses, mères des calamités, qui escroquaient les clientes sans leur apporter la moindre goutte d'eau. Le bain maure était naturellement le lieu des potins et de commérages. On y faisait connaissance avec des femmes qui n'habitaient pas le quartier. On y allait autant pour se purifier que pour se tenir au courant de ce qui se faisait, de ce qui se disait. Il arrivait qu'une femme chantât un couplet et le couplet faisait ainsi son entrée dans le quartier. Deux ou trois fois ma mère assista à de vrais crêpages de chignons. De telles scènes donnaient matière à des galas de comédie. Pendant une semaine, ma mère mimait devant les femmes de la maison, les amies de passage et les voisines la dispute et ses phases multiples. On avait droit à un prologue suivi de la présentation des personnages, chacun avec sa silhouette particulière, ses difformités physiques, les caractéristiques de sa voix, de ses gestes et de son regard. On voyait naître le drame, on le voyait se développer, atteindre son paroxysme et finir dans les embrassades ou dans les larmes.

« Ma mère remportait auprès des voisines un gros succès. Je n'aimais pas beaucoup ces sortes d'exhibitions. L'excès de gaîté de ma mère était pour moi lié à de fâcheuses conséquences. Le matin, débordante d'enthousiasme, elle ne manquait jamais, le soir, de trouver quelque motif de querelles ou de pleurs.

« Mon père rentrait toujours tard ; il nous trouvait rarement de bonne humeur. Il subissait presque toujours le récit d'un événement que ma mère se plaisait à peindre avec les couleurs les plus sombres. Quelquefois un incident de mince importance prenait des proportions de catastrophe.

« Ainsi en fut-il quand Rahma eut l'idée néfaste de faire sa lessive un lundi. Il était établi que ce jour-là appartenait exclusivement à ma mère. De bonne heure, elle occupait le patio, l'encombrait d'auges de bois, de bidons qui servaient de lessiveuses, de seaux pour le rinçage et de paquets de linge sale.

A peine vêtue d'un séroual et d'un vieux caftan déchiré, elle s'affairait autour d'un feu improvisé, remuait le contenu du bidon à l'aide d'une longue canne, pestait contre le bois qui donnait plus de fumée que de chaleur, accusait les marchands de savon noir de l'avoir escroquée et appelait sur leurs têtes toutes sortes de malédictions.

« Le patio ne suffisait pas à son activité. Elle grimpait jusque sur la terrasse, tendait ses cordes, les soutenait à l'aide de perches de mûriers, redescendait brasser des nuages de mousse. Ce jour-là, ma mère m'expédiait à l'école avec, pour vêtement, une simple chemise sous ma djellaba. Le déjeuner était sacrifié. Je devais me contenter d'un quartier de pain enduit de beurre rance, accompagné de trois olives. Notre chambre même perdait son visage habituel. Les matelas gisaient là, sans couvertures, les coussins n'avaient plus d'enveloppes, et la fenêtre semblait nue sans son rideau semé de fleurettes rouges.

« La soirée était consacrée au pliage des vêtements. Ma mère prenait une chemise toute froissée et sentant le soleil, la déployait sur ses genoux, la regardait par transparence, la pliait, les manches à l'intérieur, avec application, presque avec gravité. Parfois, elle faisait une reprise. Elle n'aimait guère la couture et moi-même, je préférais la voir tirer sur ses cardes ou tourner son rouet. L'aiguille, instrument particulièrement citadin, représentait à mes yeux un symbole de mollesse. Il était de tradition dans notre famille que le métier féminin noble par excellence consistât à travailler la laine. Manier l'aiguille équivalait presque à un reniement. Nous étions Fassis par accident mais nous restions fidèles à nos origines montagnardes de seigneurs paysans.

« Ma mère ne manquait jamais d'évoquer ces origines lors des querelles avec les voisines. Elle osa même soutenir devant Rahma que nous étions d'authentiques descendants du Prophète.

« — Il existe des papiers pour le prouver, des papiers gardés précieusement par l'imam de la mosquée de notre petite ville. Qui es-tu, toi, femme d'un fabricant de charrues, sans extraction, pour oser mettre ton linge, plein de poux, près du mien fraîchement lavé ? Je sais ce que tu es, une mendiante d'entre les mendiantes, une domestique d'entre les domestiques, une va-nu-pieds, crottée et pouilleuse, une lécheuse de plats qui ne mange jamais à sa faim. Et ton mari ! parle-moi de cet être diforme, à la barbe rongée de mites, qui sent l'écurie et brait comme un âne ! Que dis-tu ? En parler à ton mari ? Est-ce que moi, je crains ton mari ? Qu'il vienne. Je lui montrerai de quoi peut être capable une femme de noble origine. Quant à toi, arrête tes piaillements et ramasse tes hardes. Toutes les voisines témoigneront en ma faveur. Tu m'as provoquée. Je ne suis pas une petite fille pour me laisser insulter par une femme de ton espèce. »

Et encore dans le même roman, à la page 117 :

« Nous étions un lundi, lorsque mon père renonçant à ses habitudes, vint déjeuner à la maison. Il nous expliqua que les djellabas de laine se vendaient moins bien qu'en hiver et qu'il avait l'intention de se lancer dans la fabrication des haïks de coton. Ces étoffes jouissent toujours du même succès. Eté comme hiver, les femmes de Fès ne peuvent sortir qu'enveloppées dans ces pièces blanches.

« — Aujourd'hui, ajouta-t-il, j'ai l'intention de vous emmener tous les deux au souk des bijoux.

Et s'adressant à ma mère, il continua :

« — Il y a longtemps que tu me demandes ces bracelets soleil et lune (or et argent). Il est temps que je te les offre.

D'autre part mon ouvrier a perdu sa mère qui habitait la campagne. Il est parti pour l'enterrement ; demain, il sera de retour et nous reprendrons le travail.

« Ma mère interrogea :

— Est-elle morte d'une maladie ?

— Je crois, dit mon père, qu'elle est morte surtout de vieillesse, mais peu importe, que Dieu la reçoive dans sa miséricorde !

— Mais, objectai-je, je ne peux pas manquer le Msid pour vous accompagner au souk des bijoux, j'ai ma leçon à apprendre.

— Ne te tourmente pas, répondit mon père. En passant, j'ai vu le fqih, je l'ai prévenu de ton absence. Tu travailles bien, cette demi-journée de repos sera une juste récompense. Mais peut-être, n'aimes-tu pas voir de jolis bijoux et l'animation des enchères ?

— Oh !! si ! Les bijoux c'est beau, c'est beau comme...

« Je n'osai pas poursuivre ma comparaison. Mon père m'encouragea :

— Beau comme quoi ?

« Je baissai les yeux et d'une voix de confidence, je dis timidement.

— Les bijoux, c'est beau comme les fleurs.

« Le souk des bijoutiers ressemblait à l'entrée d'une fourmilière. On s'y bousculait, on s'affairait dans toutes les directions. Personne ne semblait se diriger vers un but précis. Ma mère et Fatma Bziouya nous suivaient, mon père et moi, à petits pas, étroitement enveloppées dans leurs haïks blancs. Elles discutaient à mi-voix à qui mieux-mieux. Les boutiques très surélevées offraient à nos yeux le clinquant des bijoux d'argent tout neufs qui semblaient coupés dans du vulgaire fer-blanc, des diadèmes et des ceintures d'or d'un travail si prétentieux qu'ils en perdaient toute noblesse, ces bijoux ne ressemblaient point aux fleurs. Aucun mystère ne les baignait. Des mains humaines les avaient fabriquées sans amour pour contenter la vanité des riches. Ils avaient raison tous ces boutiquiers, de les vendre au poids, comme des épices. J'en avais mal au cœur. De nombreux chalands s'agitaient d'une boutique à l'autre. Leurs yeux luisaient d'avidité et de convoitise. D'autres personnages, hommes et femmes, groupés çà et là, refoulaient leurs larmes.

« Plus tard, j'ai saisi tout le sens de leur mélancolie. J'ai senti moimême cette humiliation de venir offrir à la rapacité indifférente des hommes ce qu'on tenait pour son bien le plus précieux. Des bijoux auxquels s'attachaient des souvenirs, des ornements de fête qui prenaient part à toutes nos joies deviennent sur un marché comme celui-ci de pauvres choses qu'on pèse, qu'on renifle, qu'on tourne et qu'on retourne entre les doigts pour finalement en offrir la moitié de leur prix réel.

« Dès notre arrivée, des courtiers, ou dellals, vinrent nous proposer divers articles. Mon père les regardait à peine. Il les refusait d'un signe de tête. Derrière nous, appuyées au mur, les femmes chuchotaient. Le temps me sembla très long avant que mon père finît par prendre, des mains d'un grand diable aux yeux extatiques qui énonçait à perdre haleine un chiffre quelconque, une paire de bracelets tout en cabochons pyramidaux, l'un or et l'autre argent. Il les passa à ma mère qui les examina attentivement, les essaya quatre ou cinq fois, pria Fatma Bziouya de se les passer au poignet pour en admirer l'effet. Elle en discuta pendant un quart d'heure chaque détail. Puis ma mère les rendit à mon père sans explication. Le courtier continuait à répéter mécaniquement le chiffre qui devait représenter le prix de cette marchandise. Mon père lui tendit les bijoux, fit un signe affirmatif. Le chiffre se modifia et le grand diable de dellal plongea dans la foule. Sa main seule voyagea un moment avec les bracelets au-dessus des têtes et finit par disparaître.

« Nous attendîmes longtemps. La fatigue paralysait mes jambes, ma tête tournait, je bâillais à me décrocher les mâchoires.

« Mon père commençait à manifester des signes d'impatience. Le courtier fit irruption. Le chiffre avait augmenté. Sur un nouveau signe affirmatif de mon père, le chiffre se modifia. Le courtier se fondit dans le brouhaha et les remous de la foule.

« Le souk battait son plein. Les courtiers s'égosillaient, clamaient à tue-tête des chiffres qu'on avait peine à saisir, couraient d'une direction à l'autre, s'emparaient de la main d'un client et l'entraînaient fougueusement derrière eux. Ici et là, des discussions s'élevaient. A peine une dispute s'était-elle apaisée qu'une autre éclatait plus loin.

« Parfois une vague d'hommes en délire et de femmes hystériques nous submergeait, nous aplatissait contre le mur et s'en allait déferler sur un rivage inconnu.

« Je n'en pouvais plus de fatigue. Mon père qui s'en était aperçu me souleva dans ses bras et me tint tout serré contre sa poitrine. Son front ruisselait de sueur. Ma mère courroucée commença à maudire le dellal, à invoquer tous les saints qu'elle connaissait afin qu'ils lui infligent le dur châtiment qu'il méritait. C'était une honte de se conduire ainsi avec les honnêtes gens ! Que devait-il combiner pendant cette longue absence ? Nous prenait-il pour des campagnards ignorants ? Nous saurons démasquer la vérité. Nous paierons le prix équitable et nous ne nous laisserons pas « rouler » par ce mécréant. Mais le mécréant était toujours invisible.

« Brusquement, mon père me déposa à terre et disparut dans la foule. Son absence dura. Des cris s'élevèrent à l'autre bout du souk. Ils dominaient le tumulte, éclataient comme un orage. De grandes ondulations parcoururent cette mer humaine. Des explosions de colère fusaient çà et là, reprenaient quelques pas plus loin, se transformaient en tintamarre.

« Voici que tous les gens du souk se mirent à courir ; Fatma Bziouya et ma mère répétaient « Allah ! Allah ! », se plaignaient à haute voix de leurs douleurs de pieds que la foule écrasait, essayaient de retenir leurs haïks emportés par le courant.

« Enfin, passèrent mon père et le courtier se tenant mutuellement par le collet. Le souk leur faisait cortège. Les deux hommes avaient les yeux rouges et de l'écume au coin des lèvres. Mon père avait perdu son turban et le dellal avait une tache de sang sur la joue. Ils s'en allèrent suivis par les badauds.

« Ma mère, la voisine et moi, nous nous mîmes à pleurer bruyamment. Nous nous précipitâmes au hasard, à leur poursuite. Nous débouchâmes au souk des fruits secs. Aucune trace des deux antagonistes ni de leur cortège. Je m'attendais à voir des rues désertes, des étalages abandonnés, des turbans et des babouches perdus dans la panique générale. Je fus déçu. Aucune trace de la bagarre n'avait marqué ces lieux. On vendait et on achetait, on plaisantait et de mauvais garnements poussaient l'indifférence jusqu'à chanter des refrains à la mode.

« Notre tristesse devenait étouffante dans cette atmosphère. Nous sentions tout notre isolement. Ma mère décida de rentrer.

— Il ne sert à rien de courir dans toutes les directions. Rentrons pour attendre et pour pleurer.

Fabrication des tapis, lavage des écheveaux avant la teinture.
(Office marocain du tourisme)

Four et moulin près de la porte de Bou Jeloud.
(Office marocain du tourisme)

Décoration de poterie
au pinceau, et, ci-dessous
obtenue en creux
au marteau.
(Office marocain du tourisme)

Poteries de Fès, dites «Fekkharines» en terre vernissée bleue.
(Office marocain du tourisme)

« A la maison, une fois dans notre chambre, ma mère se débarrassa de son haïk, s'assit sur un matelas et, la tête dans ses deux mains, pleura silencieusement. Pour la première fois, sa douleur me bouleversait. Cela ne ressemblait point aux grands éclats et aux lamentations auxquels elle se livrait parfois pour se soulager le cœur. Ses larmes coulaient sur son menton, s'applatissaient sur sa poitrine, mais elle restait là, sans bouger, émouvante dans sa solitude. »

CHAPITRE XXII

LES CONTES FASSIS

Que de traditions irremplaçables et de souvenirs en voie d'oubli dans cette Medina où, comme partout ailleurs, les mœurs et les gens connaissent le durcissement des sentiments, les soucis du pain quotidien, l'isolement social ! Mais une partie de cette ancienne âme de la ville a heureusement trouvé refuge dans les « Contes Fassis » vécus, recueillis et publiés par Mohammed El Fasi. Tout y est vrai, touchant, admirablement traduit.

Lisons ici quelques passages de son introduction :

« Quand on vient du Rif vers Fès par la grande route des invasions berbères, perpendiculaire à la vallée moyenne de l'oued Ouergha et au Sebou, dans un paysage lumineux et noble qui fait penser aux toiles de Claude Lorrain, à plusieurs reprises, au coude de la route, à travers une échancrure des collines, l'on aperçoit, de plus en plus précise et toujours radieuse dans un écrin de verdure, la grande ville de Moulay Idris, la capitale intellectuelle, historique et religieuse du Maghreb, Fès.

Fès est l'une des villes les plus séduisantes qui soient. Son prestige est immense et son charme irrésistible. Les plus délicates couleurs des vieilles pierres et des chefs-d'œuvre architecturaux s'y mêlent à celles des vergers et des fleurs, à celles de la vie coutumière, marchandises odorantes des souks et souples vêtements des hommes. En peu d'endroits au monde, la douceur de vivre est devenue une science aussi parfaitement cultivée. L'on a dit le pittoresque des rues montantes couvertes de treilles et grouillantes d'une foule bariolée. L'on a évoqué le mystère des maisons dont les murs blanchis à la chaux cachent souvent la richesse des chambres pleines de laine et de soie, la paix des « riads » frais où murmure inlassablement le jet d'eau dans sa vasque. L'on a dit la douceur des crépuscules, quand le « muezzin », criant aux quatre points cardinaux que Dieu est le plus grand, « Allahou Akbar », a appelé les « gens du salut » à la prière, quand les femmes en robes de soie aux tendres nuances montent se reposer, bavarder et chanter sur les terrasses. La « médina » s'écroule alors comme un amoncellement de pâles turquoises, de pierres de lune, d'opales, d'agathes, de saphirs presque blancs et d'améthystes claires accrochés aux crêtes rouges et dorées du Zalagh. De rares nuages roses flottent dans le ciel pur. L'inflexible prière des minarets aux délicates faïences, vers lesquels volent parfois des cigognes respectées de tous, s'élève dans une paix indicible.

Une vieille civilisation née du mélange de l'Arabe qu'arrêta le seul Atlantique, du Berbère antique habitant de la romaine Tingitane, et du Juif industrieux des « Mellahs » tristes, vit ici dans le calme de l'Islam, et ne demande qu'à se réveiller. Mais il importe de la bien comprendre. Les richesses ont de tout temps attiré des montagnes le fruste fellah des tribus, toujours pour le commerce, parfois pour le pillage. Des conditions de vie toutes particulières ont donné aux mœurs de cette ville un caractère poli, urbain en tous les sens, « hadhari », cultivé, pacifique et religieux, avec ses qualités et ses défauts, qui distingue le Fassi et qu'on aurait de la peine à trouver ailleurs aussi marqué.

Nombre d'auteurs ont décrit, souvent d'une façon très superficielle, la société fassie. La réalité est à la fois bien plus complexe et bien plus simple qu'on a tendance à l'imaginer et à le dire, soit par amour du romanesque, soit par incompréhension, soit encore pour plaire au public qui exige des harems mystérieux et tous les accessoires du bazar oriental littéraire. L'étranger qui visite Fès entre deux paquebots (et, d'ailleurs, souvent le fonctionnaire ou l'officier qui a vécu dix ans au Maroc sans rien comprendre à rien) ignore autant la vie familiale fassie que l'Américain, qui a passé quelques soirées à Montmartre, la société française.

On a déjà énuméré les diverses classes sociales fassies : noblesse des « chorfa » (pluriel de sharif : noble), descendants du Prophète par sa fille Fatma et son gendre 'Ali (représentés à Fès par les Idrissides, les Alaouites (famille royale), les Sqalliyin et les Iraqiyin ; noblesse maraboutique ou de pure lignée arabe (telles que les Abdallahouiyin, Fasi, Oulad bel Hadj, Oulad Bennani, Chouam, Ben Souda, venues pour la plupart d'Andalousie après l'expulsion des Maures par les Espagnols) ; — classe des lettrés et spécialement des « Uléma » (pluriel de « 'alem » : savant), de la fameuse université Qaraouiyine, dont beaucoup appartiennent aux familles des deux premiers groupes ; — bourgeoisie parfois très riche des commerçants (gros importateurs de thé, sucre, verreries, cotonnades et soies, possesseurs de grands « fondouks », ou plus humbles boutiquiers des « souks ») ou de gros propriétaires fonciers ; — artisans groupés en corporations dont le chef suprême est le Mohtasseb, sorte de prévôt des marchands, nommé par le Makhzen. Certains petits artisans, comme les portefaix («zarzaïa»), les manœuvres, les porteurs d'eau, les marchands d'amandes ou de menthe, les hommes de peine, les domestiques, les jardiniers, les grilleurs de maïs, etc... forment un prolétariat parfois très misérable qu'il faut d'ailleurs distinguer de la foule perpétuellement renouvelée des étrangers (20 000 personnes étrangères à la ville entrent et sortent de Fès chaque jour et c'est cette population flottante qui, en temps de trouble, est dangereuse) ainsi que des esclaves noirs, qui vivent à l'abri mais à l'attache dans les maisons bourgeoises.[1]

Plutôt que de décrire cette société, ses institutions, son armature, ses goûts et ses habitudes, nous laisserons les contes fassis l'exprimer par le dedans, directement, spontanément, à la fois prise sur le vif et littérairement stylisée. Nos notes préciseront à l'occasion tel ou tel détail ; de sorte que ce livre de récits merveilleux constituera aussi un tableau complet des mœurs de la grande cité marocaine.

Ces contes sont purement fassis. Ils n'ont aucun rapport avec les longs récits, analogues aux chansons de gestes des « trouvères » médiévaux, épopées aux variations intermiablnes, que psalmodient les conteurs « publics » et « professionnels » de « Bab-Guissa »[2], ni avec ceux des nombreux jouers de « guimbri », ambulants qu'on rencontre dans les marchés, les fêtes, aux portes des villes etc.

Ils forment un cycle spécial, sont racontés en famille, à la veillée, par des «amateurs », presque toujours des femmes. Certains d'ailleurs s'en font une sorte de spécialité : mais leur nombre diminue ; leur répertoire risque de disparaître, au moins en partie, avec elles. Tous ceux qui sont publiés ici proviennent de la grand'mère de mon collaborateur ; mais, ayant eu soin de faire la confrontation, j'ai constaté que ces récits étaient connus par les autres Fassis. Les variantes individuelles sont insignifiantes. Il s'agit d'un répertoire collectif courant : tous les Fassis ont eu leur jeunesse nourrie de ces contes comme les enfants français ont entendu ceux de Perrault et de ma Mère l'Oye. Il est même étonnant qu'aucun chercheur n'ait encore eu l'idée de les recueillir. Cela ne pouvait se faire, il est vrai, que par intermédiaire. L'attention a été surtout attirée par le folklore berbère. Un officier du service des renseignements qui passe sa

1. Dans le « Maroc de demain[e]», M. Paul Marty a décrit minutieusement les diverses classes et les caractéristiques de la société fassie.

2. Près de cette porte septentrionale de Fès, un conteur rassemble chaque soir, spécialement le vendredi, un auditoire populaire dans un petit cirque de rochers. Le plus célèbre de ces conteurs, mentionné dans les guides touristiques, est mort, la population lui a fait de superbes funérailles. Les principaux de ses élèves concourent actuellement pour sa place.

vie dans l'Atlas a souvent l'occasion de se faire raconter des histoires directement par les femmes berbères plus libres (plus libres mais plus brutalisées, et qui font tous les travaux pénibles) que les femmes arabes des villes. Aucun savant ne peut avoir, par contre, l'occasion de fréquenter les harems de Fès. Enfin les hommes méprisent ou affectent de mépriser, tout en les aimant au fond, ces histoires de vieilles femmes et récits à endormir les enfants, dont certains sont pourtant de toute beauté. Bien qu'appartenant exclusivement à la littérature orale, ces contes sont en effet généralement d'une construction et d'un style supérieur à la moyenne des contes populaires.

Les chants d'amour

Les Quatrains d'amour des femmes de Fès sont de petites compositions poétiques dont les auteurs sont anonymes. Elles sont empreintes d'une spontanéité, d'une fraîcheur qui leur confèrent un charme particulier, et analogue à celui qui émane des chants d'amour des Geishas Japonaises.

Ces poèmes étaient destinés à être chantés dans les réunions organisées par les familles dans les jardins qui entourent la ville de Fès. Les jeunes filles montées sur des balançoires s'adonnaient à leurs ébats et chacune entonnait un aroubi soit de sa composition soit du répertoire commun qui se transmettait oralement de génération à génération sans que l'on en connût jamais le véritable auteur.

A la fin de chaque aroubi les jeunes filles et les femmes présentes poussaient en chœur des cris de joie : ces you-yous que l'on entend résonner chaque fois que l'âme de la Marocaine exulte d'enthousiasme ou de bonheur. Si l'on songe que cet éclatement de joie se produisait en général au printemps, parmi les fleurs odorantes et multicolores, à l'ombre fraîche des orangers, on aura une idée du charme que revêtaient ces élans poétiques.

Ces aroubis que j'ai recueillis depuis une trentaine d'années de la bouche même des femmes qui les savaient encore sont presque complètement perdus aujourd'hui. Bien que composés et chantés exclusivement par des femmes, certains d'entre eux donnent l'impression qu'ils expriment les sentiments d'un amoureux pour sa belle ; ceci provient uniquement de la tradition arabe qui parle de l'être aimé d'une façon absolue, en employant pour cela le masculin. Et c'est ainsi que beaucoup de grands poètes ont chanté l'amour qu'ils éprouvaient pour leurs bien-aimées en excluant l'emploi du féminin. Ici nous sommes en présence du phénomène opposé ; ce sont les femmes qui parlent de leurs amours en employant le féminin.

En ce qui concerne la forme de ces chants, il convient d'abord de considérer l'origine philosophique du mot aroubi. Résultant d'une méthathèse subie par le mot Roubai, il signifie « Quatrain » et est donc frère de ces Rubayat qu'a illustrés Omar Khayyam.

En fait ces aroubis comptent souvent plus de quatre vers, mais ils sont toujours construits conformément à la métrique propre à ce genre.

Il faut noter cependant que de ce point de vue encore, les aroubis des femmes de Fès présentent certaines libertés. Celles-ci apparaissent clairement par comparaison avec les aroubis qui sont intercalés dans les Kacidas (poèmes) de la Poésie Melhoun (c'est-à-dire de la poésie en arabe dialectal marocain). Les aroubis « Melhoun », qui ne sont jamais déclamés à part, suivent une métrique beaucoup plus stricte. Ils sont composés :

1°) de deux vers comportant chacun deux hémistiches de dix pieds ;

2°) d'une cinquième hémistiche de dix pieds.

Le 2ème, le 4ème et le 5ème hémistiches riment entre eux.

On est ici en présence d'un art mûrement élaboré. Celui des femmes de Fès relève au contraire de l'impromptu. Il apporte à la structure de l'aroubi ce que le « rubato » apporte au rythme dans la musique romantique européenne. L'inspiration s'y manifeste aussi libre que possible de toute contrainte.

Ce qui surprend dans ces aroubis c'est que, bien qu'ils traitent exclusivement d'un seul sentiment, aucune monotonie, aucune uniformité ne s'en dégagent. Chacune exprime son amour à sa façon propre ; chacune emploie des images originales, souvent simples et parfois naïves mais toujours marquées d'une sincérité profonde.

Ces quatrains d'amour sont le reflet de l'âme musulmane imbue d'une foi ardente qui donne l'espérance et qui aide à supporter les affres de la séparation et du dédain.

Ecoutons une de ces complaintes :

« O mon aimé, je veux te raconter et t'expliquer tout ce que j'endure et te décrire toutes les brûlures qui consument mon cœur.

« Je te jure par mon amour et par tout ce que nous avons eu en commun, que jamais je ne me lierai à un autre que toi, même s'il devait m'enrichir et me construire des palais en or aux fenêtres d'argent, avec des matelas de soie de toutes les couleurs.

« Tout mon souhait est de passer avec toi toute une journée et la nuit de te voir couché à côté de moi. »

CHAPITRE XXIII

FÈS DANS LE RAYONNEMENT DE LA CULTURE ISLAMIQUE

Sur le rôle de Fès dans le rayonnement de la culture islamique à travers les siècles, nous possédons également un texte remarquable d'une causerie faite lors de la cérémonie d'ouverture de la Conférence du 173ème District du Rotary International, par le Professeur Laklalech, inspecteur de l'enseignement marocain. En voici les principaux passages :

« Les cours à la Qaraouiyine et dans les Médersas-collèges, nous rapporte un historien du XIIIème siècle, commencent à 4 h du matin après la prière du Sobh, et se prolongent jusqu'à 9 heures du soir. Les étudiants sont parfois au nombre de 300 à 400 à chaque cours ».

L'historien Ibn Zarruq affirme qu'il arrivait même au grand savant Aboul Hassan Ibn Mandil Al Maajili d'avoir un auditoire de 3 000 personnes. Cela ne doit pas nous étonner car les cours étaient ouverts à tout le monde — popularisation et vulgarisation culturelles dont on mesure aujourd'hui toute l'importance.

Autrement dit, la culture n'était pas seulement matière à programmes mais un bien commun à tous.

On ne saurait trop insister sur cette communion spirituelle générale, sur ce dévouement sans pareil à la science, qui contribuèrent infailliblement au rayonnement de la culture islamique.

Il n'était pas rare, selon le même historien, de trouver un professeur assis comme étudiant dans le « cercle » d'un autre qui en savait plus que lui et qui deviendrait à son tour, le même jour ou le lendemain, un simple étudiant.

Jamais donc l'enseignement n'a été aussi valorisé, aussi fonctionnel, c'est-à-dire aussi adéquat aux hommes et aux aspirations profondes de chacun. Il n'est pas jusqu'aux artisans qui ne discutaient littérature et religion et qui ne vous débitent aujourd'hui encore des adages et des citations datant de célèbres jurisconsultes de cette époque.

Fès est alors à son apogée. Les Mérinides en font leur capitale. Leurs souverains construisent des Médersas, les dotent de bibliothèques précieuses et récupèrent, parfois à prix d'or, des manuscrits d'Orient et d'Andalousie. L'un d'eux, Abou Inane, participe aux cours et en donne lui-même dès le lever du jour à la Mosquée de Tala'a qui porte encore son nom devant des personnalités illustres comme un Ibn Khaldoun et un Ibn Batouta.

Faisant preuve de pédagogue avisé, il inspecte lui-même parfois les enseignants. Un jour par exemple, il reproche au Professeur Sarsori de reproduire textuellement devant les étudiants ce qu'il a appris et de ne pas leur laisser le temps d'interroger et de discuter.

Longtemps donc avant Rabelais et Montaigne, nous avions à Fès un étudiant-professeur qui pensait qu'« une tête bien faite » valait mieux peut-être qu'« une tête bien pleine ».

La liste des auteurs, poètes, historiens, botanistes, astronomes, mathématiciens, grammairiens et linguistes qui enseignèrent à Fès ou y suivirent leurs études à cette époque, serait trop longue. Commençons par un Ibn Banna de Marrakech, mathématicien de grande renommée à cette époque, qui déploya ses qualités pédagogiques à la Qaraouiyine. Son œuvre volumineuse et variée porte sur l'exégèse, la mystique, les sciences occultes autant que sur les mathématiques, l'astrologie, l'astronomie et la philosophie.

Le Dr Renaud lui a consacré une étude intitulée : « Ibn Bann, soufi et mathématicien ».

Citons aussi un Ibn Ajarroum dont les arabisants d'Occident connaissent depuis longtemps le fameux Précis de grammaire.

De même faisons une place à un Aboul Hassan ibn Al Hakim Al Fassi, minéralogiste et économiste. Dans sa Hawda, entre autres, il traite de la monnaie marocaine à l'époque mérinide, des gisements d'or et d'argent, de la façon de les extraire, de leur utilisation, des limites de leur valeur, de la quantité à accorder aux orfèvres pour éviter les inflations : bref une œuvre très originale qui mériterait d'être étudiée de près par les économistes modernes.

Citons par ailleurs le Cheikh Ibn Achir qui s'installa longuement à Fès, un véritable maître de sciences religieuses, d'ascétisme et de vérité qui refusait les honneurs autant que les jouissances matérielles : il écrivait peu, mais avait une grande ascendance sur les étudiants et les savants de son époque. Il était même sollicité par le roi Abou Inane qui lui demandait de prier pour lui.

Comment ne pas faire une place aussi à un Ibn Al Khatib, le plus grand homme de lettres du XIVème siècle, d'après un homme d'Etat, à Grenade puis à Fès ; il composa de nombreux ouvrages ayant trait à toutes les disciplines islamiques et comprenant également des essais en médecine, en musique et en philosophie.

Il en est de même d'un Ibn Marzouq, l'un de ces esprits universels qui appartiennent à Fès et au reste de l'Occident Musulman, à l'instar d'Ibn Batouta, Ibn Khaldoun et Ibn Al Khatib et qui doivent leur formation, leur culture aux voyages, aux responsabilités et au négoce peut-être plus qu'aux livres.

Ibn Marzouq naquit à Tlemcen, fit ses études en Orient et fut un brillant « juriste-historien-adib », c'est-à-dire le type même de l'honnête homme avant de se mettre au service du souverain mérinide Aboul Hassan à Fès et d'enseigner à la Qaraouiyine. Malgré ses tribulations, il rédigea ses mémoires, le « mousmad » qui est d'une grande importance pour l'étude de l'histoire politique, sociale et culturelle au Maroc.

Il faut mentionner Ibn Khaldoun, économiste, sociologue, historien, philosophe, homme politique, pédagogue, étudié de nos jours dans de nombreuses universités, objet de thèses multiples et de conférences internationales. Il est de ces génies qui ne veulent appartenir à personne et qui appartiennent en même temps à tout le monde. La Tunisie, l'Algérie, le Maroc, l'Egypte peuvent tour à tour le revendiquer : il n'en reste pas moins qu'il séjourna longtemps à Fès, qu'il en fut enchanté, qu'il fit partie du cercle d'Abou Inane, comme on l'a vu, et qu'il reconnaît dans son « Ta'rif » l'influence des professeurs de la Qaraouiyine sur sa formation culturelle. Même en Ifriqya il continue à assister aux cours donnés par les savants de Fès qui avaient accompagné le prince mérinide Aboul Hassan.

Bref, jamais cité, à mon avis, n'a produit autant de talents et de maîtres à penser, dont un grand nombre demandent aujourd'hui à être dépoussiérés, étudiés et réintégrés au vaste patrimoine culturel humain.

Jamais non plus cité n'a connu de vie communautaire si cohérente et d'intégration sociale aussi harmonieuse grâce à ces mosquées-écoles entourées de tous côtés par un milieu social avec lequel elles vivaient en symbiose.

Nous voilà donc au XVIème siècle, ère de mutation des pays d'Occident qui connaissent à leur tour leur renouveau scientifique et culturel. Par une sorte de fatalité, il était écrit que Fès, véritable citadelle de la science, ne pouvait rester à l'écart de ce vaste mouvement de civilisation et qu'elle devait y participer activement — ô paradoxe — du chef-lieu même de la renaissance : l'Italie. En effet, l'un de nos savants illustres,

Hassan El Ouezzane Al-Fassi Ziati, chargé successivement de mission en Afrique Noire et en Turquie, fut capturé par des corsaires chrétiens qui l'offrirent au Pape Léon X. Celui-ci réussit à le convertir au christianisme et le 6 janvier 1520, Hassan fut baptisé en l'Eglise St-Pierre de Rome par Léon X lui-même qui lui donna son nom Joannis Léo de Médicis. Hassan prit désormais le nom de Leo Africano, en français Léon l'Africain.

C'est alors qu'il composa son célèbre ouvrage, « Description de l'Afrique », dans lequel il n'oublia pas de retracer avec nostalgie ses années vécues à Fès et à la Qaraouiyine où il avait étudié et enseigné. C'est alors aussi qu'il se mit au service de l'Université de Bologne où il enseigna l'arabe et les sciences religieuses.

Comment douter dès lors de sa participation dans la vie intellectuelle connue par la Renaissance Italienne ?

Il fut certainement témoin de la polémique soulevée entre Léon X et Luther le Réformiste ; comment la vive critique de Luther contre la luxure et l'enrichissement illégal des cardinaux ne lui aurait-elle pas rappelé les allusions coraniques à ce sujet ? Quelle a été sa part alors dans ces controverses ? On le saura peut-être un jour. Il fut certainement témoin aussi des traductions et des emprunts. C'était l'époque, ne l'oublions pas, où les moines s'évertuaient à traduire les œuvres musulmanes et à les réadapter. L'Eglise pouvait-elle trouver pour ce genre de version quelqu'un de mieux qualifié qu'un professeur de sciences musulmanes et religieuses, ancien savant de la Qaraouiyine ? Tel fut Léon l'Africain : un trait d'union vivant entre la pensée chrétienne naissante et la pensée musulmane.

Fès, le Maroc, l'Islam sont donc en droit de le revendiquer. Pourquoi pas ? Dans le même ordre d'idées, plusieurs arabisants joueront aussi ce rôle de trait d'union et viendront, après le départ de Hassan-Léon, apprécier la vie intellectuelle à Fès et en tirer profit.

Citons à titre d'exemple le cas du prêtre Nicolas Cleynarts, de l'Université de Louvain, qui viendra apprendre l'arabe et qui fera part dans ses correspondances des précieux manuscrits de la bibliothèque de la Qaraouiyine et de l'amour collectif des gens de Fès pour la science.

Il en est de même, en 1622, d'un Jacobus Gobius qui viendra acheter des écrits à la criée pour les ramener à Leyde, en Hollande, où il enseignera comme professeur de langues orientales. C'est à Leyde justement que M. Dozy trouvera, au milieu du XIXème siècle, le fameux manuscrit d'Al Maurrakouchi sur l'histoire des Almohades, intitulé « Le Merveilleux » et datant du XIIème siècle.

Enfin, comme savants encyclopédistes de cette vaste époque qui va du XVIIème siècle à l'aube du XXème siècle, la liste est interminable, quoiqu'il s'agisse d'une période où le Maroc, de plus en plus harcelé par les puissances coloniales, avait décidé de se replier lui-même, limitant ainsi le rayonnement de ses élites à l'intérieur de ses frontières. Exception faite pour Al Maqqari du XVIIème siècle, fin critique littéraire qui enseigna successivement à Fès, à Marrakech, à Damas et à Jérusalem ; exception faite aussi d'un Aboul Qaçim Al Ghassani, brillant médecin, botaniste et pharmatologue, et d'un Aboul Qaçim Al Fachlati, célèbre mathématicien, géomètre et médecin du XIXème siècle.

Mais si notre cité persista à rayonner au cours de cette période, c'est, en grande partie, il faut le dire, grâce à l'action protectrice des deux dynasties chérifiennes, celle des Saâdiens et celle des Alaouites. Comme à l'accoutumée, leurs souverains n'ont cessé de veiller au prestige de la Qaraouiyine et de ses hommes. On connaît à ce sujet l'action des Saâdiens dans l'embellissement de la « cour-sahn » de cette mosquée dans laquelle deux pavillons d'une rare beauté architecturale, à l'image de ceux de l'Alhambra, sont ajoutés. On connaît aussi les correspondances alaouites et des savants de la Qaraouiyine, entre autres celles du Prince Moulay Ismaïl avec le cheikh Sidi Abdelkader Al Fassi, ainsi que celle de Mohamed Ben Abdallah dans laquelle il recommande aux professeurs de la Qaraouiyine d'être plus concis, plus objectifs dans leurs explications et de ne pas perdre de temps à s'étaler infiniment dans les gloses et les communautaires.

Signalons en passant que c'est ce Souverain Mohamed III qui prit l'initiative de libérer tous les prisonniers de guerre chrétiens et d'adresser des lettres à ce sujet aux monarques occidentaux, comme Carlos III d'Espagne et Louis XVI, pour les inviter à faire de même. En véritable théologien, il leur rappelle que les principes des deux religions musulmane et chrétienne sont incompatibles avec l'asservissement des prisonniers. Cela eut lieu vers 1777, c'est-à-dire bien avant la Convention de Genève.

D'autres Sultans alaouites, entre autres Moulay Slimane, composeront d'importants ouvrages ayant trait à l'exégèse coranique aussi bien qu'à la tradition prophétique et entretiendront des contacts fructueux avec la Qaraouiyine.

Enfin, ce fait seul que S.M. Hassan II ait tout récemment consenti à présider l'Association pour la sauvegarde de la ville de Fès, prouve, s'il en est encore besoin, combien nos Souverains, garants de notre patrimoine sont soucieux de conserver à cette ville son prestige et son auréole ».

M. Laklalech devait conclure sa conférence par cette réflexion : « Il est indéniable que notre cité a joué un grand rôle dans l'élaboration et le rayonnement du patrimoine culturel marocain, lequel patrimoine n'a pas tardé, comme vous avez pu le constater, à appartenir un peu à tout le monde.

Mais il est vrai aussi que notre cité a eu la chance peu après sa fondation, d'avoir un cœur battant : la Qaraouiyine, le mausolée de Moulay Idris et les médersas avoisinantes.

C'est très important, car c'est là le refuge de nos valeurs et de nos croyances, et c'est là aussi que prenait forme la pensée de notre société.

En effet, les énergies de nos ancêtres étaient d'autant plus stimulées, et leur adhésion d'autant plus active, qu'on tenait compte dans tout projet d'expansion urbaine de leur cité, qu'on tenait compte, dis-je, de leurs mobiles psychologiques et spirituels : en d'autres termes, de leur aspiration à une meilleure organisation sociale de leur solitude : leçon importante que l'architecture traditionnelle de cette ville peut aujourd'hui encore dicter à ceux qui cherchent à doter les grandes agglomérations modernes d'un cœur battant, d'une âme et d'un centre rayonnant. »

CHAPITRE XXIV

L'ARCHITECTURE TRADITIONNELLE ET MUSULMANE A FÈS

(*Extrait de l'étude de M. Claude Fritsch rédigée pour l'UNESCO et publiée dans « Maroc Magazine » du* 13 *mai* 1979) [1]

Rares sont aujourd'hui les villes anciennes dont le centre historique n'est pas seulement une aire très limitée, souvent condamnée à plus ou moins brève échéance à devenir une attraction touristique, un décor, un circuit piétonnier, avec tout ce que cela comporte d'artificiel.

Plus rares encore sont les villes anciennes qui reflètent les valeurs immuables qui sont à la base même de leur succès, de leur perpétuation. Ne voit-on pas plutôt, presque dans tous les cas, des cités éventrées, défigurées, où pointent çà et là des témoins pitoyables dans leur isolement d'époques splendides ? Que reste-t-il du Caire, de Bagdad, de Cordoue ou d'Istanbul, pour ne citer que quelques villes islamiques qui eurent un destin exceptionnel ?

Fès, au contraire, nous est parvenue presque intacte et apparaît bien aujourd'hui comme une ville unique.

Pourtant l'activité débordante qu'on y observe aujourd'hui n'est pas un signe de santé : la cité historique est sapée dans ses fondements physiques, socio-culturels et économiques. L'essence même de la richesse architecturale de Fès, la variété des programmes, le décor luxueux qui déploie ses fastes à l'intérieur des cours, autant d'éléments irremplaçables qui présupposent :

1. Claude Fritsch est archéologue et diplômé d'études économiques générales. Depuis décembre 1971, il réside périodiquement dans la ville ancienne de Fès. En décembre 1977, il a été engagé par l'UNESCO et jusqu'en Mars 1978, dans le cadre de l'ASDUF, il a été chargé plus spécialement de l'étude et de l'illustration des techniques traditionnelles de l'architecture et du décor à Fès, de l'inventaire des maisons, des palais et des caravansérails.

— une grande liberté dans les choix.
— des commanditaires nantis,
— une main-d'œuvre bon marché et habile,
— des domestiques nombreux pour entretenir des matériaux fragiles souvent exposés à l'action destructrice du climat, et pour le maintien de demeures immenses si on les compare aux normes actuelles en matière d'habitat.

Or, justement, ces caractéristiques socio-culturelles qui ont permis à l'architecture de s'épanouir et de durer tendent à disparaître, parallèlement à la lente désagrégation de la cohésion sociale des unités (au sens le plus large, et non pas ramenée à une échelle de revenus comparables).

Néanmoins, le savoir-faire demeure dans la plupart des branches de l'artisanat du bâtiment, et c'est là une condition essentielle pour la sauvegarde d'une ville, même si aujourd'hui ce savoir-faire s'exerce hors les murs de la ville ancienne, ou dans d'autres villes marocaines plus attractives, voire dans d'autres pays, tant est grande la renommée des artisans de Fès.

L'architecture traditionnelle de Fès n'est pas facilement accessible. Etre sensible à l'homogénéité indéniable de la ville sertie dans un écrin de verdure, telle qu'elle nous apparaît d'une des collines qui l'entourent, être charmé par l'harmonie de l'agencement des volumes sur lesquels joue la lumière, passer une porte de l'enceinte fortifiée et se mêler à la foule des ruelles, toutes ces expériences que chacun peut répéter quotidiennement avec plaisir ne font qu'effleurer un immense domaine qui, en fait, cache des trésors insoupçonnés. En effet, en dehors de quelques bâtiments administrés par des ministères ou par la municipalité — comme le Dar Batha, ancien palais d'été alaouite transformé en musée, ou les médersas, anciens « collèges » aujourd'hui désaffectés et ouverts au public —, en dehors aussi des lieux de culte, sagement protégés d'une curiosité déplacée, ou des locaux à usage industriel et commercial, qui ne sauraient devenir un spectacle, la ville de Fès est constituée à 90 % de la surface bâtie par des maisons d'habitation et c'est là que se développe pleinement la richesse d'expression de l'architecture et du décor fassis : or, cet immense domaine est et reste privé, donc inaccessible pour le plus grand nombre.

Pénétrer ce domaine mal connu, l'étudier, le relever, le documenter, c'est témoigner d'un moment irremplaçable de l'architecture citadine marocaine. Cette recherche est urgente car, qu'il s'agisse de grands palais désertés depuis vingt ans ou de demeures plus modestes, chaque bâtiment est fragile et son destin peut être de disparaître à très court terme s'il est abandonné ou si, au contraire, il est occupé par des utilisateurs

Poterie du Rif.
(Cl. A. Gaudio)

Ci-dessous, décoration au marteau d'un plateau de cuivre.
(Office marocain du tourisme)

Le Fondouk Kettanïne.
(UNESCO / D. Roger)

Sur la page ci-contre, décor de zellijs
de la Fontaine Najjarine.
(UNESCO / D. Roger)

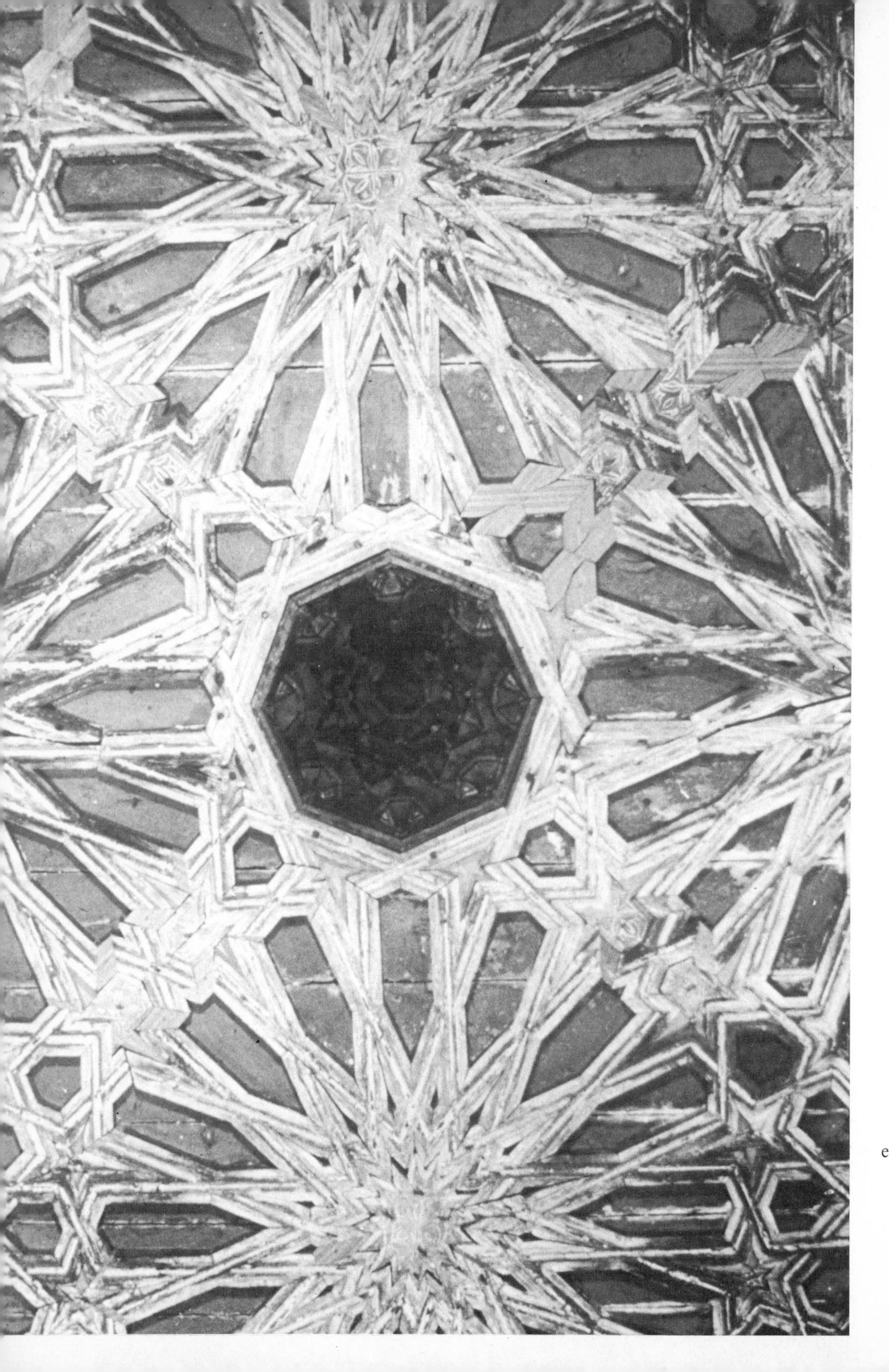

Plafond
en bois ouvragé.
*(Office marocain
du tourisme)*

trop nombreux et démunis. L'abandon ou la surexploitation ont des effets immédiats sur des matériaux de construction relativement fragiles et qui ne peuvent durer sans un entretien vigilant.

L'étude de la tradition architecturale fassie apparaît donc comme un domaine très ouvert.

La sauvegarde et la réhabilitation d'un patrimoine irremplaçable s'exerce à Fès à deux niveaux : ponctuellement, tel bâtiment est menacé et, à cause de son intérêt, il faut tout mettre en œuvre pour le sauver (par exemple, la médersa el-'Attarin) ; globalement, c'est la ville historique toute entière qu'il faut considérer comme un témoignage unique de l'Histoire des hommes et qu'il faut s'attacher à ne pas perdre. A ce dernier niveau, on ne considère plus les cellules indépendamment les unes des autres, on examine les relations entre ces cellules, qui font de la ville autre chose qu'un simple agrégat de constructions. Sans cette vision globale, Fès ne peut être sauvée ; protéger les deux cents lieux de culte de la ville ancienne, les deux cents fondouks, une centaine de maisons sur les dix mille qui constituent la trame historique, c'est laisser se perdre l'essentiel : les interrelations entre le culte, le commerce et le domaine privé. L'Islam vit d'échanges ; sa grandeur et sa faiblesse tiennent à ce mot.

Cette double problématique se complique encore quand on envisage l'ensemble de l'agglomération : la ville ancienne n'est pas un centre historique abandonné. Elle abrite non seulement l'essentiel des lieux de production et d'échanges de l'agglomération, mais aussi deux tiers des habitations. On y trouve aussi l'essentiel des lieux de culte. Il n'y a pas eu à Fès abandon d'un cadre bâti ancien et transfert des activités de centre, mais, répétons-le, suranimation d'une cité fragile qui reste, à bien des égards, un modèle exemplaire.

En effet, face à tous les problèmes que nous venons d'évoquer, et à la solution desquels les énergies disponibles sont désormais attachées, la cité historique offre, comme pour compenser l'état de fait actuel, une richesse de relations humaines dont les villes d'Occident ont perdu jusqu'au souvenir. Ces relations sont favorisées par un réseau de communications qui exclut les transports motorisés (sauf à la périphérie immédiate du cadre bâti avant 1930), par des structures d'échanges qui ignorent encore pour la plupart la vitrine qui sépare le chaland des marchands et permet à tous de voir très clairement tous les processus de production et de distribution. Dans le même ordre d'idées, les écoles coraniques, où les enfants récitent à haute voix, sous la férule d'un claire-voie... Autrefois, avant le transfert hors-les-murs de l'Université de la Qaraouiyine (1960), artisans, commerçants, gens de toutes professions et de tous rangs pouvaient délaisser un temps leurs affaires et venir s'asseoir dans l'ombre fraîche de la mosquée pour écouter la leçon d'un maître. Celui-ci, sur le chemin de la Qaraouiyine, s'arrêtait chez l'un, parlait avec un autre...

Ces quelques exemples reflètent une des caractéristiques essentielles des villes islamiques traditionnelles : la séparation peu accentuée entre le culte, la culture et les activités lucratives. Cette interprétation des fonctions n'existe plus en Occident où la séparation semble aujourd'hui définitive et normale. Par contre, elle se lit encore très clairement à Fès, en particulier dans l'aire centrale de la ville ancienne. Une autre caractéristique est la nette séparation entre le domaine public (la rue et les activités qu'elle attire ou qui s'y déroulent), et le domaine privé — la maison, la vie familiale qu'elle abrite et le réseau de ruelles ou d'impasses qui la dessert.

La nette séparation des domaines ne signifie nullement absence de relations, ou entrave aux relations possibles de l'un à l'autre : ainsi, dans la maison, les différents systèmes de clôture définissent précisément la profondeur de pénétration autorisée aux différents utilisateurs. Inversement, un bâtiment à usage industriel ou commercial comme un fondouk peut bien réserver un ou plusieurs niveaux à une hôtellerie ou à une série de chambres servant de logement principal et ouvrant sur la cour, alors qu'à l'extérieur des boutiques sont percées dans la façade ; dans la mosquée elle-même, la place des différents groupes qui constituent l'Oumma (la communauté des croyants) est prédéterminée, mais le mur extérieur de l'édifice sacré abritera des boutiques, une école, un bain public.

Architecturalement, une remarquable économie de l'espace bâti a permis, au cours des siècles, de voir des maisons se transformer en entrepôts, des mosquées devenir habitations, des entrepôts être aménagés en asiles, et ce sans atteinte profonde et immédiate à ce qui faisait l'essence même de l'architecture des structures concernées. C'est sur ce dernier point que les tendances actuelles relevées dans la vieille ville sont très différentes de la simple continuation d'un mécanisme ancien. On peut considérer comme un fait admis une certaine élasticité du tissu urbain historique qui a permis, par exemple, le développement relativement récent d'importantes surfaces réservées aujourd'hui, dans l'aire centrale, au culte et au commerce (Horm de Moulay Idris, Mausolée de Sidi Ahmed el-Tijani). Mais il faut aussi insister sur le fait que la maison d'habitation et les modes de groupement de ces maisons ont des caractéristiques fonctionnelles qui limitent la facilité avec laquelle on peut les détourner de leur fonction première.

L'architecture de Fès, héritière d'une tradition plus que millénaire, est mal connue. Or cette connaissance est un préliminaire nécessaire à toute tentative pour orienter les tendances actuelles et prévisibles qui peuvent affecter en profondeur la ville historique. Si l'essentiel de cette architecture échappe à un examen superficiel, ce n'est là qu'un prolongement normal à la qualité qui ne se galvaude pas.

Cette architecture et cet urbanisme doivent aussi être mieux connus parce qu'on commence à peine à comprendre leur avenir possible. Signalons à ce propos la puissance d'intégration d'une ville comme Fès ; ce n'est pas en effet par hasard que des paysans démunis venus chercher refuge et travail dans la ville ancienne sont, en peu de temps, métamorphosés en citadins, changeant leurs façons de s'exprimer, de se vêtir, en plus, bien entendu, de leurs activités.

Il y a en effet quelque chose d'unique dans la maison de Fès, pour qui la découvre comme pour tous ceux qui, après les ruelles étroites, s'enfoncent dans une impasse obscure bordée de murs aveugles et lépreux, pour revenir quotidiennement dans le « monde » de la maison. Cette chose unique est la sensation d'être enveloppé comme on se sent « enveloppé » de ses organes des sens : l'édifice « parle ». Les formes de la maison se révèlent surtout et souvent uniquement de l'intérieur, une fois atteinte la cour, ce « cœur de la maison ». Ces formes révélées nous communiquent quelque chose : les volumes harmonieusement distribués selon des règles strictes, la succession des espaces et leurs différentes fonctions, tous les lieux de la maison semblent nous inviter à vivre en paix et en harmonie avec nos semblables. L'édifice est législateur. Ce que ne peuvent obtenir à elles seules les institutions extérieures est induit par les formes, les programmes de ces édifices. Sous les bâtiments, très évidemment, il y a la terre et sa force d'attraction qu'il faut vaincre pour bâtir : l'architecture fait corps avec la terre et, plus que partout ailleurs à ma connaissance, on lit dans la cité d'Idris le poids des contraintes du site. L'étroite unité entre le paysage urbain et l'environnement immédiat nous font apparaître encore plus étonnant ces trésors d'art longtemps cachés et insoupçonnés échappant totalement à la vue du simple passant.

Très vite apparaît aussi ce fait évident que le bâtiment découvert n'est pas isolé : il fait partie d'un ensemble plus vaste, la cité, et l'extraire de son contexte urbain serait déformer la réalité. Il faut envisager la ville de Fès toute entière comme une œuvre d'art, comme un exemple remarquable de cité à croissance spontanée : ceci n'exclut pas une série d'interventions urbanistiques autoritaires comme le choix du site, les fondations successives, la domestication des oueds, la construction des enceintes successives, la destruction d'enceintes séparatrices ou encore l'édification de bâtiments prestigieux commandités par les Sultans. Pourtant la ville ancienne n'est pas bâtie selon un schéma préétabli, elle suit de près les contraintes d'une topographie tourmentée et la séparation entre les deux grandes parties de la ville historique (la « médina » et « Fès-Jdid ») a permis à la première de se développer plus librement, en excluant ou en contrebalançant les organes de décision et l'administration relevant du pouvoir central et situés dans la seconde.

L'unité architecturale du cadre bâti historique n'est donc pas le résultat d'une planification générale et systématique, mais plutôt l'expression d'une culture citadine projetant, adaptant dans un espace donné ses traditions en matière d'urbanisme et recevant périodiquement de nouveaux apports. L'urbanisme collectif qui a créé Fès telle qu'elle nous est parvenue n'a rien de vague ou d'irrationnel. On y retrouve les caractéristiques communes à toutes les villes islamiques avec des variantes qu'imposent les conditions locales. La chari'a détermine profondément le cadre de la vie sociale et familiale : elle règle par exemple la participation au régime de l'eau (inséparable à Fès de la propreté foncière), elle organise la propriété individuelle (la maison, par exemple) comme participation à un organisme collectif, la cité.

Nous avons déjà relevé deux caractères essentiels de ce type de ville dans le monde islamique :

— la séparation du domaine privé et du domaine public qui se lit assez clairement par la tendance des maisons anciennes à être bâties à l'écart des voies de circulation principales, ou, au moins, à ne pas ouvrir sur elles.

Il en sera de même pour un petit cimetière familial ou une petite zawya d'obédience très restreinte. Par contre, les locaux à usage industriel et commercial, les principaux lieux de culte recherchent une desserte optimale et se rapprochent de ces voies principales.

— L'association des activités sociales : il y a en Islam rapprochement favorisé du commerce et du culte pour faciliter la pratique religieuse et pour assurer l'entretien des lieux de culte et de leurs annexes. Il y avait aussi autrefois une organisation des solidarités entre certains groupes de citadins, qui avait l'avantage de réduire au minimum les interventions gouvernementales dans la vie urbaine. A travers ces solidarités urbaines, on retrouve la chari'a qui garantit le caractère inviolable du domaine personnel, mais exige l'intégration de chacun dans la communauté en précisant les règles d'entraide, de politesse et de bon voisinage, même dans le domaine architectural où solidarité et discrétion étaient deux règles fondamentales.

Il est un troisième caractère essentiel : la structure cellulaire de l'ensemble. Cette caractéristique bien comprise et adaptée aux réalités actuelles, permettait, en se perpétuant, d'envisager l'avenir de l'architecture marocaine, en général et fassie en particulier, avec plus de sérénité sinon plus d'optimisme, tant ses possibilités inexploitées sont grandes.

Le cadre bâti historique apparaît comme un ensemble de cellules dont l'agencement reflète très précisément les solidarités et la vie communautaire. La cellule de base peut être une pièce d'habitation (bit), une boutique, un oratoire, un atelier... En règle générale, ces cellules se regroupent et sont inscrites dans une clôture : le regroupement se fait souvent autour d'une cour (maisons, mosquées, souks, fondouks), mais aussi linéairement (moulins le long des oueds, boutiques en linéaires formant les marchés spécialisés ou les marchés de quartier). La clôture peut donc être le mur aveugle de la maison ou de la mosquée, mais aussi les ensembles clos fermés par des portes et délimitant certains souks ou certains sanctuaires et leurs annexes, ou des espaces urbains haram jouissant de droits particuliers comme le droit d'asile.

Le fait remarquable est :

— D'une part, la répétition de ce système à différents niveaux : pièces organisées autour d'une cour et définissant la maison ; maisons formant par regroupement des unités de voisinage ou des ensembles palatiaux ; unités de voisinage formant des quartiers eux-mêmes clos autrefois ; zones soukières entières closes comme la Qaiçariya ; portes de la ville suivies d'espaces de transition jusqu'aux limites du cadre bâti historique, où encore les différentes parties de la ville ancienne toute entière et leurs enceints fortifiées, le tout entouré par l'enceinte générale qui double par endroit les enceintes particulières.

— D'autre part la multifonctionnalité des espaces et l'interpénétration ou la superposition possible des cellules au sein d'ensembles groupant plusieurs activités. C'est un fait évident pour certains fondouks qui peuvent grouper six fonctions clairement délimitées dans un même bâtiment : écurie, hostellerie, artisanat, commerce, vente à l'encan et entrepôt. A un autre niveau, une telle multifonctionnalité se retrouve pour tout regroupement de cellules ou même pour toute cellule : une salle de maison privée peut servir tour à tour de lieu de réception, de salle à manger, de chambre à coucher, de lieu de travail, de bureau...

Cette structure cellulaire permet au niveau global les divisions fonctionnelles sans détruire l'homogénéité et la continuité de la trame, sans mettre en cause la séparation voulue entre la vie publique et la vie privée, en prévoyant en particulier une accessibilité différente à chaque domaine.

Autonomie et cohésion sont particulièrement remarquables dans l'aire centrale où toutes les fonctions urbaines sont réunies dans des espaces distincts mais communiquant entre eux : l'autonomie des cellules permet l'épanouissement des activités collectives au sein d'une communauté qui traduit l'unité entre le sacré et le profane en affectant un même espace à plusieurs fonctions. Ainsi, autrefois, la mosquée servait-elle à la fois d'oratoire, de tribunal, de salle de cours, de lieu de réunion et d'espace de détente.

Une telle économie de l'espace a des qualités évidentes : Fès est là pour témoigner d'un épanouissement des formes architecturales et des relations sociales qui font d'elle un modèle d'urbanisme. La trace légère imprimée dans la maison par ses occupants, le peu de mobilier qu'ils y placent, ont pour corollaire au niveau urbain la discrétion extérieure comme règle, mais aussi une volonté de ne pas s'opposer au site, de l'exploiter sans heurt, de collaborer avec lui, autant d'explications à cette intégration de la ville dans son cadre naturel. Elle peut obliger souvent, comme c'est le cas à Fès, à une véritable découverte. Tout ceci reflète aussi, bien sûr, un art de vivre qui est menacé de disparaître bien plus vite que le cadre où il s'est épanoui.

De plus en plus nombreux, les représentants des jeunes générations et les agents des autorités concernées par l'avenir de Fès comprennent le caractère inestimable et irremplaçable de la ville historique, et les principes éternels, les valeurs universelles dont la cité d'Idris est la représentation dans l'espace. Fès est là pour nous rappeler que la vie quotidienne est encore ennoblie par l'art quand l'art n'est pas séparé de la vie. Ce qu'on trouve partout dans la ville ancienne, c'est le lien entre des formes artistiques et la vie quotidienne, sans rupture. Cette union entre l'art, la technique et la vie est le fondement même d'un style et fait de Fès un haut lieu de l'humanité toute entière ».

BIBLIOGRAPHIE

LES SOURCES DE L'HISTOIRE DE FES (Bibliographie sélective)

I — *DES ORIGINES AUX « MERINIDES »*

1. Abou Bekr Ahmed B. Mohamed Er-Razi (historien cordouan du Xème siècle) : a écrit quelques lignes précieuses mais peu nombreuses sur Fès, citées par E. Levi-Provençal in « La fondation de Fès », *Annales de l'Institut d'Etudes Orientales,* Faculté des Lettres de l'Université d'Alger, IV, 1938, p. 23-53.
2. Ibn Hawqal : « Description de l'Afrique Septentrionale[e] », traduction de Slane, in *Journal Asiatique,* 1842 — (l'auteur est un géographe oriental du Xème s.).
3. Abou'Obeïd El-Bekri : *Description de l'Afrique Septentrionale,* texte édité et traduit par de Slane, deux volumes, Alger, Jourdan, 1911-1913.
4. *Sous les « Almohades »*
   El-Baïdak : « Mémoires », texte édité et traduit par E. Levi-Provençal, in *Documents inédits d'Histoire Almohade,* Paris, Geuthner, 1928 (collection de textes arabes relatifs à l'histoire de l'Occident Musulman, volume I).
   El-Idrisi : *Description de l'Afrique et de l'Espagne,* éd. et trad. en français par R. Dozy et M.J. De Goeje, Leyde, 1866.
   X.X. : *L'Afrique Septentrionale au XIIème siècle de notre ère,* (description extraite du *Kitab el-Istibsar* et trad. par Fagnan, Constantine, 1900.
   Pièces de monnaies publiées par E. Levi-Provençal dans l'article cité ci-dessus.
   Inscriptions relevées par H. Terrasse sur la chaire à prêcher de la Mosquée des Andalous, publ. in *La Mosquée des Andalous à Fès,* publication de l'I.H.-E.M., T. XXXVIII, éditions d'Art et d'Histoire, Paris, s.d., p. 35-40.
   Ce sont là, les seuls documents antérieurs à la période mérinide (qui commence à la fin du XIIIème siècle). Mais de la fondation au XIIIème siècle, des documents postérieurs permettent une reconstitution partielle de l'histoire de Fès.

II — *PERIODE MERINIDE*

5. Ibn Abi Zar'El-Fasi : Rawd el-Kirtas (Kitab el-anis el-motrib bi-rawd el-Kirtas fi *akbar molouk el-Maghrib wa-tarikh madinat-Fas*), édité puis traduit du latin par Tornberg (Upsal, 1843 et 1846), sous le titre : *Annales regum Mauritaniae.* Il faut se référer à ce texte plutôt qu'à la traduction française de A. Beaumier (*Histoire des souverains du maghreb et Annales de la ville de Fès*), Paris, imprimerie impériale, 1860. C'est la traduction d'une chronique écrite vers 1326 de notre ère, mais d'après des manuscrits datant du début du XVIIème s.
6. Abou'l-Hasan 'Ali El-Jaznaï : *Kitab zahrat el-as fi bina madinat Fas,* (La Fleur de myrte traitant de la fondation de la ville de fès), récit de la fondation et

description de la Mosquée des Qairouanais, éd. et trad. par A. Bel, Alger, Carbonel, 1923.

7. Ibn Khaldoun, ('Abd er-Rahman) : *Histoire des Berbères,* extraite du : *Kitab el-'Ibar,* éd. par de Slane, Alger, 1847-1851 et trad. par de Slane quatre volumes, Alger, 1852-1856. (Fès occupe dans ce livre une place restreinte).
A partir des Mérinides, et pour les Wattassides (début du XVème siècle) cf. aussi :
— « Inscriptions arabes de Fès », extraits du *Journal Asiatique,* Paris, Imprimerie Nationale, 1919.
— Les archives du Service des Habous (actuellement Ministère), (très peu exploitées jusqu'à présent).
Ibn El-Ahmar : *Rawdat en-Nisrin,* ouvrage contemporain du *Rawd el-Kirtas* et du *Zahrat el-As,* texte éd. et trad. par Gh. Bouali et G. Marçais, publ. de la Faculté des Lettres d'Alger, Paris, Leroux, 1917, sous le titre : *Histoire des Béni Mérin, rois de Fès, intitulée Rawdat en Nisrin,* (Le jardin des églantines).
Masalik, el-absar fi mamalik el-amsar, du géographe Ibn Fadl Allah El-'Omari (intéressante description de Fès et de Fès-Jdid au milieu du XIVème siècle), trad. de M. Gaudefroy-Demombynes, I, *L'Afrique moins l'Egypte,* Biblio. des Géographes arabes, T. 2, Paris, Geuthner, 1927.

III — *SEIZIEME SIECLE*

— Jean Léon l'Africain, *Description de l'Afrique, tierce partie du monde.* Ed. Schefer, 3 volumes, Paris, Leroux, 1896-1898. (Fès dans le tome 2, p. 65-186. Voir aussi les commentaires de L. Massignon : *Le Maroc dans les premières années du XVIème siècle. — Tableau géographique d'après Léon l'Africain,* Alger, Jourdan, 1906, p. 219-236.
— Clenard : *Correspondance de Nicolas Clenard,* publ. par A. Roersch, Bruxelles 1940-1941, et commentaires de R. Le Tourneau, « Notes sur les lettres Larines de Nicolas Clenard relatant son séjour dans le royaume de Fès », in Hespéris, XIX, 1934, p. 45-63.
— Sébastien de Vargas (consul portugais) : Lettres publiées dans : *Les sources inédites de l'Histoire du Maroc,* 1ère série, Portugal, T. III, Geuthner, 1948.
— Nombreux documents.

IV — *LES SAADIENS*

— Mohammed es-seghir ben el-hadj ben 'abd-Allah El-Oufrani (ou el-Ifrani) : *Nozhat el-Hadi,* histoire de la dynastie saadienne au Maroc (1511-1670), trad. par Houdas, Paris, Leroux, 1889.
— Chronique anonyme de la dynastie saadienne, texte arabe publ. par G.S. Colin, collection de Textes arabes de l'Institut des Hautes Etudes Marocaines, vol. 2, Rabat, Moncho, 1934.
— Marmol Caravajal, *Description general de Africa,* 1573, trad. par Nicolas Perrot d'Ablancourt sous le titre *De l'Afrique,* 3 volumes, Paris, ind. sur Fès, tome 2, p. 157-195.
— Diego de Torres, *l'Histoire des Charifs* (ouvrage annexé au 3ème volume de Marmol, avec pagination spéciale).

V — *LES 'ALAOUITES*

— Abou'l Qâsem ben Ahmed Ez-Ziani (ou Ez-Zayyani) *Et-Torjam* (*ou Ettordjeman*) *el mo'arib 'an douel elmachriq ou 'lmaghrib,* publ. et trad. par O. Houdas, (*Le Maroc de* 1631 *à* 1812), Paris, Leroux, 1886.
— Ahmed ben Khaled en-Naciri es-Slaoui (ou es-Salaoui) : *Kitab el-Istiqça liakhbar doual el Maghreb el-aqça,* trad. par Fumey in *Archives marocaines,* T. 9 et 10, Paris, Leroux, 1906-1907 (original publié au Caire en 1312 H. (4 volumes). Existe aussi sous le titre « Recherche approfondie de l'histoire des

dynasties du Maroc » : les Saadiens — première partie, 1509-1609), trad. et ann. par le fils de l'auteur, Mohammed En-Naciri, Champion, Paris, 1936, 355 p. (Archives Marocaines).

— Mouette : *Relation de la captivité du sieur Mouëtte dans les royaumes de Fès et du Maroc,* Paris, 1683.

— John Windus : A Journey to Mequinez, the resedence of the present emperor of Fez and Morocco, on the occasion of Commodore Stewart's embassy thither for the redemption of the Britisch Captives in the year 1721 — London, 1725.

— Braithwaite : *Histoire des révolutions, de l'empire du Maroc depuis la mort du dernier empereur Muley Ismael,* trad. française, Amsterdam, 1731.

— Ali Bey El-Abbassi (Badia y Leblich) : *Voyages d'Ali Ben el-Abbassi en Afrique et en Asie,* Paris, Didot, 1814, 3 vol. (sur Fès I, VIII).

— Aubine : *Le Maroc d'aujourd'hui,* Paris, Colin, 1904.

— Archives Officielles + correspondances (la plupart encore inédites).

— H. Gaillard : Une ville d'Islam, Fès. Paris, André, 1905.

— Recueils hagiographiques (intéressants pour toutes les périodes) :

. Ibn el-Kadi : *Jadhwat el-Iktibas* (première moitié du XVIIème siècle), lith. — Fès 1309 H.

. Mohmed el-Qadiri : *Nachr el-Mathani* (2ème moitié du XVIIIème siècle) + 1.

. Mohamed ben Ja'far el-Kattani, *Salwat al-anfas* (fin du XIXème siècle) lith. Fès 1316 H. (3 volumes).

VI — *COMPLEMENT*

1. *Pour l'histoire du Mellah*

— Jacob Moïse Toledang (rabbin) : *Ner Hama'arab* (*la lumière du Maghreb*) impr. à Jérusalem chez A.M. Lunez en 1911 (244 pin).

— De Civenal, « La légende du juif Ibn Mech'al et la fête du Sultan des Tolba à Fès » in *Hespéris,* 1925, p. 179.

— Abner-Hassarfaty (grand rabbin de Fès 1827-1884) : *Yahas* (la chronique de Fès), manuscrit hébreu de 1879, analysé par M. Jemach in *Hespéris,* 1934, p. 79.

2. *Ouvrages récents*

— Al-Abid al-Fàsi M. — *Al-Hizàna al-'ilmiyya bi-l-magrib,* Imprimerie officielle Rabat, 1380-1960, 79 pages (cité par Mohamed Hajji dans *L'Activité Intellectuelle au Maroc à l'Epoque Sa'dide,* T. I, Dar El Maghrib, Rabat 1976). C'est à l'occasion de l'anniversaire de l'Université al-Qaraouiyine que M. al-Abid al Fasi a dressé, dans cette étude, l'historique de la bibliothèque scientifique au Maroc, depuis la pénétration de l'Islam jusqu'à nos jours. A la période que nous étudions il consacre quatre chapitres intéressants, dans lesquels il fait une description générale des bibliothèques du temps des Wattàsides et des Sa'dides, insistant en particulier sur la bibliothèque privée d'Ahmad al-Mansur à Marrakech de même que sur celle construite par ce dernier près de l'Université Qaraouiyine à Fès.

— *Karàsi al-asätida bi-gàmi'at al-Qaraouiyine* — Série de trois articles parus dans Da'wat al-haqq, Rabat, 9ème année, n° 4, février 1966, pp. 91-97 ; n° 5, 1966, pp. 91-97 ; n° 6-7, avril-mai 1966, pp. 117-119. Dans ces articles, al-Fàsi parle des chaires de science à l'Université al-Qaraouiyine et dans d'autres établissements tels que les mosquées et les médersas de Fès, ainsi que les œuvres établies en biens de mainmorte, depuis les Mérinides jusqu'à nos jours. Il énumère dix-huit chaires de sciences à l'époque wattasside et sa'dide, évoquant les professeurs qui les occupaient, ainsi que la discipline qu'ils enseignaient.

HISTOIRE

— Adam (A.) : *Une hypothèse nouvelle sur la fondation de Fès* — Bull. de l'enseignement public (au Maroc). 1914, pp. 35-9, 1941.

— Beaumier (A.), Ibn Abizar : *Roudh El qirtas, Histoire des Souverains du Maghreb* et Annales de la ville de Fèz — Trad. Beaumier. Maisonneuve, Paris, 1860.

— Bekkhoucha (M.) : *Epitaphes des Sultans saadiens,* France-Maroc, 1923, Tome 7, p. 127-128.

— Bel (Alfred) : *Inscriptions arabes de Fès — Journal Asiatique.* IIème série, IX, pp. 303-29, With 6 plates ; X, pp. 81-170, With 9 plates and 4 figs ; pp. 215-67, With 9 plates and 1 fig ;XIII, pp. 189-276, With 16 plates and 2 fig ; pp. 337-99, With 25 plates and 1 fig ; XIII, pp. 5-96, With 17 plates and 4 figs ; and XV, pp. 467-79 (Index général) — 1917-19.

— " : *Documents récents sur l'histoire des Almohades,* Rev. Afric., Alger, 193C, T. 71, pp. 113-129.

— " : *Les premiers émirs mérinides et l'Islam,* Mélanges Gautier E.F., 1937, pp. 35-41.

— Berque (J.) : *Aperçu sur l'histoire de l'Ecole de Fès.* Revue Historique du Droit Français et Etranger, Paris, 1949, pp. 64-117.

— Castries (Le comte de) : *Note historique sur le palais de Bou-Djeboud* — Sm 8 vo ; pp. 12, With map. Merci, Casablanca, 1918.

— " : *Une description du Maroc sous le règne de Moulay Ahmed El Mansour* (1596) d'après un manuscrit portugais SN ; Paris, 1909.

— Deverdun (Gaston) : *La fondation de Fez et son Histoire France-Maroc,* fascicule premier, pp. 5-10, With 6 illus., 1916 (extr. de Creswell).

— " : *Une nouvelle inscription idrissite,* 265 H.-877 J.C. *Mélanges Georges Marçais,* Alger, 1957, Tome 2, pp. 67-73. Avec ill. et une table de l'alphabet employé.

— Dieulefils (P.) : *Maroc Occidental. Fès-Meknès, d'après les documents historiques, ethnographiques et architecturaux. Notice sur Fès,* par Alfred Bol. Oblong 8 vo ; pp. 21, With 67 plates, n.d. (Extr. de Creswell).

— Dufourcq (C.E.) : *A propos de l'Espagne Catalane et le Maghreb aux* 13ème *et* 15ème *siècles. — Rev. d'Histoire et de Civilisation du Maghreb,* Alger, 1967, n° 2, pp. 52-53.

— " : *Méditerranée et Maghreb du* 13ème *au* 16ème *siècle. Rev. d'Histoire et de Civilisation du Maghreb,* Alger, Juil. 1967, N° 3-53, pp. 75-87.

— " : *Les relations du Maroc et de la Castille pendant la première moitié du* 13ème *siècle. Rev. d'Histoire et de Civilisation du Maghreb,* Alger, Juil. 1968, N° 5, pp. 37-62.

— " : *Catalans et maghrébins aux* 13ème *et* 14ème *siècles. L'information Historique,* Paris, Mai-Juin 1968, N° 3, pp. 135-139.

— " : *Berberie et Ibérie médiévale, un problème de rupture. Revue Historique,* Paris, Oct.-Déc. 1966, pp. 293-294.

— Fizazi (M.) : *Etude d'histoire urbaine, histoire de l'art et d'archéologie d'un quartier de la Médina de Fès.* Thèse inédite, Institut d'Art et d'Archéologie, Paris, 1981.

— Helouis (M.) : *Une description arabe du* 14ème *siècle provenant de Fès.* Journal Asiatique, 9ème série, 1895, Tome 5, pp. 174-81.

— Kamm (M.) : *Une importante découverte historique près de Fès,* Maroc-Tourisme, Rabat, 1966, N° 40, pp. 47-67.

— Le Tourneau (R.) : *Le Maroc sous le règne de Sidi Mohamed Ben Abdallah* 1757-1790. *Revue de l'Occident musulman et de la Méditerranée.* 1er semestre 1966, N° 1.
— " : *Fès avant le Protectorat. Etude économique et sociale d'une ville de l'occident musulman,* vol. 8, pp. 668, With 105 plates and 35 figs. (Casablanca, 1949).
— " : *Fez in the Age of the Marinides,* Translated from the French by Besse Alberta Clevent. Sm. 8 vo, pp. XIII and 158, With 2 figs. University of Oklahoma Press, Norman, 1961 (Extr. de Creswell).
— " : *Notes sur les lettres latines de Nicolas Clenard relatant son séjour dans le Royaume de Fès* (1540-1541), Hesp. 1934, fasc. I-II, pp. 45-68.
— " : *La Mosquée al-qaraouiyine à Fès. Avec une étude de Gaston Deverdun sur les inscriptions historiques de la Mosquée,* 450 ; pp. 92, with 125 plates and 32 figs, Klincksieck, Paris, 1968 (Extr. de Creswell).
— Levi-Provençal (E.) : *Un nouveau texte d'histoire mérinide, le Musnad d'Ibu Marzuk,* Hespéris, 1925, 1er trim., T. 5.
— " : La fondation de Fès, *Annales de l'Institut d'Etudes Orientales,* V, pp. 23-52, With I plan, 1938.
— Martin (L.) : *Description de la ville de Fez, quartier du Keddan, Revue du Monde Musulman,* IX, pp. 433, with plan, and pp. 621-642 (extr. de Creswell).
— Maslow (B.) : (*Communication on the Mérinide minarets of Fez*). *Actes du huitième congrès de l'Institut des Hautes-Etudes marocaines,* Rabat-Fès, 13-20 avril 1933, in *Hespéris,* XIX, p. 211, 1934. (extr. de Creswell).
— Massignon (L.) : *Le Maroc dans les premières années du* 16ème *siècle d'après Léon l'Africain SN,* Alger, 1906.
— Mezzine (R.) : *Fès et sa banlieue au XVIème siècle* (*les Saadiens*). Université de Fès, 1979. Thèse en arabe.
— Michaux-Bellaire (Ed.) : *A propos d'une inscription mérinide à al-Kasr al-Kabir, Hespéris,* VII, pp. 393-9, with I plate, 1927 (extr. de Creswell).
— " : *Description de la ville de Fès.* Arch. Mar. XI, 1907, pp. 252-330.
— " : *Le Touat et les Chorfa d'Ouezzan* (Mémorial d'Henri Basset, II, pp. 139-151).
— Morrakishy : *Al Mougib Fi Taknis Akhbar Al Maghreb The best Abbreviation of the History of the Maghrib History of North Africa From the conquest of Andalusia till the end of the days of a Muwahhidin.* Ed. by Mokawsa Saïd Al Iryan and Muhammad Al Araby, Le Caire 1550-420 p. (Extr. de Creswell).
— Moulieras : *Fez.* Paris, 1902.
— Naciri (E.) : *Kitab El Istiqça ou recherche approfondie de l'histoire des dynasties du Maroc — Les Saadiens, 1ère partie* (1509-1609), Trad. et Ann. par le fils de l'auteur, Mohammed En-Naciri, Champion, Paris, 1936, 355 p. (Arch. Maroc).
— Piarel (C.) : *Une source nouvelle de l'histoire saadienne,* Hespéris, 1949, p. 243, 1 planche HT.
— Poole : *The Mohammadan dynasties chronological and genealogical tables with historical* Introduction Geuthner, Paris, 1925-31, planches H.T. (Extr. de Creswell).
Ricard (P.) : *Une description de Fès au 17ème siècle.* Revue France-Maroc, Paris, mars 1921, pp. 46-47.
— " : *Les dynasties marocaines en* 10 *tableaux et* 1 *graphique,* Serv. typographique du Maroc, Casablanca, 1919-33 p ; 1 dépliant, tabl. des constructions de monuments et travaux d'art sous chaque dynastie.
— " : *Sur les relations des Canaries et de la Berbérie au* 16ème *siècle d'après quelques documents inédits.* Revue Afric., Alger, 1930, pp. 207-224.

— Ricard (R.) : *Le Maroc à la fin du 16ème siècle, d'après la jornada de Africa de Jeronimo de Mendoza.*
— " : *Les deux voyages du P. Fernando de Contrera à Fès* (1535-1536 et 1539-1540), *Hespéris,* 1934, fasc. I-II, pp. 39-44.
— Rouget (B.) : *Voyage à travers l'histoire du Maroc. Préface de son Excellence Mohamed,* Ed. B. Rouget, Casablanca, 1957, t. 2 et t. ", du 7ème au 17ème siècle, 13 ap., 131 phot. ; fae - d'imile, 1958.
— Schacht (J.) : *Sur quelques manuscrits à la Bibliothèque de la Mosquée d'Al Qaraouiyine à Fès SN,* Paris, 1962, T. I, pp. 271-284.
— Semach : *Une chronique juive de Fès, le (yahas fes) de Ribbi Abner Hassar faty. Hespéris,* 1934, T. 19, fasc. 1-2, pp. 79-94.
— Slane, Bakri Al : *Description de l'Afrique septentrionale.* Trad. Slane, Maisonnerie, Paris, 1913-1965, avec texte arabe.
— Tazi (M.) : *Le Maroc d'autrefois. Rivalités de quartiers dans la médina de Fès,* Jeunesse, 15 juin 1941, p. 12 ; 22 juin 1941, p. 13.
— Tharaud (J.) : *Les deux chérifs El AAredj et El Mehdi fondateurs de la dynastie saadienne.* Rev. 1948, pp. 90-113.
— Tranchant de Lunel : *Du collège d'Ispahan aux Médersas de Fès,* France-Maroc, 1916, pp. 21-24, 5 ill.
— Zebdi Kamali : *Musée de Batha,* Fès. — *Symbiose d'archéologie et d'histoire. Catalogue scientifique,* Paris, 1960. (Thèse de l'Ecole du Louvre).

GEOGRAPHIE

— Bel et Larribe : *Fès, Meknès et la région.* SN. Maroc, 1918, 3 vol. Album de photo, Préface et Notices de A. Bel. (Extr. du F.I.B.P.C. n° 2, Rabat, 1976, sous la référence 12011-18-PH).
— Benoit (F.) : *L'Empire de Fez — le Maroc du Nord. Col. Toutes nos colonies,* n° 8, Paris, 1931, 158 p. ; phot. (extr. de A. Adam et du F.I.B.P.C. n° 3, Rabat, 1977, sous la référence 15110-31-LV).
— Blachère (R.) : *Fès chez les géographes arabes du Moyen-Age. Hespéris,* 1934, fasc. I-II, 1er tr., pp. 41-48.
— Casserly (G.) : *Fez, Heart of Morocco. The national Geographic magazine,* Juin, 1935, vol. 67, n° 6 (Extr. du F.I.B.P.C. n° 1, Rabat, 1974, sous la référence 10274-35-PE).
— Celerier (J.) : *Les conditions géographiques du développement de Fès. Hespéris,* 1934, fasc. I-II, pp. 1-20.
— Cenival (P. de) : *René de Chateaubriand, comte de Guazaoua, au Royaume de Fès,* 1493. *Hespéris,* 1934, t. XIX, fasc. I-II, pp. 27-37.
— Hardy (G.) : *L'âme des villes. Exemple de Fès.* Bull. de l'Assoc. des Géographes Français, Paris, avril 1929, n° 32, 38-40 (extr. de Adam et du F.I.B.P.C. n° 2, Rabat, 1976, sous la référence 12008-29-PE.
— Ricard (P.) : *Fès et ses environs.* Hachette, Paris, 1920, 48 p ; 1 carte, 2 plans, 11 ill. (Extr. du F.I.B.P.C. n° 1, Rabat, 1974, sous la référence 10032-20-LV).
— Ricard (R.) : *Le Maroc Septentrional au 15ème siècle d'après les chroniques portugaises, Hespéris,* 1936, T. 23, fasc. 2, pp. 89-144 (Extr. du F.I.B.P.C. n° 1, Rabat, 1974, sous la référence 11291-36-PE).

SOCIOLOGIE ETHNOLOGIE

— Aoustin (J.), Brignon (J.) : *Découverte de Fès,* Ed. La Porte, Rabat, 1972.
— Bach (P.) : *Rites et légendes des grottes à Fès et au Maroc,* Ed. Amis de Fès,

sd., 3 p. (Extr. du F.I.B.P.C. n° 2, Rabat, 1976, sous la référence 12958-00-ET).
— Berque (J.), Couleau (J.) : *Le Maroc*, PUF, Paris, 1977.
— Brunot (L.), Malka (E.) : *Textes judéo-arabes de Fès, Hespéris*, t. 14, 1932, fasc. I, p. 1-16 (Extr. de Adam et du F.I.B.P.C. n° 2, Rabat, 1976, sous la référence 11688-32-PE).
— " : *Glossaire judéo-arabe de Fès*, I.H.E.M., t. 37, Rabat, 1940, 145 p. (Extr. de ADAM et du F.I.B.P.C. n° 2, Rabat, 1976, sous la référence 11925-40-LV).
— " : *Proverbes judéo-arabes de Fès, Hespéris*, t. 24, 1937, pp. 153-181 (Extr. de ADAM).
— Chottin (A.) : *Airs populaires recueillis à Fès.* Airs profanes ; *Hespéris*, t. 4, 2ème trim. 1924, pp. 225-238 (Extr. de ADAM et du F.I.B.P.C. n° 2, Rabat, 1976, sous la référence 12734-24-PE).
— " : *Airs populaires recueillis à Fès, Hespéris*, t. 2, 2ème trim. 1923, pp. 275-285 (Extr. du F.I.B.P.C. n° 2, Rabat, 1976, sous la référence 12735-23-PE).
— Cigar (Norman) : *Une lettre inédite de Moulay Ismail aux gens de Fès, Hespéris-Tamuda*, vol. XV, 1974, p. 105.
— " : *Société et vie politique à Fès sous les premiers Alawites* (1660-1830), *Hespéris-Tamuda*, vol. XVIII, 1978-79, pp. 93-168.
— Cleeman (Mme) : *Folklore dans le Mellah de Fès*, B.E.P.M., 1949, n° 207, 31-4 ; n° 208, 25-34 ; 1950, 2ème-3ème tr. ; 71-3 ; 4ème tr ; 65-70 ; 3ème trim. 1951, 65-70 ; 4ème trim. 1951, 83-5 (Extr. de ADAM).
— Cony (H.), Kerrest (T.) : *Les enfants de Fès*, Hallier, Paris, 1980.
— Dieulefils (P.) : *Maroc Occidental — Fès-Meknès d'après les documents historiques, ethnographiques et architecturaux.* Notice sur Fès par A. Bel, Oblong, 8 vo., p. 21, with 67 plates, Paris, s.d. (Extr. de Creswell).
— Fasi (M.) : *Chants anciens des femmes de Fès*, Seghers, Paris, 1967 (Extr. du F.I.B.P.C. n° 3, Rabat, 1977, sous la référence 13994-67-LV).
— " : *Contes fassi*, Editions d'aujourd'hui, Paris, 1977.
— Gaudio (A.) : *Fez, la Firenze del Maghreb*, L'Universo, Florence, 1962.
— Kinnane (Derk) : *Fès : l'héritage de onze siècles.* Informations Unesco, N° 758/759, Paris, 1980.
— Lakhdar (M.) : *Les Izerzaïn ou portefaix berbères de Fès, Hespéris*, XIX, 1934, 193-4 (Extr. de ADAM). (Voir F.I.B.P.C. n° 2, Rabat, 1976, sous la référence 13405-49-PE).
Les portefaix et les porteurs d'eau de Fès. Cahiers Charles de Foucauld, n° 14, 3ème trim. 1949, pp. 53-59.
— Le Tourneau (R.) : *Fès avant le Protectorat. Etude économique et sociale d'une ville de l'Occident musulman*, Publications de l'I.H.E.M., XLV, Casablanca, 1949, 668 p., 105 phot., 2 cartes en dépliant (Ext. de A. Adam et du F.I.B.P.C. n° 2, Rabat, 1976, sous la référence 13259-49-LV).
— " : *La vie quotidienne à Fès en* 1900, Paris, 1965, 315 p, 4 fig. (Extr. de Adam).
— Loti (P.) : *Au Maroc*, Calmann-Lévy, 1928, p. 176.
— Marty (P.) : *La société de Fès.* Ren. Collective/Supl. à l'Afri. France, 1925. N° 8 bis, pp. 365-384. (F.I.B.P.C. n° 1, Rabat, 1974, sous la référence 11109-25-PE).
— Moha (Farida) : *Des lettrés aux artisans.* Jeune Afrique n° 1042, 24 déc. 1980, pp. 99-109.
— Sayous (A.E.) : *Fès et les Fassis*, Rev. écon. internationale, Bruxelles, 22ème année, II, n° 3, juin 1930, pp. 427-71. (Extr. de A. Adam et du F.I.B.P.C. n° 3, Rabat, 1977, sous la référence 14.701-30-PE).
— Sefrioui (A.) : *Les rites de la naissance à Fès*, M.M.t. 31, 1952, 1007-10. (Extr. de A. Adam et F.I.B.P.C. n° 1, Rabat, 1974, sous la référence 11150-52-PE).

— Tazi Abdelhadi : *A râs Fâs (les mariages à Fès)*, Mohamedia, S.d., 36 p., ill. (en arabe). (Extr. de A. Adam).
— Tharaud (J.J.) : *Fez ou les bourgeois de l'Islam*, Paris, 1930, XI-295 p. (Extr. de ADAM et du F.I.B.P.C. n° 3, sous la référence 14782-33-LV).
— Trenga Georges : *Les branes. Notes pour servir à une monographie des tribus berbères de la région de Fès*, A.B., 1915-1916, vol., fasc. 3, 200-18 et fasc. 4, 293-330. (Extr. de A. Adam).
— Trenga (Dr., Victor) : « *Tribus (les) de l'Est de Fez. Notice dressée par les officiers de renseignements du cercle de Fez* », l'Afr. Fr., 22, 1912, R.C., 209-17, 1 carte, 289-94. (Extr. de A. Adam).

CULTURE — RELIGION

— Bel (A.) : *Inscription arabe de Fès*. Extrait du Journal Artistique (1917-19).
— Cenival (P. de) : *La légende du juif Iber Mech'al et la fête du sultan des Tolba à Fès, Hespéris*, 1925, 2ème tr., pp. 154-159.
— El-Fasi (M.) : *Une capitale intellectuelle et religieuse*. Jeune Afrique, N° 1042, 24 déc. 1980, pp. 7-9.
— Garnier (A. et R.) : *Fès, la ville sainte*. Bibliothèque Illustrée des Voyages autour du monde, N° 82, Ed. Plon, Paris, 1899.
— Gorymoult (P.) : *L'Université de Fès et les intellectuels marocains*. Mercure de France, 15 juin 1920.
— Hajji (M.) : *L'activité intellectuelle au Maroc à l'Epoque Sàdide*, Rabat, 1977, t. II, pp. 398-440.
— Kheirallah (G.) : *The Karawyin, The oldest university of the Middle Age*, the Arab World, New-York, 1945, vol. I, n° 1, NC. (Extr. de A. Adam).
— Lambert (Elie) : *Les mosquées de type andalou en Espagne et en Afrique du Nord. Al-Andalus*, 1949, XIV, pp. 273-89, With 20 figs.
Reprinted in 1956, in his *Etudes Médiévales*, III, pp. 11-19. Reprinted in his *Etudes Médiévales*, III, pp. 11-19. (Extr. de Creswell et F.I.B.P.C. n° 1, Rabat, 1974, sous la référence 10120-49-PE).
— " : *Les vitraux de couleur musulmans et chrétiens dans les pays méditerranéens au Moyen-Age*. Bull. de la Soc. Nat. des Antiquaires de France, 1957, pp. 51-4, 1959. (Extr. du F.I.B.P.C. n° 1, Rabat, 1974, sous la référence 10118-57-PE).
— Maslow (Boris) : (*Communication on the Mérinide Minarets of Fez*). *Actes du huitième Congrès de l'institut des Hautes-Etudes Marocaines*, Rabat-Fès, 13-20 avril 1933, in *Hespéris*, XIX, p. 211, 1934. (Extr. de Creswell).
— " : *Les mosquées de Fès et du Nord du Maroc*. Publ. de l'I.H.E.M., t. XXX, Paris, 1937.
— Mazières (M. de) : *Fès, le Moussem de Sidi Ahmed El Bernoussi*. Rev. Géogr. Maroc, N° 1-2, janv.-avril 1942, pp. 45-59, phot., ill. (Extr. du F.I.B.P.C. n° 2, Rabat, 1976, sous la référence 12772-42-PE).
— Michaux-Bellaire : *Ed. Description de la ville de Fès — Archives Marocaines*, XI, pp. 252-330, With I map and 3 figs, 1907. (Documents recueillis par MM. G. Salmon et Michaux-Bellaire, à Fès, en 1906). (Extr. de Creswell).
— Montet (Edouard) : *La Maison aux treize coupes à Fès. Bull. Soc. de Géographie d'Alger*, 1923, XXVIII, pp. 182-5, with 1, illust. (Extr. de Creswell et du F.I.B.P.C. n° 1, Rabat, 1974 sous la référence 10039-23-PE).
— Mougin (R.) : *A propos de la fête des tolbas à Fès*. La Pensée Franç., 23 juin 1924, pp. 25-226.
— Nehlil : *L'université Qaraouiyine*, France-Maroc, t. 4, pp. 135-6, With 1, Illus., 1920. (Extr. de Creswell et du F.I.B.P.C. n° 1, Rabat, 1974, sous la référence 10038-20-PE).
— Peres (H.) : *La poésie à Fès sous les Almoravides et les Almohades, Hespéris*,

1934, T. 18, fasc. I, p. 9-40. (Extr. du F.I.B.P.C. n° 1, Rabat, 1974, sous la référence 11379-34-PE).

— Peretie (A.) : *Les Médersas de Fès.* Archives Marocaines, XVIII, pp. 257-372, With 7 plates and 1 plan, 1912. (Extr. de Creswell et du F.I.B.P.C. n° 1, Rabat, 1974, sous la référence 10036-12-PE).

— Ricard (Prosper) : *La grande mosquée cathédrale El-qaraouiyine, siège de l'université musulmane de Fez.* France-Maroc, t. 2, pp. 79-85, With 6 illust., 1918. (Extr. de Creswell et du F.I.B.P.C. n° 1, Rabat, 1974, sous la référence 10034-18-PE).

— Salmon (G.) : *Le Culte de Moulay Idrîs et la mosquée des Chorfa de Fès.* Archives Marocaines, III, 1905, pp. 413-29. (Extr. de A. Adam et du F.I.B.P.C. n° 1, Rabat, 1974, sous la référence 10030-05-PE).

— " : *Les Chorfa idrissides de Fès.* Archives Marocaines, 1904, T. 2, pp. 425-453, 6 tableaux généalogiques. (Extr. du F.I.B.P.C. n° 2, Rabat, 1976, sous la référence 11571-04-PE).

— " : *Les Chorfa Filala et Djilala de Fès.* Archives Marocaines, Sd., p. 97-120, tableaux généalogiques. (Extr. du F.I.B.P.C. n° 2, Rabat, 1976, sous la référence 11572-00-PE).

— Sefrioui (A.) : *Fès, Meknès, Marrakech. Trois villes saintes du Maroc.* Ed. B. Rou get, Casablanca, 1956, 110 p., photo et légendes de B. Rouget. (Extr. du F.I.B.P.C. n° 1, Rabat, 1974, sous la référence 10239-56-LV).

— " : *Le Chapelet d'ambre.* (Ed. du Seuil, Paris, 1964).

— " : *La boîte à merveilles.* (Ed. du Seuil, Paris, 1954).

— " : *Maroc.* (Ed. Hachette, Paris).

— Tarde (Alfred de) : *Fez, cité du moyen-âge.* France-Maroc, 1918, II, pp. 321-7, With 5 illus. (Extr. de Creswell et du F.I.B.P.C. n° 1, Rabat, 1974, sous la référence 10029-18-PE).

— Tazi (Abdehhadi) : *Al-Qaraouiyine, la mosquée-université de Fès : histoire architecturale et intellectuelle.* Beyrouth, 1972, 3 tomes (en arabe).

— Terrasse (Henri) : *Le jama'al-gmaïz de la mosquée d'al-Quarawiyin. Actes du Huitième congrès de l'Institut des Hautes-Etudes Marocaines,* Rabat-Fès, 13-20 avril 1933, *Hespéris,* 1934, t. 19, pp. 212-13. (Extr. du F.I.B.P.C. n° 1, Rabat, 1974, sous la référence 10027-33-SY).

— " : *La mosquée d'Al-Qarawiyin à Fès et l'art des Almoravides, Arts Orient,* 1947, t. 2, pp. 135-47, 18 planches, 3 fig. (Ext. du F.I.B.P.C. n° 1, sous la référence 10025-57-PE).

— " : *La Mosquée des Andalous à Fès,* Ed. d'Art et d'Hist., Paris, 1942, 54 p., 96 planches, 4 fig. (Extr. du F.I.B.P.C. n° 1, Rabat, 1974, sous la référence 10028-42-LV).

— " : *Une maison mérinide à Fès.* Revue Africaine N° 368-369, Alger, 1936.

— " : *La mosquée de Bou Jeloud à Fès.* AA XXIX, 1964, pp. 357-367.

— " : *La Médersa mérinide de Fès Jdid, Al-Andalus,* 1962, T. 27, n° 1, pp. 246-253, 9-13 planches. (Extr. du F.I.B.P.C. n° 1, pp. 246-253, Rabat, 1974, sous la référence 10247-62-PE).

— Terrasse (M.) : *L'architecture hispano-maghrébine et la naissance d'un nouvel art marocain à l'âge des Mérinides.* Thèse de Doctorat d'Etat, Paris, 1979.

— Torres Balbas : *La Mezquita de al-Quarawiyin de Fez y el aprovechamientos de elementos arquitectonicos califales. Al Andalus,* III, pp. 171-2, 1935. (Extr. du F.I.B.P.C. n° 1, Rabat, 1974, sous la référence 10311-35-PE).

— Touri (Abdelaziz) : *Les oratoires de quartier à Fès : essai d'une typologie.* Thèse de doctorat de 3ème cycle, Université de Paris IV, 1980 (341 p., dactyl.).

— Vicaire (M.) : *La rénovation de la musique andalouse à Fès.* Réalisation, Fév. 1936, pp. 137-138, 1 phot. (Extr. du F.I.B.P.C. n° 1, Rabat, 1974, sous la référence 12795-36-PE).

— Weisgerber (Dr. F.) : « *La ville de Fez* », *Revue franç. de l'étranger et des colonies,* Paris XXIV, 1899, 591-6, 1 carte. (Extr. de A. Adam).
— " : « *Maroc. Voyage du Dr...* ». (*Description de la Ville de Fès*). Comptes rendus des séances de la Société de Géographie, année 1899, Paris, 1900, 259-64, 1 plan. (Extr. de A. Adam).

ECONOMIE

— Allouche (I.) : *Un plan des canalisations de Fès au temps de Moulay Ismaïl d'après un texte inédit, avec une étude succincte sur la corporation des Kwadsiya. Hespéris,* 1934, T. 18, fasc. I, pp. 49-63. (Extr. de F.I.B.-P.C. n° 1, Rabat, 1974, sous la référence 10360-34-PE).
— Bahnini (A.), Lucas (G.) : *Budgets citadins à Fès, Bull. Econ. Maroc,* V, 1938, pp. 26-30, 185-189. (Extr. de A. Adam et du F.I.B.P.C. n° 3, Rabat, 1977, sous la référence 15052-38-PE).
— " : *Budgets ruraux de la région de Fès, Bull, Econ. Maroc,* VI, 1939, pp. 17-21, 1 fig. (Extr. de A. Adam et du F.I.B.P.C. n° 3, Rabat, 1977, sous la référence 15053-39-PE).
— Bel et Larribe : *La fabrication de l'huile d'olive à Fès et dans la région,* Bril. Soc. Géogr. d'Alger, 1917, pp. 121-137. (Extr. du F.I.B.P.C. n° 2, Rabat, 1976, sous la référence 12636-17-PE).
— Berque (J.) : *Etude d'histoire rurale Maghrebine.* Tanger et Fès, 1938, 212 p. (Extr. de A. Adam et du F.I.B.P.C. n° 1, Rabat, 1974, sous la référence 10957-38-LV).
— Bousquet (G.H.) : *La criée publique à Fès, étude Concrète d'un marché.* Rev. Econ. Politique, Paris, mai 1940, pp. 320-45. (Extr. de A. Adam et du F.I.B.P.C. n° 2, Rabat, 1976, sous la référence 13245-40-PE).
— Bressolette (H.) : *La grande noria et l'aqueduc du vieux Mechouar à Fès-Djedid.* 4ème congrès de la Féd. Soc. savantes de l'Afrique du Nord, Rabat, 18-20 avril 1938, T. 2, pp. 627-40 avec 6 ill. sur 5 Planches. (Extr. du F.I.B.P.C. n° 1, Rabat, 1974, sous la référence 10052-38-SY).
— Celerier (J.) : *Les Conditions géographiques du développement de Fès. Hespéris,* 1934, T. 19, fasc. 1.2, pp. 1-20. (Extr. du F.I.B.P.C. n° 3, Rabat, 1977, sous la référence 13806-34-PE).
— Colin (G.) : *L'origine des norias de Fès. Hespéris,* 1933, T. 16, fasc. 1-2, pp. 156-157. (Extr. de A. Adam et du F.I.B.P.C. n° 1, Rabat, 1974, sous la référence 11062-33-PE).
— Guessus : *Le rayonnement économique de Fès.* C. présentée au VIIIème Congrès de l'I.H.E.M., avril 1933, *Hespéris,* 1934, t. XIX, fasc. 1-2, p. 175.
— Houssel (J.B.) : *L'évolution récente de l'activité industrielle de Fès,* dans Revue de Géographie du Maroc, N° 9, Rabat, 1966, pp. 59-88.
— Jugant (P.) : *Les huileries à Fès,* B.E.M., VI, 1939, 99-104, 2 plans h.t. (Extr. de de A. Adam et du F.I.B.P.C. n° 2, Rabat, 1975, sous la référence 13264-39-PE).
— Lucas (G.) : *L'activité commerciale et industrielle à Fès,* B.E.M., III, 1936, 49-50, 129-31. (Extr. de A. Adam).
— " : *Fès dans le Maroc moderne,* I.E.H.M., collect. des Centres d'Et. Jurid. de Rabat, t. XV, Paris, 1937, 152 p., 9 phot., 4 graph., 1 carte (Extr. de A. Adam).
— Perigny (M. de) : *La Ville de Fès, son commerce et son industrie,* Fès, 1916, 170 p. (Extr. de A. Adam et du F.I.B.P.C. n° 3, Rabat, 1977, sous la référence 14578-16-LV).
— René-Leclerc (Ch.) : *Le Commerce et l'Industrie à Fès,* 8 vol. Comité du Maroc, Paris, 1905, L'Art du Bâtiment, pp. 192-7. (Extr. du F.I.B.P.C. n° 1, Rabat, 1974, sous la référence 10035-05-IV).

Décoration murale de faïence. *(Office marocain du tourisme)*

Entrée d'un salon d'un palais privé dans la Médina.
(Cl. A. Gaudio)

— René-Leclerc (Ch.) : *Fondouks,* France-Maroc, 1917. (Extr. du F.I.B.P.C. n° 1, Rabat, 1974, sous la référence 10790-17-PE).

URBANISME

— Aoustin (J.) : Cartes H.T. (Extr. du F.I.B.P.C. n° 3, Rabat, 1977, sous la référence 13591-72-LV).
— Bressolette (H.) : *Naissance et évolution d'une ville marocaine,* Fès-Jedid, *Hespéris-Tamuda,* Rabat, 1963, vol. 4, fasc. 1-2, p. 227. (Extr. du F.I.B.P.C. n° 3, Rabat, 1977, sous la référence 13753-63-PE).
— Brignon (J.) : *Découverte de Fès.* Ed. La Porte, Rabat, 1972, 141 p, 2 phot.
— Deguez (A.) : *Aspects d'un urbanisme à Fès.* Bull. Econ. Social Maroc., Vol. 25, N° 89, 1961, pp. 31, 37 phot. (Extr. du F.I.B.P.C. n° 3, Rabat, 1977, sous la référence 15494-61-PE).
— Ichter (J.P.) : *La réhabilitation de la ville ancienne de Fès dans le cadre du schéma directeur d'urbanisme de l'ensemble urbain.* Journées d'Etude des 20-21-22 juillet 1979. Association de sauvegarde de la Médina de de Mahdia, Fès.
— Martin-Chauffier (J.) : *A travers la Medina de Fès.* (Le Figaro Littéraire, Paris, 1969, N 1135, pp. 38-39).

ARTISANAT

— Baldoui (J.) : *Les arts indigènes,* Maroc, Encyclopédie coloniale et maritime, Paris, 1940, pp. 392-409. (Extr. de A. Adam et du F.I.B.P.C. n° 1, Rabat, 1974, sous la référence 10363-38-PE).
— Berque (J.) : *Deux ans d'action artisanale à Fès,* Paris, 1940, 28 p. (Extr. de questions Nord Africaines, 25 juin 1939). (Extr. de A. Adam).
— Champion (P.) : *Les artisans de Fès, France-Maroc,* Casablanca, Oct. 1924, pp. 159-161, 1 ill. (Extr. du F.I.B.P.C. n° 1, Rabat, 1974).
— Goichon (A.) : *L'Artisanat à Fès.* Renseignements coloniaux, Supplément de l'Afrique Française, 1938, pp. 7-14. (Extr. de A. Adam et du F.I.B.P.C. n° 1, Rabat, 1974, sous la référence 10384-38-PE).
— Guyot (R.), Le Tourneau (R.), Paye (L.) : *Les cordonniers de Fès. Hespéris,* 1936, fasc. 1, pp. 9-54.
— Hainaut (J.), Terrasse (H.) : *Les Arts décoratifs au Maroc,* Paris, 1925, XII, 120 p., 64 pl. h.t., ill. (Extr. de A. Adam et du F.I.B.P.C. n° 1, Rabat, 1974, sous la référence 11094-25-LV).
— Ricard (P.) : *Arts jbaliens et rifains, Rif et Jbala,* n° spécial du B.E.P.M., janv. 1926, n° 71, pp. 63-7. (Extr. de A. Adam).
— " : *Les corporations d'artisans au Maroc,* Bulletin du travail, Rabat, 1926, 1-6. (Extr. de A. Adam et du F.I.B.P.C., n° 1, Rabat, 1974, sous la référence 10534-29-PE).
— " : *Les Arts populaires arabes et berbères, L'Art vivant,* Paris, VI, 1930, 826-9, ill. (Extr. de A. Adam).
— " : *L'artisan de Fès, France-Maroc,* Casablanca, 15 sept. 1918, 273-7, 4 ill. (Extr. de A. Adam et du F.I.B.P.C. n°, Rabat, 1974, sous la référence 10536-18-PE).
— " : *Les métiers manuels à Fès, Hespéris,* IV, 1924, 2ème trim., pp. 205-24. (Extr. de A. Adam).

ARTS DU LIVRE

— Guyot (R.), Paye (L), Le Tourneau (C) : *Les relieurs de Fès. Bull. Econ. Maroc,* III, 1936, pp. 107-114, 5 phot. (Extr. de A. Adam et du F.I.B.P.C. n° 1, Rabat, 1974, sous la référence 10914-36-PE).
— Ricard (P.) : *Calligraphie et enluminure marocaines,* Publimondial, Paris, 1950, 4ème année, n° 25, 28-33, (avec trad. anglaise), 8 ill.. (Extr. de A. Adam et du F.I.B.P.C. n° 1, Rabat, 1974, sous la référence 10324-50-PE).
— " : *Art de la Reliure et de la Dorure* par Abou-el-Abbas Ahmed ben Mohamed es-Sofiani, accompagné d'un index des termes techniques établi par ..., Fès, 1919, pp. 22-28. (Extr. de A. Adam).
— " : *Reliures marocaines du XIIIème siècle.* Paris, Larose, *Hespéris,* XVII, 2ème-4ème trim. 1933. (Extr. du F.I.B.P.C. n° 1, Rabat, 1974, sous la référence 10905-33-ET).
— " : *La renaissance de la reliure à Fès.* Bull. Enseign. Publ. Maroc, sd, numéro 39, Paris, Larose, mars 1922, pp. 62-66, 2 ill. (Extr. du F.I.B.P.C. n° 1, Rabat, 1974, sous la référence 10906-22-PE).

ARMES

— Buttin (C.) : *Les Armes du Musée de Batha à Fès.* Communication au 6ème Congrès de l'Institut des Hautes Etudes Marocaines, Fès, avril 1953. (Extr. du F.I.B.P.C. n° 3, Rabat, 1977, sous la référence 13775-33-SY).
— Buttin (Ch.) : *Les poignards et les sabres marocains, Hespéris,* XXVI, 1939, 1er trim., 1-47, 10 pl. h.t. (Extr. de A. Adam et du F.I.B.P.C. n° 1, Rabat, 1974, sous la référence 11017-39-PE).
— Buttin (F.) : *Les adargues de Fès. Hespéris-Tamuda,* Rabat, 1960, XIX pl. h.t. (Extr. de A. Adam et du F.I.B.P.C. n° 1, Rabat, 1974, sous la référence 11018-60-PE).
— Vicaire (M.) : *Les Armes du Musée du Batha à Fès. Rev. Inter. d'Hist. militaire,* 1950, pp. 190-196. (Extr. du F.I.B.P.C. n° 1, Rabat, 1974, sous la référence 11025-50-PE).
— Vigy (P. de) : *Notes sur quelques armes du Musée du Dar Batha à Fès. Hespéris,* III, 1923, 2ème trim., 265-74, 5 fig. (Extr. de A. Adam).
— Zebdi (K.) : *Musée du Batha, Fès — Symbiose d'archéologie et d'histoire.* Thèse de l'Ecole du Louvre, Catalogue Scientifique, Paris, 1960. (Extr. du F.I.B.P.C. n° 3, Rabat, 1977, sous la référence 14850-60-PE).
— " : *Les Armes Marocaines et leurs accessoires,* collection René Maître, Sd, Sl. (Extr. du F.I.B.P.C. n° 3, Rabat, 1977, sous la référence 14854-00-LV).

BRODERIE

— Guyot : *La broderie de Fès,* Bull. Econ. Maroc, II, n° 10, Oct. 1935, 268-72, 4 phot. (Extr. de A. Adam).
— Goichon (A.) : *La broderie au fil d'or à Fès. Ses rapports avec la broderie de soie, ses accessoires de la passementerie. Hespéris,* XXVI, 1939, 1er trim., 49-97, 6 pl., h.t. ; 3ème trim., 241-81, 2 pl. h.t. (Extr. de A. Adam et du F.I.B.P.C. n° 1, Rabat, 1974, sous la référence 10598-39-ET).
— Jovin (J.) : *Les thèmes décoratifs des broderies marocaines — Leur caractère et leurs origines,* Chechaouan, Fès, Salé, Rabat et Meknès. *Hespéris,*

XV, 1932, fasc. 1, 11-51, 1 fig, 21 pl. h.t. ; XXI, 1935, fasc. 1, II, 149-61, 2 fig., 4 pl. h.t. (Extr. de A. Adam).
— Marcel (V.), Le Tourneau (R.) : *Les Damasquineurs de Fès.* Communication faite au 5ème congrès de la Fédération des Soc. Savantes de l'Afriq. du Nord, Tunis, 6-8 avril 1939. (Extr. du F.I.B.P.C. n° 2, Rabat, 1976, sous la référence 12755-39-SY).
— Ricard (P.) : *Le souq El-Morqtân et les broderies de Fès, France-Maroc,* I, 1917, 29-32, 9 ill. (Extr. de A. Adam).

CERAMIQUE

— Audisio (G.) : *La marqueterie de terre émaillée (mosaïque de faïence) dans l'art musulman d'Occident,* Alger, 1926, 47 p. (Bibliographie extr. de Adam).
— Bel (A.) : *Les industries céramiques à Fès,* Alger-Paris, 1918, 320 p., 226 fig. (Extr. de A. Adam).
— " : *Potiers et faïenciers de Fès, France-Maroc,* Mars 1919. (Bibliographie extr. du Fichier Index bibliographique du Patrimoine Culturel, N° 1, Rabat, 1974, sous la référence 10797-19-PE).
— Delpy (A.) : *Poteries rustiques modelées par les femmes du Nord Marocain, Cahiers des Arts et Techniques d'Afrique du Nord,* N° 7, S.T.D. Editeur, 1974.
— Delpy (A.), Ricard (P.) : *Note sur la découverte de spécimens de céramique marocaine du Moyen-Age,* Paris, Larose, *Hespéris,* XIII, 2, 1931. (Extr. des Arts traditionnels au Maroc de Sijelmassi M., 1974.
— Gandelin (J.M.) : *Les poteries des Sless* (région de Fès). Bull. Econ. soc., Maroc, XVI, 4ème trim. 1952, pp. 38-43, 22 fig. H ; Phot. 5 (F.I.B.P.C. n° 2, Rabat, 1976, sous la référence 12950-52-PE).
— Gandelin (J.M.), Labat (Mme) : *Etude sur les poteries de Sless — Exemple du travail d'artisans dans les tribus marocaines.* L'ethnographie, N° 9, N° 45, 1947-1950, 171, 7, 14 fig. (Extr. de A. Adam et du F.I.B.P.C. n° 2, Rabat, 1976, sous la référence 12704-50-PE).
— Guyot (R.), Le Tourneau (R.), Paye (L.) : *L'industrie de la poterie à Fès,* Bull. Econ. Maroc, II, N° 10, Oct. 1935, 268-72, 4 phot. (Extr. A. Adam).
— " : *Catalogue de l'exposition de céramique marocaine,* Paris, Manufacture nationale de Sèvres, décembre 1927-juin 1928.
— Herber (J.) : *Les poteries de Bahlil, Hespéris,* XXXIII, 1946, 1er-2ème tr., 83-92, 3 pl. h.t. (Extr. de A. Adam).
— " : *Technique des poteries rifaines du Zerhoun,* Paris, Larose, *Hespéris,* II, 3ème trim. 1922, 242-53, IV, Pl. h.t. (Extr. de A. Adam).
— " : *Contribution à l'étude des poteries Zaërs.* Paris, Larose, *Hespéris,* XIII, 1931, fasc. 1, 1-33, 4 pl. h.t. (Extr. de A. Adam).
— Herber (J.) : *Notes sur les poteries de Karia (Cherarga), Hespéris,* XV, 1932, fasc. II, 157-61, 2 pl. h.t. (Extr. de A. Adam).
— Jospin (Pl.) : *Les potiers de Fès.* Le courrier de Fès, 19 fév. 1955, 4 p. 25 fév. 1953, 5 p. — 3 mars 1953, 3 p. (Extr. du F.I.B.P.C. n° 2, Rabat, 1976, sous la référence 12875-53-PE).
— Marçais (G.) : *Les faïences de Fès* (Revue Africaine n° 302-303, 1919). Extr. de : *La Poterie marocaine* de Boukobza A., Casablanca, 1974).
— Ricard (P.) : *Poterie émaillée de Fès,* 1931. (Extr. de *La Poterie marocaine de Boukobza*).
— Terrasse (H.) : *Céramique hispano-maghrébine du XIIème siècle. Hespéris, XXIV,* 1937.

TANNERIE

— Guyot (R.), Le Tourneau (C.), Paye (L.) : *La corporation des tanneurs et l'industrie de la tannerie à Fès, Hespéris,* XXI, fasc. 1-2, pp. 167-240, 8 fig., 6 pl. (Extr. de A. Adam et du F.I.B.P.C. n° 1, Rabat, 1974).

— " : *L'industrie de la tannerie à Fès.* Bull. Econ. du Maroc, II, n° 9, Juillet 1935, 219-26, 5 phot., 1 plan. (Extr. de A. Adam).

TISSAGE

— Golvin (L.) : *Le « métier à la tire » des fabricants de brocarts de Fès. Hespéris,* XXXVII, 1950, 1er et 2ème trim. ; 21-52, XXIV pl. h.t. (Extr. de A. Adam).

— Goudard (J.) : *Tapis berbères des Beni Alaham (Moyen Atlas Marocain), Hespéris,* VI, 1926, 1er trim., 83-88, 5 fig. (Extr. de A. Adam et du F.I.B.P.C. n° 1, Rabat, 1974, sous la référence 11338-26-PE).

— Graber (A.) : *Un atelier pour le tissage du brocart à Fès.* Trad. Droz ; Semaine de la femme, Lausanne, 10 août 1946, 5 phot. (Extr. du F.I.B.P.C. n° 2, Rabat, 1976, sous la référence 12147-46-PE).

— Lapanne : *Les métiers à tisser de Fès, vocabulaire des termes techniques du tissage. Hespéris,* XXVII, 1940, fasc. unique, 21-92. (Extr. de A. Adam).

— Ricard (P.) : *Tapis berbères des Aït Ighezrane (Moyen Atlas marocain), Hespéris,* IV, 1926, 1er trim., 89-95, 8 fig. (Extr. de A. Adam).

— " : *Une lignée d'artisans : les Ben Chérif de Fès, Hespéris,* XXXVII, 1er-2ème trim., 11-19, 1 tabl. h.t. (Extr. de A. Adam et du F.I.B.P.C. n° 1, Rabat, 1974, sous la référence 10531-50-PE).

— " : *Procédés marocains de teintures des laines,* B.E.P.M., 70, déc. 1925, 403-28. (Extr. de A. Adam).

— Ricard (P.), Vicaire (M.) : *Corpus des tapis marocains,* T. V, fasc. 1, Serv. des Tapis Marocains, Rabat, 1950, 31 pl. en couleur. (Extr. de A. Adam).

— Vicaire (M.), Le Tourneau (R.) : *La fabrication du fil d'or à Fès, Hespéris,* T. XXIV, 1937, 1er-2ème trim., 67, 88, 5 fig., 6 phot. (Extr. de A. Adam).

— " : *L'Industrie du fil d'or au Mellah de Fès,* Bull. Econ. du Maroc, 1936, III, 185-90, 3 phot. (Extr. de A. Adam).

— Vicaire (M.), Le Tourneau (R.), Noyelle (J.) : *La technique du tissage à Fès et les moyens propres à l'améliorer,* 4ème congrès Fédér. Soc. Sav. A.N., Rabat, 1938. Alger, 1939, t. II, 885-93, 6 phot. h.t. (Extr. de A. Adam).

ANNEXE N° 1

POUR LA SAUVEGARDE DE LA VILLE DE FÈS

Appel de M. Amadou-Mahtar M'Bow
Directeur général de l'Unesco

En fondant Fès, au deuxième siècle de l'Hégire, dont nous célébrons cette année le quatorzième centenaire, Moulay Idriss Al-Azhar voulait, dans un esprit d'humilité, qu'elle soit la Cité de la Foi et du Savoir. Et, ces vertus, Fès les a incarnées, au plus haut point, tout au long de sa brillante histoire. Elle s'est toujours consacrée à la vénération de Dieu et au bonheur des hommes, en associant intimement la foi et la science, la recherche de l'utile à celle de la beauté, dans une quête de plénitude sans cesse renouvelée.

Nombreux sont les poètes qui ont chanté, à juste titre, dans des strophes saisissantes, « les beautés de la terre réunies dans Fès ».

Les sources et les ruisseaux reproduisent, a-t-on pu écrire, par leur abondance et dans leurs doux bruissements, le jaillissement des sciences auxquelles s'activent ses nombreux savants.

Symbole du génie créateur de l'Islam, de sa haute faculté intégratrice, Fès est un témoignage exemplaire de ce que des hommes, mus par la même foi et le même idéal, et venus vers elle d'horizons divers, de Kairouan ou de Cordoue, de l'Est, du Nord ou du Sud, ont pu réaliser en commun.

Lieu de rencontres et d'échanges, elle a trouvé, sur le plan urbanistique, une expression à la mesure du dessein de ses illustres fondateurs et des fonctions économiques, sociales et culturelles que son expansion et le génie de ses habitants ont fait éclore. On pourrait difficilement trouver dans l'agencement de l'ensemble de mosquées, de sanctuaires, de palais, de maisons, de caravansérails et de marchés qui la constituent, ordonnance mieux équilibrée, plus subtile ingéniosité.

L'espace urbain lui-même y a été organisé dès ses origines de manière à intégrer la cité à son environnement, et à établir, à travers l'Oued Fès, dont on ne voit souvent que les ponceaux qui la traversent, des passages réunissant les deux rives de la ville. Un système perfectionné d'ouvrages hydrauliques, de canaux et de conduites souterraines, draine les eaux usées des maisons, d'une part, et alimente la ville en eau, d'autre part. Les eaux pures aboutissent à de nombreuses fontaines ou ruissellent dans les vasques des mosquées et des médersas, donnant constamment une impression de fraîcheur et de douceur de vivre.

Réalisant une parfaite symbiose entre son site et ses fonctions, entre ses ambitions et ses moyens, Fès est ainsi depuis mille ans, et à juste titre, l'une des cités les plus prestigieuses du monde islamique.

L'Université Quaraouiyine, construite quelques décennies après la fondation de la cité, et qui demeure, avec sa mosquée, un foyer d'enseignement et de méditation, est sans doute une des premières universités du monde à avoir pu maintenir son activité pendant plus de dix siècles. Autour d'elles et de tant d'autres mosquées se sont ajoutés les sanctuaires, les célèbres médersas et les zaouias qui ont généreusement accueilli des étudiants venus de toutes les corporations de la ville et de lointaines contrées, pour vivre et travailler ensemble auprès de maîtres illustres.

C'est là qu'ont pu s'instruire, enseigner ou méditer, l'historien Ibn Khaldoun, des mathématiciens tels qu'Ibn Al-Yasamin, des scientifiques tels qu'Ach-Charif, Al-Idrissi, des linguistes, des encyclopédistes, de grands initiateurs de la vie spirituelle, comme Sidi Ahmed At-Tijani ou Sidi Abdelkader El-Fassi, et bien d'autres encore.

Au fil des siècles, l'influence et le rayonnement intellectuel de Fès ont dépassé le Maghreb. Sa tradition juridique, notamment, a pu essaimer dans l'ensemble du monde musulman, grâce à une pléiade d'érudits qui, sillonnant villes et campagnes, y ont largement diffusé le droit malékite.

Ainsi, située au carrefour des grands itinéraires intellectuels et religieux que les fameuses routes commerciales font trop souvent oublier, Fès a constitué un des nœuds d'un réseau intellectuel qui a profondément marqué la trame des relations entre diverses régions du continent africain, de l'Orient islamique et de l'Occident européen. Elle a été un des principaux foyers d'étude, par où le savoir scientifique et la réflexion fondamentale, épanouis sous l'impulsion de l'Islam, allaient stimuler et parfois même susciter un développement sans précédent des connaissances au seuil du monde moderne.

Mille ans d'histoire n'avaient ni affecté le tissu urbain, ni entamé l'homogénéité architecturale, ni même troublé l'activité intellectuelle et artistique de la ville de Fès. Il n'en va plus de même aujourd'hui. Les transformations rapides que connaissent toutes les parties du monde, et en particulier les villes anciennes, ont eu des répercussions directes sur la Cité. La pression démographique est devenue si forte que les équilibres anciens ont été rompus entre l'homme et son cadre de vie. L'action continue de rénovation entreprise spontanément par ses habitants et qui contribuait à l'embellissement permanent de Fès n'est plus assurée avec régularité.

Les changements sont devenus si importants au cours des dernières décennies que Fès risque, sous la pression de contraintes démographiques, sociales et économiques sans équivalent dans son histoire, de perdre l'originalité profonde qui en fait un des joyaux les plus purs de la culture islamique. Des ensembles d'une grande valeur architecturale se délabrent ; certaines infrastructures publiques, telles que le système d'alimentation en eau et de drainage des eaux usées, ont atteint un seuil de saturation dangereux. L'artisanat traditionnel, qui est une des sources les plus fécondes de son art, est gravement menacé. Les différents quartiers de la ville, entraînés comme par un tourbillon auquel ils ne peuvent résister, perdent peu à peu chacun sa fonction spécifique.

Fès doit être sauvée. Elle doit l'être pour ses populations dont le bien-être général est lié à sa rénovation. Elle doit l'être pour le Maroc dont elle demeure la capitale spirituelle. Elle doit l'être pour le monde islamique dont elle constitue un témoignage unique de la permanence de ses multiples apports culturels ; elle doit l'être, enfin, pour l'ensemble de la communauté internationale, car, héritage précieux pour tous les hommes, elle appartient désormais au patrimoine commun de l'humanité.

Pour sauver Fès, le gouvernement marocain déploie depuis des années des efforts d'une grande envergure. En accord et avec le concours de l'Unesco, des experts et consultants internationaux ont travaillé avec des architectes et des spécialistes en planification urbaine et des administrateurs marocains, à l'élaboration d'un « Schéma directeur » pour l'ensemble de l'agglomération de Fès. Il s'agit d'une action en profondeur, étalée sur plusieurs années, qui touche l'ensemble des structures et des installations, des fonctions et des activités de la Cité, prise dans son ensemble.

La campagne internationale que la dix-neuvième session de la Conférence générale de l'Unesco, réunie à Nairobi en novembre 1976, m'a demandé d'entreprendre en vue de la sauvegarde, de la réhabilitation et de la réanimation de Fès, entre dans le cadre de la réalisation de ce schéma. Elle répond aux mêmes préoccupations que celles qui ont conduit l'Unesco à lancer les campagnes de sauvegarde des monuments de Nubie en Haute-Egypte et au Soudan, de Venise, de Borobudur en Indonésie, de Sukhothai en Thaïlande, de Moenjodaro au Pakistan, de Carthage en Tunisie et de l'Acropole d'Athènes.

Mais c'est une campagne sans précédent, par sa nature, dans l'action de l'Unesco. C'est la première qui soit entreprise en faveur d'une ville islamique. L'action à mener constitue, par son ampleur, l'exemple d'un des défis majeurs que l'humanité doit relever pour préserver et enrichir son héritage culturel, devant les contraintes que nous impose un processus de modernisation et d'industrialisation accélérées. Ce défi est à la hauteur des capacités et de l'imagination de l'homme.

Voilà pourquoi, du site de cette terre qui est par excellence celle de l'homme et de sa quête de l'Absolu, je lance aujourd'hui un appel solennel à la solidarité internationale.

J'invite les gouvernements de tous les Etats membres de l'Unesco, les organisations internationales, gouvernementales et non gouvernementales, les institutions publiques et privées, les organismes de financement, les peuples des différentes nations, à participer par des contributions volontaires de toute nature à la Campagne de sauvegarde, de réhabilitation et de réanimation de la ville de Fès.

J'invite les commissions nationales pour l'Unesco, et toutes les bonnes volontés, à constituer, au niveau de chaque Etat membre, un comité national destiné à sensibiliser l'opinion aux problèmes de Fès et à recueillir les concours nécessaires.

J'invite les musées, les galeries d'art, les bibliothèques, à consacrer à la ville de Fès des expositions et des manifestations dont le produit serait versé au fonds de sauvegarde, de réhabilitation et de réanimation de Fès.

J'invite tous les intellectuels, artistes et écrivains, ulémas et juristes, historiens et sociologues, ainsi que tous ceux qui ont pour mission d'informer, journalistes, chroniqueurs, professionnels de la presse, de la radio, de la télévision, du cinéma, à contribuer à sensibiliser le public de tous les pays aux problèmes de Fès et à l'inciter à contribuer à sa sauvegarde.

J'invite tous ceux qui visitent la cité de Fès et ceux qui, sans l'avoir fait, connaissent son apport au patrimoine culturel mondial, à participer, chacun selon ses possibilités, aux efforts entrepris pour sa sauvegarde, sa réhabilitation et sa réanimation.

J'invite tous les Marocains, où qu'ils se trouvent dans le monde, à apporter leur concours au succès de la Campagne de sauvegarde, de réhabilitation et de réanimation de Fès.

Je forme l'espoir que les contributions soient à la mesure de la vaste tâche à entreprendre et qu'elles permettent de conserver, pour toujours, l'un des environnements urbains les plus harmonieux que l'homme ait créés, en même temps que de préserver, pour le bonheur de ceux qui l'habitent et de ceux qui la visiteront, son âme collective, qui, depuis plus de onze siècles, porte le plus actuel des messages : celui de la solidarité et de la fraternité de tous les hommes.

Amadou-Mahtar M'Bow

Fès, le 23 joumada I 1400
9 avril 1980

ANNEXE N° 2

LES DIRECTIVES ESSENTIELLES
ETABLIES PAR LE
SCHEMA DIRECTEUR D'URBANISME DE LA VILLE DE FÈS

(Ministère de l'habitat et de l'aménagement du territoire, Délégation régionale de Fès, avec la collaboration du PNUD, de l'UNESCO et du Département de la coopération technique pour le développement des Nations-Unies) Paris, 1980.

(Extrait des volumes 2, 4 et 7 du Schéma directeur)

I. B.1.2. — FES COMME MODELE D'URBANISME MUSULMAN

Fès apparaît comme un exemple remarquable de cité à *croissance spontanée.* Ceci n'exclut pas une série d'interventions urbanistiques autoritaires, comme le choix du site par les Idrissides, les fondations successives (rive droite, 789 après J.-C. - rive gauche, 809 - Fès-Jdid, 1276), la domestication de l'Oued Fès, la construction d'une enceinte commune aux établissements de chaque rive (par le Zénète Dounas à la fin du Xe siècle), ou la suppression des murs les séparant (par l'Almoravide Youssef Ben Tachfîn à la fin du XIe siècle) ou encore l'édification de bâtiments prestigieux commandités par les Sultans (en particulier les médersas mérinides construites de 1280 à 1357).

Pourtant, la Ville Ancienne n'est pas bâtie selon un schéma préétabli ; elle suit de près les contraintes d'une topographie tourmentée, et la séparation Fès-Jdid/Médina a permis à celle-ci de se développer plus librement, en excluant ou en contrebalançant les organes de décision et l'administration du pouvoir central.

L'unité architecturale frappante du cadre bâti historique n'est donc pas le résultat d'une planification générale et systématique, mais plutôt l'expression d'une culture citadine projetant et adaptant dans un espace donné ses traditions en matière d'urbanisme ; l'urbanisme collectif qui a créé Fès telle qu'elle nous est parvenue, n'a rien de vague ou d'irrationnel. On y retrouve les caractéristiques communes à toutes les villes islamiques, avec des variantes qu'imposent les conditions locales ; la Chari'a, cet ensemble de dispositions légales, détermine profondément le cadre de la vie sociale et familiale ; elle règle par exemple la participation au régime de l'eau (inséparable de la propriété foncière), elle organise la propriété individuelle (la maison, par exemple) comme participation à un organisme collectif : LA CITE.

Trois principes essentiels de cet urbanisme sont illustrés avec une grande clarté à Fès : la séparation des domaines privés et publics, l'association des activités religieuses et commerciales, et la structure cellulaire.

- *La séparation des domaines privés et publics*

La séparation est nette entre les zones commerçantes et productives et les zones d'habitation ; la conception traditionnelle de la famille définit, en effet, la vie publique et professionnelle (la rue) comme le domaine de l'homme, tandis que la vie familiale (la maison) est le domaine de la femme. Dans le tissu urbain, le réseau primaire concentre ou attire le commerce et la production, mais le réseau tertiaire, souvent constitué d'impasses, doit être considéré comme un corridor, un prolongement de la maison, donc un espace de transition privé, réservé aux habitants d'une même unité de voisinage et à ceux qui la servent (portefaix, vendeurs ambulants, collecteurs d'ordures, etc.). Les maisons ont donc tendance à s'écarter des voies primaires ou secondaires ou au moins à ne pas ouvrir sur elles, alors que les locaux à usage industriel et commercial recherchent une desserte optimale, pour des raisons évidentes de communications et d'achalandages.

- *L'association des activités sociales*

Les souk-s voisinent avec les lieux de culte ; c'est qu'en Islam, il n'y a pas contradiction ou incompatibilité entre l'activité lucrative et le culte. Il y a au contraire rapprochement favorisé des deux domaines pour faciliter la pratique religieuse - et assurer l'entretien des lieux de culte par le système des habous. La mosquée est le lieu où les citadins se rencontrent en dehors de tout contexte professionnel et en dehors de toute distinction sociale ; ils ne sont alors que les membres de l'Oumma, de la communauté des croyants de tous lieux et de tous temps.

Pour le bon fonctionnement des institutions urbaines et pour l'entretien du cadre qui les abritait, l'organisation des solidarités entre certains groupes de citadins avait l'avantage de réduire au minimum les interventions gouvernementales dans la vie urbaine ; c'est le cas des corporations professionnelles de commerçants et d'artisans, des conseils de notables qui défendaient les intérêts de chaque quartier et pouvaient à l'occasion se concerter, des Ouléma-s et du Qadi suprême qui contrebalançaient le pouvoir du 'amel (ou gouverneur) et du Sultan.

A travers ces solidarités urbaines, auxquelles participent, à un autre niveau, les confréries religieuses, on retrouve la chari'a qui garantit le caractère inviolable du domaine personnel, mais exige l'intégration de chacun dans la communauté, en définissant les règles d'entraide, de politesse et de bon voisinage, même dans le domaine architectural où *solidarité et discrétion* sont deux règles fondamentales. L'espace urbain, apparemment irrégulier, est en réalité organisé de manière à garantir la plus grande indépendance de l'individu, ou plus exactement de la famille, tout en l'intégrant dans un cercle collectif parfaitement homogène. C'est à cela que sert la structure cellulaire.

- *La structure cellulaire*

Le cadre bâti historique reflète très précisément les solidarités et la vie communautaire ; l'élément de base est la cellule, qui peut être une pièce d'habitation (bît), un oratoire, une boutique, un atelier...

En règle générale, ces cellules se regroupent et sont inscrites dans une clôture ; le regroupement se fait souvent autour d'une cour (maisons, lieux de culte, souks) mais aussi linéairement (moulins le long des oueds, boutiques formant les marchés spécialisés ou les marchés de quartier...). La clôture peut donc être le mur aveugle de la maison ou de la mosquée, mais aussi les ensembles fermés par des portes et délimitant certains souks ou certains grands sanctuaires et leurs annexes (écoles coraniques, chambres d'ablutions, mosquée des morts, bibliothèque, etc.).

Le fait remarquable est :

— D'une part, la répétition de ce système à différents niveaux : chambres organisées autour d'une cour et constituant la maison, maisons formant par regroupement des unités de voisinage (closes par des portes), unités de voisinage formant des quartiers (eux-mêmes clos autrefois et englobant les équipements de base nécessaires), zones soukières entières closes comme la Qiçariya, ensembles de quartiers formant les qsma-s, portes avec leurs espaces de transition jusqu'aux limites du cadre bâti historique, ou encore la Ville Ancienne tout entière et son enceinte fortifiée.

— D'autre part, la multifonctionnalité des espaces et l'interpénétration ou la superposition possible des cellules au sein d'ensembles groupant plusieurs activités. C'est un fait remarquable dans certains fondouks qui peuvent grouper six fonctions clairement délimitées dans un même bâtiment (écurie, hôtellerie, artisanat, commerce, vente à l'encans et entrepôts). A un autre niveau, une salle de maison privée peut servir tour à tour de lieu de réception, de salle à manger, de chambre à coucher, etc. Cette structure cellulaire permet, au niveau global, les divisions fonctionnelles sans détruire l'homogénéité et la continuité de la trame, sans mettre en cause la séparation voulue entre la vie publique et la vie privée, en prévoyant, en particulier, une accessibilité différente à chaque domaine.

Autonomie et cohésion sont particulièrement remarquables dans l'aire centrale où toutes les fonctions urbaines sont réunies, dans des espaces distincts mais communiquant entre eux ; l'autonomie des cellules permet l'épanouissement des activités collectives au sein d'une communauté qui ignore l'opposition entre le sacré et le profane et traduit cette unité par une utilisation multifonctionnelle de tout espace. Ainsi, autrefois, la mosquée était-elle à la fois oratoire, tribunal, salle de cours, lieu de réunion et espace de détente.

Cette économie de l'espace est une des qualités qui a permis à la ville de Fès de connaître l'épanouissement des formes architecturales et des relations sociales qui font d'elle *un modèle d'urbanisme arabo-musulman.*

Critères de la protection des monuments historiques

Dans quelle mesure et selon quels critères le patrimoine architectural de la Médina doit-il être préservé ? La réponse à cette question est simple : une œuvre d'art est-elle qualitativement irremplaçable ? Si oui, il faut la préserver, tout le reste n'étant qu'une question de moyens. Tout le monde conviendra qu'une architecture comme, par exemple, celle de la grande Mosquée El-Qaraouiyine ou de sa sœur, la Mosquée des Andalous, dont la fondation remonte au IXe siècle, de même que les médersas Attarine, Sahrij et Bou-Ananiya, qui marquent l'apogée de l'art mérinide à Fès, doivent être conservées, quel qu'en soit le prix. La destruction de l'un ou de l'autre de ces édifices - qui ne sont pas les seuls de cette qualité que Fès comporte - serait en fait irréparable ; elle n'affecterait pas seulement le milieu marocain. A ce niveau de qualité, on est en droit de parler d'un patrimoine culturel appartenant à l'humanité entière et dont la disparition équivaudrait à un appauvrissement de la conscience historique.

Le même raisonnement s'applique, d'une manière plus indirecte mais non moins rigoureuse, aux édifices qui, sans être uniques dans leur genre, font partie d'un complexe urbain de haute qualité. Tel est le cas, notamment, des médersas et autres édifices satellites dépendants d'une grande mosquée. Tout le cadre urbain fonctionnellement rattaché à quelque édifice de haute qualité participe de son importance et de son caractère unique : on ne saurait détruire ce cadre sans porter préjudice à l'œuvre architecturale qui en est le centre. A la limite, toute l'ambiance urbaine, dans la mesure où elle revêt un caractère unique - ce qui est bien le cas de la cité de Fès - est à protéger. Cet impératif existe a priori, et il faudra toujours s'y référer même si, dans la pratique, la protection de toute l'ambiance urbaine doit avoir un caractère élastique résultant à la fois des exigences évolutives et de la reconnaissance des valeurs urbaines à conserver.

Dans ce contexte, il ne suffira pas de respecter l'ancienneté des monuments, car l'urbanisme traditionnel a su parfaitement intégrer certaines constructions relativement récentes, comme par exemple, le sanctuaire de Sidi Ahmed Tijani, dans le quartier de Blida, sanctuaire qui date du XIXe siècle seulement, mais qui fait désormais partie de la topographie spirituelle de Fès.

Enfin, de même qu'un monument historique supporte mal d'être dépouillé de son entourage original, on ne saurait le priver de sa fonction sans le vouer à une existence purement de musée, avec tout ce que cela comporte de fragilité, ce qui revient à dire que la préservation optimale d'un édifice historique est celle qui ne se limite pas à la restauration et à l'entretien physique, mais qui réussit à réhabiliter cet édifice et à l'insérer dans l'organisme vivant de la cité.

La Médina de Fès est protégée dans son ensemble par un arrêt viziriel du 22 avril 1923, arrêt qui fut complété par le dahir du 21 juillet 1945 relatif à la « conservation des monuments historiques et des sites ». Selon ces ordonnances toujours en vigueur, aucun élément architectural étranger au style traditionnel de l'ancienne ville ne doit y être introduit, et rien ne doit être changé dans la physionomie architecturale de la ville sans l'autorisation formelle du Ministère de l'éducation publique, remplacé plus tard par le Ministère des affaires culturelles que représente sur place l'inspecteur des Monuments Historiques. A cette protection globale de l'ancienne ville s'ajoute le « classement » comme « monuments historiques » de quelques-uns des principaux sanctuaires et médersas, ainsi que la délimitation d'une zone *non aedificandi* en dehors des remparts et d'une zone *non altius tollendi* à l'intérieur de ces derniers.

Cette disposition juridique s'est avérée insuffisante à la fois par son caractère trop figé, qui ne distingue pas entre différents degrés d'importance monumentale, et parce qu'elle ne reconnaît pas les traits essentiels de l'urbanisme traditionnel, les deux choses allant d'ailleurs de pair. Plus particulièrement, les ordonnances mentionnées ne tiennent pas compte du fait que l'essentiel de l'art fassi réside, non pas dans les rares décors de façade,

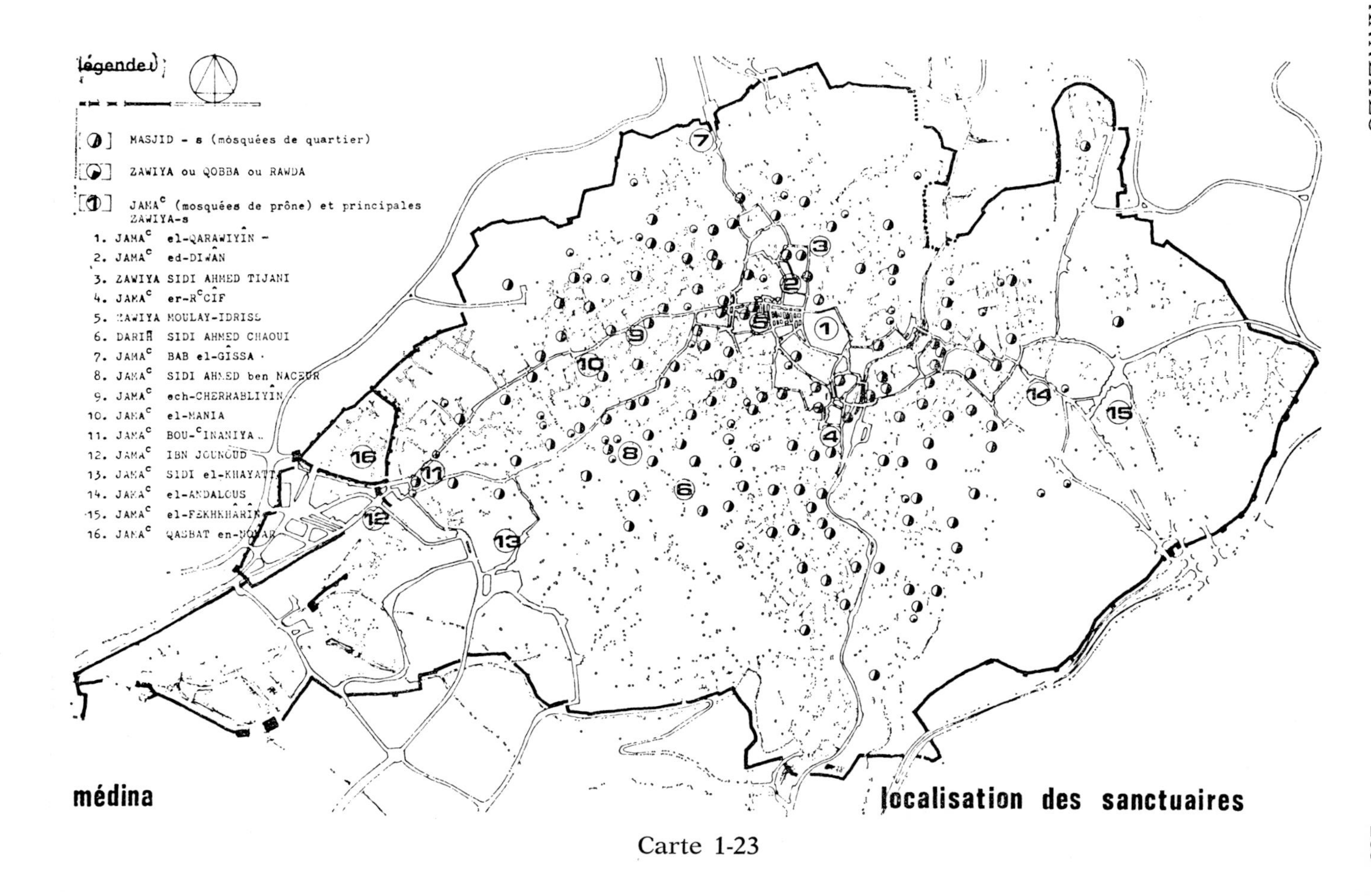
légende
MASJID - s (mosquées de quartier)
ZAWIYA ou QOBBA ou RAWDA
JAMA^{c} (mosquées de prône) et principales ZAWIYA-s
1. JAMA^{c} el-QARAWIYIN -
2. JAMA^{c} ed-DIWAN
3. ZAWIYA SIDI AHMED TIJANI
4. JAMA^{c} er-R^{c}CIF
5. ZAWIYA MOULAY-IDRISS
6. DARIH SIDI AHMED CHAOUI
7. JAMA^{c} BAB el-GISSA
8. JAMA^{c} SIDI AHMED ben NACEUR
9. JAMA^{c} ech-CHERRABLIYIN
10. JAMA^{c} el-MANIA
11. JAMA^{c} BOU-^{c}INANIYA
12. JAMA^{c} IBN JOUNOUD
13. JAMA^{c} SIDI el-KHAYAT
14. JAMA^{c} el-ANDALOUS
15. JAMA^{c} el-FEKHKHARIN
16. JAMA^{c} QASBAT en-
1
2
3
4
5
6
7
8
9
10
11
12
13
14
15
16
médina
localisation des sanctuaires

Carte 1-23

mais dans le façonnement des espaces intérieurs. De ce fait, l'érosion interne des belles demeures de l'ancienne ville a pu se produire en dépit des lois.

I. B.1.3. — LE CADRE BATI HISTORIQUE (LES INVENTAIRES)

La connaissance du patrimoine immobilier existant doit être la base de tous les programmes d'intervention et de planification.

A Fès, à part quelques monuments classés et relevés par le Service des Monuments Historiques, cette connaissance était pratiquement inexistante. Pour combler cette lacune, un travail d'enquête a été mis en route sous la forme d'inventaires ayant pour but de :

— Documenter la consistance et la valeur historique et artistique du patrimoine monumental et culturel.
— Evaluer les conditions actuelles du bâti historique, son utilisation présente et les dangers qui le menacent.
— Evaluer les possibilités que ces bâtiments et structures offrent d'être réaménagés en fonction des besoins des habitants actuels.
— Justifier du type d'intervention nécessaire.

La totalité du cadre bâti doit être classifié selon un certain nombre de thèmes qui, sans être exhaustifs, recouvrent les plus importantes catégories d'espaces abritant les fonctions urbaines essentielles.

Ces thèmes, auxquels correspondent autant d'inventaires, sont les suivants :

a) Les sanctuaires et les médersas.
b) Les fondouk-s et les autres locaux à usage industriel et commercial.
c) Les maisons et les palais.
d) Le système de l'eau traditionnel.
e) Les espaces verts intra-muros.
f) Le paysage urbain (rues, places, souks, derbs, etc.).
g) Les remparts, les forteresses et les zones qui leur sont fonctionnellement ou visuellement liés.

Les structures sont inventoriées en trois étapes :

1. - La localisation cartographique, fondée sur le P.O.S. et l'enquête sur le terrain - pour certaines structures, l'enquête est exhaustive.
2. - La documentation : chaque structure fait l'objet d'une fiche d'inventaire dont les rubriques essentielles sont l'identification, la description, l'évaluation, l'utilisation (passée et présente) et éventuellement, la couverture photographique et le relevé.
3. - L'évaluation globale par catégories inventoriées pour une classification :
   - D'une part, quelles sont les structures qui justifient une décision d'intervention.
   - D'autre part, le choix des structures devant faire l'objet d'une protection particulière.
     Soit le classement au titre de monument historique.
     Soit la protection (inscription à l'inventaine supplémentaire).

a) *Les sanctuaires et les médersa-s* (cf. Carte 1-23).

Les sanctuaires

Cet inventaire concerne trois catégories d'édifices pouvant grouper plusieurs fonctions religieuses dans le même bâtiment.

— Les mosquées : Masjids (mosquées ordinaires) et Jama'-s (mosquées cathédrales ou mosquées du vendredi). Ce sont les lieux de culte prescrits et communs.

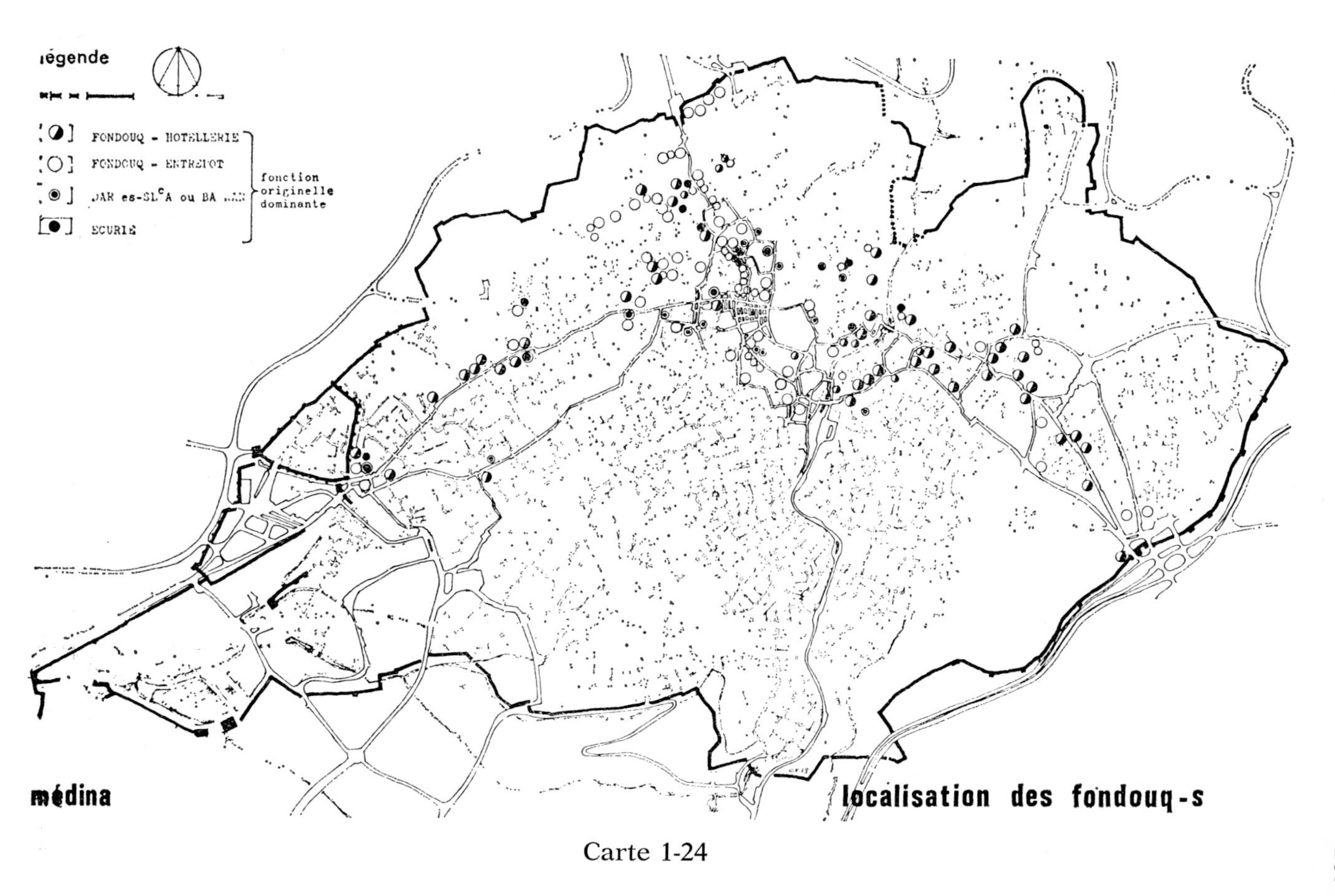
légende
FONDOUQ - HOTELLERIE
FONDOUQ - ENTREPOT
ECURIE
fonction originelle dominante
médina
localisation des fondouq-s

Carte 1-24

— Les Zawiyas, lieux de réunion d'une confrérie religieuse, elles ont un caractère plus ou moins exclusif, mais sont parfois utilisées pour le culte commun.

— Les mausolées (qoubbas, darihs) toujours pourvues d'un oratoire et constituant souvent le cœur même d'une Zawiya quand celle-ci est bâtie autour du tombeau d'un fondateur de confrérie.

Outre les objectifs précités, l'inventaire raisonné de 200 structures entrant dans ces catégories, permet d'avoir une vue d'ensemble des institutions religieuses de la ville.

Un premier constat est la régularité frappante de la distribution de ces structures dans l'espace. Si, autour des sanctuaires possédant un minaret, on trace des cercles correspondant à la portée maximale de la voix du muezzin (65 à 75 mètres), cette mesure acoustique semble être à la base d'une subdivision des quartiers de la Médina (à l'exception des zones périphériques qui étaient autrefois des espaces verts ou des terrains libres). Ceci n'a rien d'étonnant, car n'est-ce pas l'appel du muezzin qui ponctue le rythme de la vie urbaine ?

Les médersas

Les sept médersas mérinides de Fès, bien documentées depuis 1914, comptent parmi les rares monuments à avoir été classés au titre de « monuments historiques ». L'inventaire s'est donc surtout attaché à évaluer les dangers qui menacent leur conservation ; deux médersas sont fermées, abandonnées et menacent de tomber en ruines, une autre est complètement ruinée ; la restauration en cours des quatre madaris actuellement ouvertes au public se fait selon des critères contestables.

b) *Les fondouks et les autres locaux à usage industriel et commercial*

Les fondouks (cf. Carte 1-24).

L'inventaire des fondouk-s est exhaustif. Il concerne des bâtiments pouvant grouper cinq fonctions : écurie, hôtellerie, entrepôt, ateliers, maison de commerce de gros (y compris les bazars), criées.

Ces structures sont relativement grandes consommatrices d'espace, ont des fonctions économiques importantes et sont souvent des bâtiments anciens et de valeur placés sur ou à proximité immédiate du réseau primaire.

Une première évaluation permet de distinguer *trois* groupes entre lesquels se partagent les trois grandes catégories de fondouks (environ 25 fondouks hôtellerie, 70 fondouks entrepôts, et une centaine de maisons de gros, y compris les bazars).

1. - Les fondouks qui participent toujours des circuits économiques mais qui sont très dégradés ou sous-utilisés (manque d'entretien, utilisateurs trop nombreux, habitants ou artisans).
2. - Les fondouks ayant entièrement changé de fonctions, avec parfois des transformations importantes ; c'est le cas des maisons transformées en bazars, des fondouks devenus banques, cinémas, pharmacies, asiles, logements principaux...
3. - Les fondouk-s abandonnés et souvent en ruines - une enquête sur leur état foncier a été complétée par des propositions pour la réutilisation possible de l'espace qu'ils occupent.

L'enquête a montré qu'au niveau global, les fondouks étaient menacés de diverses façons, mais que leur état actuel était toujours dû à une perte de

Fontaine d'un patio dans la Médina. *(Cl. A. Gaudio)*

Sur la page suivante, une ruelle dans la Médina. *(Cl. A. Gaudio)*

fonction relative, à la pression des circuits économiques en transformation et à celle de l'artisanat demandeur d'espace.

Enfin, l'inventaire a permis de préciser comment les fondouk-s se répartissaient le long des voies de communication, allant des portes de Bou-Jloud, El-Guissa et Ftouh, vers l'aire centrale, où se groupent les principaux dépôts, les maisons de commerce de gros, et où ont lieu les principales criées.

Le caractère exhaustif de l'inventaire a permis de préciser, pour les 195 structures visitées, celles qui doivent faire l'objet d'une protection spéciale (classement au titre de « monument historique » ou inscription à l'inventaire supplémentaire) ; elles ont été plus spécialement étudiées (relevés, couverture photographique, description détaillée, etc.).

Les autres locaux à usage industriel et commercial

Des bâtiments non inclus dans les inventaires classiques devaient être pris en compte à Fès ; certains ateliers menacés de disparaître à très court terme (forges, pressoirs à olives, drez-s de tisserands, moulins à broyer les émaux utilisés par les potiers, fabricants de roues de moulins, ateliers de cordonnerie et de fabrication de babouches, ateliers de différentes catégories de menuisiers) [1].

Il fallait également, au niveau des quartiers, proposer une protection spéciale pour certaines écuries, certains moulins et certains fours de boulangers. Enfin, au niveau global, des fours (des potiers, des briquetiers, des fabricants de carreaux de terre cuite émaillée), des abattoirs, des tanneries, des aires soukières, certaines boutiques (coiffeurs, gargotiers, etc.) la Makina... devraient également être considérés comme irremplaçables [2].

c) *Les maisons et les palais*

La Ville Ancienne groupait environ 5 300 maisons au début du siècle. Aujourd'hui, le cadre bâti intra-muros en contient le double. L'inventaire n'est donc pas exhaustif ; il concerne 200 bâtiments qui, rapportés à la typologie de l'habitat traditionnel, sont représentatifs des différentes époques de l'architecture privée fassie.

Pour corriger les oublis possibles, une carte délimite clairement toutes les zones bâties intra-muros avant 1930, celles où toute intervention urbanistique devra être précédée d'une visite et d'une analyse de toutes les structures concernées. Les cartes de localisation des sites et des structures, établies pour chaque quartier dans le cadre du Plan de Protection de la Ville Ancienne, doivent servir à canaliser les initiatives urbanistiques.

L'évaluation de la valeur des maisons et des palais se fonde, outre la typologie, sur une étude détaillée des techniques traditionnelles de l'architecture et du décor à Fès et sur une étude des éléments structurants de l'espace urbain.

L'inventaire comprend essentiellement :
— Les maisons à cours intérieures.
— Les jardins intégrés dans une demeure (Riyad-s).
— Les demeures luxueuses et les palais.

(1) Ces ateliers anciens peuvent se superposer en étages autour d'un grand puits de lumière (par exemple les Draz-s du derb el-Touil).
(2) L'optique générale d'un tel inventaire n'est pas de faire de Fès une ville-musée ; il s'agit surtout de pallier au plus pressé et de préparer la création d'un conservatoire des Arts et Métiers traditionnels.

L'enquête a montré que, au moins dans les quartiers d'habitation anciens proches de l'aire centrale, la diffusion des maisons principales possédant des annexes (dar-ed-diaf, masriya, écuries) est telle que, à la limite, il est inexact de limiter l'espace vital traditionnel d'une famille à la maison à cour intérieure autour de laquelle s'ordonnent deux à quatre corps de logis. Les annexes peuvent doubler l'espace occupé apparemment par une seule famille. A beaucoup de maisons, il faudrait rapporter aussi les jardins (parfois contigus, parfois très éloignés et occupés par une « maison de campagne », mais toujours dans le périmètre intra-muros et appartenant en propre à une famille).

L'enquête a aussi mis en relief l'indéniable avantage des demeures traditionnelles de Fès sur le bâti récent intra-muros, le caractère unique de l'ensemble et la nécessité de le protéger.

d) *Le système de l'eau traditionnel*

Bien que considéré comme partie intégrante du patrimoine culturel de Fès, ce système est actuellement peu protégé ; seuls les trois ponts sur l'Oued-Bou-Kherareb (Sidi-El-'Awwad, Khrachfiyîn et Bin-El-Moudoun) sont inscrits au titre de « monuments historiques » et sont administrés par la municipalité. Leur conservation est une contrainte à tout projet d'aménagement futur de l'Oued. A l'extérieur des remparts, les ponts et les aqueducs ne sont pas protégés formellement.

L'essentiel en cette matière a été exposé dans la section relative à l'infrastructure. On peut ajouter toutefois que les inventaires proposent au classement ou à la protection une vingtaine de fontaines publiques, des hammams, des salles d'ablutions annexées à des lieux de culte, des répartiteurs et des manèges élévatoires (noriahs) ; du système de l'eau traditionnel dépendent également des locaux industriels qui doivent être protégés.

e) *Les espaces verts intra-muros*

Grâce à la lecture des photos aériennes, tous les espaces verts intra-muros ont pu être répertoriés et localisés sur une carte. Ils comprennent :
— Les cimetières et les raoudas.
— Les vergers et les grands jardins qui restent.
— Les ryads ou jardins intégrés dans les maisons.
— Les arbres isolés.

Les espaces verts sont tout ce qui reste des jardins et des plantations qui faisaient jadis l'attrait et la gloire de la ville. Ils méritent donc d'être respectés et protégés *dans leur totalité.*

f) *Le paysage urbain*

Ces espaces urbains signalés comme devant être l'objet de mesures spéciales sont, soit des tronçons de voies primaires (en particulier les linéaires soukiers), soit des tronçons de voies secondaires (comme des carrefours où se concentrent les équipements de quartiers) ou encore des voies du réseau tertiaire (certains derb-s particulièrement remarquables par leur caractère représentatif de l'âme de la cité : le Derb Sba' Louyât par exemple).

Ponctuellement, les cartes localisent également environ 360 points relevés et photographiés au cours d'une enquête-analyse; ce sont autant d'éléments caractéristiques du paysage urbain. Cette enquête peut servir à l'élaboration d'un catalogue des solutions architecturales et décoratives qui structurent ce paysage.

g) *Les remparts, les forteresses et les zones qui leur sont fonctionnellement reliées.*

L'enquête porte sur l'état actuel des remparts et des zones qui leur sont fonctionnellement et visuellement liées. L'ensemble a fait l'objet d'un dahir de protection dès 1914 et le constat est que, pour les remparts proprement dits, la protection a été réellement efficace. L'analyse a donc plutôt porté sur la fonction et le rôle actuel et futur de cet ensemble, qui peut apparaître de prime abord comme une entrave au développement et à la désagrégation de la Ville Ancienne. Mais c'est aussi une limite claire empêchant l'urbanisation incontrôlée, en concentrant aux portes les problèmes de l'aménagement des points de rupture de charge ; ces points critiques ont été analysés et, pour les zones non aedificandi et non altius tollendi, l'effort apporté sur les modifications à apporter à la définition de ces zones, sur le problème de leur gestion et de leur entretien.

Conclusions - Dangers et possibilités

En général, *toutes les structures inventoriées* (sauf un certain nombre de mosquées) se trouvent dans un état plus ou moins avancé de *dégradation physique.*

Cette dégradation a des causes multiples :

— Le vieillissement des matériaux et l'absence d'entretien.
— La perte de fonction ou la reconversion à une fonction incompatible avec la structure.
— La surexploitation des espaces.
— La position de la structure dans le tissu urbain en transformation, surtout dans les zones de contact entre le cadre bâti historique et le cadre bâti récent, entre la circulation piétonnière et la pénétration des transports motorisés.

• *Les dangers*

Chaque ensemble de structures inventorié est différemment menacé.

— Les sanctuaires et médersa-s. La plupart des sanctuaires sont sauvegardés par les soins de l'administration des Habous, mais bien des bâtiments tombés en ruine prouvent que les donations qui les concernent peuvent s'épuiser. D'autre part, le point de vue qui commande les rénovations faites par l'administration des Habous n'est pas à tous points de vue identique à celui qui devrait présider à la préservation d'un patrimoine culturel irremplaçable.
— Les fondouk-s. Ils connaissent souvent une perte de fonction relative, due aux transformations récentes du commerce et à la disparition progressive de certains besoins. Les locaux libérés peuvent alors être utilisés d'une façon menaçant le bâtiment, en particulier quand ils deviennent des entrepôts de produits inflammables comme la colle, ou quand on y fait sécher des fibres synthétiques... Face à ce danger, les pressions dues à l'artisanat et à la manufacture peuvent être plus aisément dirigées.

Dans beaucoup de locaux à usage industriel ou commercial, on distinguera les dangers encourus par les bâtiments eux-mêmes (absence de raccordement aux égoûts, impossibilité d'accéder parfois aux terrasses, qui ne permettent pas un entretien minimum) et les dangers menaçant les utilisateurs de ces locaux (éclairage défectueux, aération insuffisante, cages d'escaliers dangereuses, promiscuité, humidité).

— Le système de l'eau traditionnel. L'équipement progressif des bâtiments anciens en eau de la régie a pu accélérer l'abandon du système d'adduction en eau de rivière dans certaines parties de la Ville Ancienne.
— Les remparts. Les dispositions légales protégeant le système et les zones qui sont fonctionnellement ou visuellement liées ont été enfreintes à maintes reprises ; de nouvelles portes ont été aménagées, les zones non aedificandi et non altius tollendi ont été localement bâties.
— Les maisons. La fonction d'habitat dominante en Ville Ancienne a fait l'objet, pour ce qui est des contraintes et des tendances dangereuses, d'une analyse détaillée. Pour ce qui est des maisons inventoriées, on peut noter qu'en général :
  . La protection par les lois existantes est illusoire et inefficace : les textes ne protègent que les parties extérieures et souvent sans grand intérêt. N'échappent à la tendance générale que quelques bâtiments inscrits au titre de « monuments historiques » et administrés par les ministères, et ceux occupés par des utilisateurs disposant des moyens et désireux de les entretenir.
  . La dégradation rapide des grands palais désertés par leurs propriétaires, restés vides, et qui n'ont pas été acquis par un ministère ou par la municipalité.
  . La disparition progressive des jardins intégrés aux grandes maisons et des pavillons dans ces jardins.

• *Les possibilités*

On a cherché à évaluer les possibilités de structures historiques à s'adapter aux besoins actuels des habitants tout en gardant leurs caractéristiques architecturales essentielles.

Cette adaptation passe parfois par une *reconversion fonctionnelle.* Beaucoup de structures, en particulier les fondouks et certaines grandes maisons abandonnées, peuvent être considérés comme des « contenants historiques »[3] pouvant abriter dans un cadre architectural de grande valeur, et au prix de certains réaménagements, les fonctions et les équipements nouveaux dont la Ville Ancienne fait défaut (écoles, dispensaires, centres de quartier, maisons de jeunes, administration, etc.).

La grille de localisation des équipements nouveaux doit donc être superposée à la trame des structures à protéger, pour voir dans quelle mesure les deux peuvent être amenés à coïncider : en règle générale, la réhabilitation d'un bâtiment existant pour abriter des équipements nouveaux *devrait avoir la priorité* sur tout programme de constructions nouvelles.

Valeur et rang du patrimoine artistique de Fès

L'art maghrébin a connu trois principales phases créatrices, qui correspondent aux trois empires almoravide, almohade et mérinide, dont les deux premiers ont eu leur centre politique à Marrakech, tandis que les rois mérinides résidaient à Fès même. Les œuvres de l'époque almoravide et almohade ne manquent pas à Fès ; la grande Mosquée El-Qaraouiyine comporte une partie centrale qui est peut-être l'œuvre almoravide la plus parfaite que l'on connaisse. L'art almohade également est présent dans beaucoup de sanctuaires de la ville, mais c'est l'activité édilique des souverains mérinides qui a le plus

(3) Selon le terme employé pour la réhabilitation du centre historique de Bologne.

fortement marqué la Médina de Fès, y compris Fès-Jdid, la ville royale fondée par ces mêmes souverains. Précisons toutefois qu'aucune de ces trois phases créatrices de l'art maghrébin n'a réagi contre une phase précédente à la manière de la « Renaissance » européenne, qui a rejeté les normes artistiques du Moyen-Age ; dans l'art maghrébin - comme d'ailleurs dans l'art musulman en général - les formes d'expression créées par telle ou telle époque se superposent paisiblement à celles des époques précédentes. Elles enrichissent simplement le vocabulaire existant et n'empêchent à aucun moment les artistes de revenir à un mode d'expression plus ancien. C'est ainsi que Fès comporte beaucoup de mosquées relativement récentes qui, par leur majesté et leur sobriété, se rattachent directement à l'héritage almohade. La coexistence de différents « styles » se manifeste notamment dans l'épigraphie ainsi que dans l'architecture domestique, qui a conservé différents types de la maison à cour intérieure, types qui peuvent se combiner en de nombreuses variantes.

On a souvent voulu définir l'art marocain en général, et l'art fassi en particulier, comme une variante provinciale de l'art hispanomauresque. On oublie que les empires des Almoravides et des Almohades, qui sont responsables de l'unité culturelle du Maghreb, avaient leur centre de gravité non pas en Espagne mais au Maroc, de sorte que le rôle culturel d'une ville comme Fès n'était pas plus périphérique ou « provincial » que celui de Grenade ou de Séville. Il est vrai, par contre, que l'époque mérinide, qui a si fortement marqué Fès, correspond au reflux de l'héritage culturel de l'Espagne musulmane vers l'Afrique du Nord : Fès est à bien des égards l'héritière directe de l'Espagne des Taïfas, c'est-à-dire de l'Espagne musulmane post-califale. Un exemple très frappant de cette transmission directe est l'existence, dans la Fès d'aujourd'hui, de la musique « andalouse », qui mérite plus qu'une mention dans ce contexte.

Les artistes fassis qui travaillaient sous les Mérinides ont certainement été inspirés par les modèles andalous et plus particulièrement grenadins, mais ils avaient aussi leurs techniques spéciales, comme celles qui sont liées à l'usage du bois de cèdre sculpté et de sa combinaison avec le plâtre ciselé, contraste de deux matières, « chaude » et « froide », qui fait un des charmes du décor mérinide et dont on ne retrouve ailleurs aucune analogie. La gloire de l'art mérinide, qui se répartit surtout entre Fès et Tlemcen, sans parler de la nécropole de Chellah à Rabat, ce sont, sans contredit, les célèbres médersas de Fès, surtout les médersas Sahrij, Attarine et Bou-Ananiya, ainsi que la grande Mosquée de Taza et celle de Fès-Jdid. A côté de celles-ci, il existe un grand nombre de mosquées de quartier bâties par les Mérinides et dont quelques-unes, comme la mosquée de Bab-Guissa à Fès, excellent par une très sage organisation de l'espace.

A l'art mérinide appartiennent également quelques-unes des plus anciennes maisons privées de Fès, sans parler de celles qui en ont conservé la caractéristique jusqu'à des temps très récents.

Font partie du patrimoine artistique d'une ville, non seulement les monuments, mais également les métiers d'art actuellement pratiqués. Fès possède encore des maîtres en mosaïque de céramique, de plâtre sculpté et de charpenterie d'art. L'existence de ces métiers est d'ailleurs d'une importance vitale pour la conservation du patrimoine architectural qui nécessite des restaurations périodiques ; sans l'expérience des maîtres artisans en question, on aurait bien de la peine à protéger les monuments d'art.

Comparé aux autres styles régionaux du monde islamique, l'art maghrébin se distingue par son caractère en quelque sorte cristallin, qui se manifeste dans le façonnement des volumes et plus particulièrement dans le décor abstrait et géométrique. Considérant la nature plus ou moins « abstraite » et non-figurative de l'art musulman en général, on serait tenté d'affirmer que l'art maghrébin en représente l'expression la plus conséquente et la plus pure. C'est dans cette perspective, sans doute, que les artistes de Fès ont conçu leurs œuvres.

III. B. LES OBJECTIFS DE DEVELOPPEMENT

Les objectifs concernant le développement de l'agglomération sont grandement conditionnés par les données, les tendances et les orientations au niveau national et régional. Cette liaison est particulièrement évidente pour la base socio-économique de la ville, dont l'évolution dépend à la fois des options prises au niveau national et, dans une moindre mesure, des incidences de la planification spatiale. A ce propos, rappelons que la base économique de la ville se caractérise par un faible développement des activités productives qui ne permet pas d'absorber l'excédent de la population résultant de l'accroissement démographique et de l'exode rural qui gonfle le secteur « tertiaire », refuge du sous-emploi et du chômage déguisé, et qui engendre de faibles revenus. Quant aux priorités du développement national et régional, il semble souhaitable de favoriser une double démarche :

— D'une part, donner la priorité à l'artisanat de production et aux industries de transformation et accorder un soutien plus important au secteur « informel » des activités qui occupe une grande partie de la population.
— D'autre part, suivre et encourager une politique de stabilisation des populations rurales dans les campagnes, par une réorganisation des structures agraires, en vue de maintenir un équilibre entre la ville et la région. A ce titre, il est important de se pencher sur les conditions de répartition de la propriété et d'exploitation de la terre dans le monde rural. Il importe aussi d'envisager une décentralisation dans la région, des services commerciaux, sociaux et publics, qui contribueront à accroître et redistribuer les revenus et d'améliorer le bien-être des populations de l'arrière-pays.

Ce chapitre sur les objectifs de développement présentera une double série d'objectifs : une première se réfère à la structure globale de l'agglomération (macroforme), et une deuxième, relative à la Ville Ancienne.

III. B.1 — OBJECTIFS AU NIVEAU DE LA MACROFORME

1) *Répondre aux besoins de 1 million d'habitants*

D'après les projections démographiques, la ville de Fès atteindra le million d'habitants en l'an 2 000, ce qui signifie un accroissement de la population urbaine de l'ordre de 600 000 habitants. L'objectif majeur est donc de répondre progressivement aux besoins de cette population, dans les divers domaines de la vie économique, sociale et de l'habitat ; ce qui nécessite une mobilisation sans précédent des énergies pour faire face aux besoins les plus pressants (emplois, terrains d'urbanisation, habitat, transports, assainissement, eau, électricité, équipements socio-éducatifs et de loisirs, ...).

2) *Renforcer le rôle de la Médina en tant que centre principal de l'agglomération*

Une option de base est de sauvegarder la Médina en tant que « cité vivante », ceci implique, en relation avec les impératifs de protection, de renforcer le rôle de la Médina en tant que centre principal de l'agglomération et lui offrir le cadre de développement qui lui convient. En général, il s'agit d'abord d'organiser la fonction commerciale de la Médina qui a tendance à mettre en cause la structure traditionnelle, puis de réorganiser le secteur de la production et permettre la reconversion d'une partie de l'artisanat à l'intérieur de la Médina. Il s'agit enfin de développer la fonction culturelle et universitaire qui a fait jadis le rayonnement de la cité et dont la ville tient encore le nom de « capitale nationale intellectuelle ». Sur le plan spatial, cet objectif implique que, parmi les aires potentiellement urbanisables, le choix de l'occupation et les priorités de la programmation devront porter sur les zones concourant à un positionnement central de la Médina.

3) *Offrir à la Médina, un cadre de développement*

La périphérie et l'est de la Médina, par les potentialités qu'ils présentent constituent un cadre de développement pour la Ville Ancienne.

Par un programme d'habitat soutenu, l'est pourra constituer un écran pour l'exode qui ravage la ville par l'est et absorber une partie du « trop-plein » de la Ville Ancienne.

4) *Favoriser « l'intégration » entre les différentes entités composant la ville*

La réalisation de cet objectif passe par le développement des relations fonctionnelles, particulièrement celles de nature complémentaire. Celles-ci pourront être soutenues par le renforcement du réseau de relations principales entre les grands ensembles, et en développant l'accessibilité de la Médina. De même, il sera nécessaire de favoriser une plus grande continuité physique entre les entités par une occupation rationnelle des « no man's land » qui les séparent.

5) *Répartition équilibrée de la population et des équipements entre les différents ensembles*

Actuellement, la répartition de la population entre la Médina, Dar-Debibagh et Aïn-Kadous se caractérise par un grand déséquilibre et des écarts importants entre les densités d'occupation du sol. L'objectif précédent implique la recherche d'une « fourchette »-norme de densité, dans laquelle devraient s'inscrire les différents taux d'occupation, le but étant de rechercher un rapprochement entre ces taux (voir modèle-enveloppe). De cet objectif découlent 2 options de base : d'une part la densification de Dar-Debibagh, et d'autre part, la dédensification de la Médina. En rapport avec une répartition équilibrée de la population, il faudra rechercher une répartition équitable des équipements en prenant en considération les besoins réels de la population.

6) *Favoriser l'intégration résidentielle des strates sociales*

En Médina, la revalorisation du tissu traditionnel par les diverses actions de réhabilitation, par l'amélioration de l'accessibilité, par une meilleure distribution des équipements, par l'introduction de certains éléments de confort dans le logement, par le développement des fonctions de centre principal ..., favorisera le retour de certaines couches aisées et leur intégration en Médina. Dans les nouveaux quartiers à prévoir, il faudra rechercher un modèle d'urbanisme intégrant entre plusieurs types d'habitat : individuel, collectif, économique.

7) *Rechercher un pôle représentatif au niveau de l'ensemble de l'agglomération*

L'analyse de la macroforme urbaine a fait ressortir l'absence d'un pôle auquel se réfère l'ensemble de l'agglomération. Un tel pôle, judicieusement implanté par rapport aux grandes parties de la ville et suffisamment représentatif de ses diverses composantes socio-culturelles, pourrait jouer le rôle d'unificateur et de régulateur du développement urbain.

De par le rôle même qu'on assigne à ce pôle, ses activités se doivent d'avoir un rayon d'influence couvrant la ville entière.

8) *Sauvegarde et protection du grand paysage de la ville de Fès*

Cet objectif implique la préservation et la revalorisation des éléments structurant le paysage urbain de la ville de Fès ; il s'agit notamment de la protection et de la mise en valeur des éléments naturels de l'Oued-Fès et de son environnement, ainsi que du site de la Ville Ancienne.

9) *Rechercher et développer un modèle d'architecture, d'habitat et d'urbanisme en continuité avec les valeurs pérennes et en conformité avec les exigences de la vie moderne.*

III. B.2 — LES OBJECTIFS AU NIVEAU DE LA VILLE ANCIENNE

Les objectifs pour la Ville Ancienne, découlent de la volonté de sauvegarder et de promouvoir la Médina, en tant que ville vivante, héritière d'une grande tradition culturelle. La nature complexe de cette démarche s'exprime par une trilogie d'options interdépendantes :

— Maintenir, développer et rééquilibrer la Ville Ancienne dans ses fonctions de centre principal.
— Conserver et améliorer le cadre physique de la Ville Ancienne en respectant ses fondements culturels et les traditions architecturales.
— Permettre l'évolution et l'amélioration des conditions de vie, en les rendant plus conformes aux besoins actuels et futurs de la population.

Cette trilogie, interprétée par rapport aux constats précédents, implique un ensemble d'objectifs en matière de politique sociale, d'économie, d'équipements, d'assainissement, de transports et d'animation culturelle. Quel que soit le domaine envisagé, l'action devra passer par le respect des valeurs architecturales et urbanistiques que la ville historique nous a transmises.

En vue d'une concrétisation successive de l'option fondamentale, nous présenterons une série de sous-objectifs qui définissent la démarche de manière plus complète.

1) *Limiter à l'état actuel la surface bâtie intra-muros et favoriser le développement des quartiers extra-muros*

L'arrêt des constructions dans les jardins et les vergers intra-muros est une condition de base pour pallier à la surdensification de la Médina. La surface non bâtie, complètement indispensable au bâti, constituera une dernière ressource pour accueillir les équipements qui ne pourront pas être intégrés à l'intérieur de la Ville Ancienne (parcs, jardins, zones de loisir, certains équipements scolaires).

Les quartiers d'extension extra-muros, à concevoir en rapport et en continuité avec la Médina, devront accueillir les fonctions et la population que la Ville Ancienne n'est plus en mesure d'absorber.

2) *Conserver, équiper et entretenir le patrimoine immobilier existant en l'adaptant successivement aux besoins actuels*

Déloger un grand nombre d'habitants de la Médina et leur offrir des alternatives convenables et abordables dépasse les possibilités immédiates, étant donné l'accroissement démographique actuel.

La sauvegarde du patrimoine immobilier et son amélioration successive devront donc aller de pair, cependant, il faudra veiller à ce que l'adaptation du cadre bâti à la nouvelle situation sociale (fractionnement dû à la cohabitation de plusieurs familles), ne donne lieu à un nouveau seuil de surexploitation et de surdensification.

3) *Améliorer les équipements en utilisant au maximum la structure et l'échelle du tissu traditionnel*

Les équipements sociaux traditionnels, sont à réhabiliter et à améliorer en fonction des besoins actuels d'une population accrue. Des équipements modernes au niveau du quartier doivent être intégrés à l'intérieur de la Ville Ancienne en vue de rattraper le retard dans ce domaine. La distribution et l'organisation des équipements modernes devront être adaptées aux caractéristiques du tissu traditionnel, dans le cas où une réutilisation de structures existantes s'avère impossible. L'amélioration du réseau hydraulique et l'assainissement doivent être conçus de manière qu'ils permettent la mise en valeur des tronçons paysagers.

4) *Optimaliser l'accessibilité en respectant les prérogatives de la ville piétonnière*

Le réseau piétonnier étant indispensable de la structure urbaine, l'impératif de sauvegarde impose de s'abstenir de toute ouverture massive à la circulation motorisée. Toutefois, par un rapprochement des transports publics et une augmentation des services, il sera possible d'aboutir à une amélioration de l'accessibilité, et une meilleure intégration de la Ville Ancienne au sein de l'agglomération. L'axe structurant des transports en commun devra s'écarter du croissant structurant central en vue de contourner les zones les plus vulnérables de la Médina, mais il pourra rejoindre le centre en utilisant la partie couverte de l'Oued-Bou-Kherareb. Les qualités spécifiques de la ville piétonnière sont à considérer comme un atout essentiel, susceptible de soutenir la fonction de centre principal.

5) *Restructurer le commerce et les services par rapport à l'importance de la Ville Ancienne et en fonction des potentialités et des contraintes de la trame historique*

La conciliation entre centre principal et centre historique impose le soutien des activités commerciales le long du croissant structurant et leur distribution en fonction des qualités du tissu occupé. La trame du noyau historique de la Médina implique des contraintes d'espace et d'échelle, pourtant, il existe un certain nombre de fondouks qui offrent une réserve à exploiter. D'autres zones, notamment la place du R'Cif et les secteurs de Boujloud et de Bab-Ftouh permettront l'accueil des activités et d'équipements complémentaires qui par leur nature et leur échelle sont incompatibles avec le noyau historique.

6) *Etudier les possibilités de développement, regroupement ou de transfert des structures de production suivant leur compatibilité avec le contexte urbain*

L'évolution de l'artisanat vers la manufacture et les unités semi-industrielles nécessite une évaluation suivant leur consommation d'espace, leur nuisance et les conditions de travail à prévoir. Les espaces libérés par le transfert de certains métiers (voir le cas des tanneurs), devant faire l'objet d'une redistribution en fonction d'une politique globale d'aménagement de la Médina, suivant un concept de réorganisation de corps de métiers et en tenant compte des besoins d'espaces libres dans le centre historique. Dans ce concept, une priorité devra être accordée à l'artisanat d'art et de service, dont les liaisons multiples avec le noyau historique devront être retrouvées et renforcées par une politique de promotion et de soutien.

7) *Réanimer sous forme appropriée les fonctions culturelles au sein du centre historique, y compris les loisirs*

Le développement de la Médina en tant que centre principal, l'agglomération doit comporter la réanimation de son potentiel culturel qui se situe à un niveau national, voire même international, compte tenu de la tradition urbaine de Fès, il est essentiel que cette réanimation se fasse au cœur même de la ville, en se rattachant au cadre historique, auquel elle pourrait rendre certaines de ses fonctions. Elle devra aller de pair avec la restructuration du commerce et de l'artisanat, et avec la création de lieux de loisirs, en vue d'aboutir à une synthèse représentative de l'esprit de la Ville Ancienne. Le but de cette opération ne sera pas la reconstruction d'un état révolu dans le sens archéologique, mais le renouvellement d'une tradition vivante, réalisée à travers la transmission de valeurs de normes et d'expériences correspondantes dans le domaine des arts et des sciences.

L'ensemble de ces objectifs principaux est accessible aux moyens de la planification. Leur réalisation cohérente peut contribuer au déclenchement de *mécanismes spontanés* sur lesquels la planification n'a pas d'influence directe. Citons surtout le processus de dédensification et l'attraction de groupes sociaux moyens ou aisés qui, dans les conditions actuelles préfèrent Dar-Debibagh à la Ville Ancienne. La reconstitution de l'équilibre urbain qui pourrait en résulter est une condition majeure pour atteindre l'option fondamentale de sauvegarde active.

IV. C.1. — LES PROJETS PONCTUELS

En relation avec les différentes options-propositions du Schéma-Directeur, un certain nombre de projets ponctuels peuvent être présentés en vue de matérialiser ces options-propositions à travers une stratégie d'application.

Dans la présentation de ces projets, nous nous arrêterons surtout sur l'énoncé d'un certain nombre de principes d'actions et de contraintes à prendre en considération lors de l'élaboration des différents projets.

Pour certains projets, des propositions alternatives de localisation seront avancées avec l'évaluation de chaque proposition. Ces projets seront présentés pour les trois niveaux : l'agglomération, la Médina et les autres entités urbaines, en fonction de leur insertion et de leur impact dans l'ensemble urbain.

IV. C.1.1. — PROJETS PONCTUELS AU NIVEAU AGGLOMERATION

IV. C.1.1.1. — LES ZONES INDUSTRIELLES

Fès possède actuellement deux zones industrielles, l'une à Dokkarat d'une superficie de 70 ha, et l'autre à Sidi-Brahim, sur le plateau de Dar-Mahrez, d'une superficie de 50 ha. Les deux zones ont une densité moyenne de l'ordre de 40 à 50 personnes à l'hectare et posent encore des problèmes d'équipement, d'assainissement et d'accessibilité.

Actuellement, et en vue de répondre à une forte demande en installations industrielles non satisfaites, il est possible et souhaitable de densifier la zone de Sidi-Brahim, voire même l'extension limitée de cette zone (± 30 ha).

Pour le long terme, les projections ont dégagé une enveloppe de surfaces industrielles de l'ordre de 600 ha (an 2000).

A Fès, les sites à vocation industrielle sont peu nombreux et sont conditionnés par différentes contraintes.

L'occupation maximale de l'Est fait partie du tronc commun retenu pour le court terme, d'où la nécessité d'envisager un grand quartier industriel comme base économique et matérielle et comme support de l'extension Est.

L'Est offre deux possibilités pour la localisation de ce nouveau quartier industriel. La première se situe sur le plateau entre le Sebou et l'Oued Fès, en continuité avec la zone d'artisanat de Aïn-N'Okbi (environ 150 ha). Bien que cette localisation soit favorable (terrain plat et assainissement facile), elle pose des contraintes relatives à la pollution de l'habitat et à la proximité du Palais (contrainte institutionnelle). La deuxième se situe à l'extrémité Est du développement prévu dans une zone accessible par la RP 1 et la voie ferrée (180 ha). Les contraintes sont d'ordre technique, relatives à l'existence d'une pente allant jusqu'à 5 %.

Comme l'équipement de la nouvelle zone exigerait de 2 à 3 années de préparation, une action immédiate est à entreprendre, afin de satisfaire les demandes actuelles. Cette solution consiste en un développement limité à Ben-Souda par des industries légères non polluantes. En effet, malgré la situation privilégiée de Ben-Souda (bon sol de fondation, liaison routière et ferrovière, terrain domanial), les contraintes d'assainissement qu'il pose sont aiguës voire même très graves.

Le plateau, d'une superficie de 300 hectares, est entouré d'oueds et sources émanant de la nappe phréatique dont les battements sont à moins d'un mètre de la surface du sol - rappelons que celle-ci alimente l'Oued-Fès et le sous-sol de la Médina. Le danger de pollution est par conséquent très grand, et un déséquilibre du système existe déjà.

Si l'on se réfère aux études de la SAFEGE, l'assainissement des 300 hectares (zone industrielle comprise) exigerait la construction d'un canal d'évacuation des eaux pluviales d'une longueur de 3,5 km et d'une section de 12 m² ; par contre, les eaux usées devront être reliées à Dar-Debibagh, nécessitant la réalisation d'une station de relevage pour pallier à la faible pente séparant Ben-Souda et Dar-Debibagh (pente inférieure à 1 %).

C'est de ce point de vue qu'il a été admis de limiter le développement de Ben-Souda à quelques industries non-polluantes liées principalement à la vocation agricole de son arrière-pays (plaine du Saïs).

Pour le long terme, deux variantes de localisation de zones industrielles sont proposées. La première se situe sur l'axe de Sefrou, en relation avec le développement optionnel (Sefrou II). La deuxième se situe sur le plateau de Gaâda, en relation avec le développement optionnel sur le plateau. Ces deux localisations ne posent pas de problèmes majeurs au niveau du sol, mais l'assainissement et l'accessibilité (Boufekran) sont des contraintes qui ne trouveront de solution qu'à long terme.

IV. C.1.1.2. — LA CITE ADMINISTRATIVE

En relation avec l'option de base de densification de Dar-Debibagh, l'Avenue Hassan II est appelée à connaître une densification intense et de ce fait, les administrations qui s'y trouvent implantées sont appelées à être déplacées. En outre, pour la plupart, ces administrations sont saturées et par conséquent contraintes de construire leurs annexes suivant les disponibilités ; par contre, d'autres attendent toujours la possibilité de trouver un emplacement adéquat (cas de l'Agriculture et cas de la Délégation du Plan et des Statistiques).

En raison de l'intensité des relations qu'elles entretiennent, il paraît souhaitable d'envisager un regroupement de ces administrations sur un site à proximité du centre de gravité de l'agglomération et ayant, par conséquent, un rayon d'influence couvrant la ville entière. Ce seul choix possible pour une telle localisation paraît être une partie du plateau de Dhar-el-Mahrez occupée actuellement par les militaires. Etant donné l'importance stratégique pour l'urbanisation de cette zone, il est impératif de déplacer la zone militaire qui se trouve par ailleurs à l'étroit sur le plateau de Dhar-el-Mahrez. Bled-Zouagha, par contre, offre un cadre exceptionnel pouvant accueillir la plus grande partie de la zone militaire proposée au transfert.

Dans le même souci de regrouper la municipalité et ses futures dépendances (théâtre municipal, palais des congrès, salle des fêtes, etc.) et en vue de rapprocher d'un cadre représentatif (la Médina) et de l'axe structurant des transports en commun et de la circulation piétonnière, deux variantes de localisation peuvent être avancées :

- La zone entre Bab-Jiaf et Bab-el-Hadid.
- La zone comprenant les anciennes villas, située entre la Place de la Résistance et le lycée Ibn Hazm, et en continuité avec la bibliothèque municipale, de l'autre côté du boulevard Moulay-Youssef.

IV. C.1.1.3. — LE COMPLEXE SPORTIF

La ville de Fès, en particulier la Médina et Aïn-Kadous, souffre d'une insuffisance en équipements sportifs.

En vue de répondre à une demande grandement ressentie, la proposition consiste en l'organisation d'un grand complexe sportif sur le Parc de l'Oued-Fès, ainsi que d'autres petites unités se rattachant aux différentes entités urbaines et aux extensions prévues.

Pour le complexe sportif, il est suggéré que des équipements, tels la salle omni-sports, l'hippodrome, le stade municipal, voire même une grande piscine, soient localisés sur le Parc de l'Oued-Fès, en relation avec le projet du lac artificiel. Quant au problème causé par la construction amorcée de la salle omni-sports et qui a été arrêtée à cause des contraintes visuelles dues à la présence du Palais Royal, trois alternatives peuvent être avancées en vue de pallier à la situation actuelle.

— Aménagement et affectation du bâtiment existant à un équipement de loisirs, en relation avec le programme de l'Oued-Fès (restaurant panoramique, café, snack, terrasse) et des contraintes que pose l'entrée principale de Fès. Il est à craindre qu'un tel édifice s'impose toujours au site d'une manière trop agressive par ses dimensions.
— Enterrer partiellement la salle en tenant compte de la hauteur de l'enceinte du Palais. Vu les problèmes du sol et de la nappe phréatique (terrain marécageux), cette solution serait très coûteuse.
— Concevoir une nouvelle salle à 400 m, vers l'Ouest, l'intégrer dans l'ensemble du complexe sportif et raser la structure existante. Cette solution préférentielle éliminerait complètement tout édifice de l'angle de vue à partir de la grande voie d'accès à Fès et donnant sur le Palais Royal et Fès-Jdid, qui représentent un patrimoine monumental de haute qualité.

Dans tous les cas, il est à recommander :

— Qu'aucun morcellement de l'assiette du Parc de l'Oued-Fès ne soit réalisé ; celui-ci doit rester une entité indivise.
— Qu'une étude détaillée et de haut niveau soit menée pour l'aménagement du Parc de l'Oued-Fès.

En ce qui concerne les emplacements prévus pour les autres unités de sports, les sites suivants offrent de grandes possibilités :
— Le plateau de Dhar-el-Mahrez, en relation avec l'université.
— La vallée du Ouislane, en relation avec les besoins de la population de la Médina ; sur cette vallée, des installations omni-sports (piscine, salle couverte, stade public) peuvent être implantées et être traitées en relation avec le parti paysagé. Quant au parc prévu entre Sidi-Boujida et l'Oued-Zhoun, il peut répondre à une forte demande d'espace de jeux et de loisirs en Médina, particulièrement pour les unités scolaires.
— L'aménagement des carrières de Hafat Moulay Idriss, dans le cadre d'un parti paysagé intégrant les équipements de sport, la liaison piétonnière et les transports en commun (Aïn-Azliten, Aïn-Kadous), pourrait répondre aux besoins de la population du Nord de la Médina et d'Aïn-Kadous.
— Enfin, les zones d'extension prévues devront être munies d'espaces de sport et d'espaces verts aménagés.

IV. C.1.1.4. — LE COMPLEXE TOURISTIQUE

Fès, ville impériale du royaume, jouit d'une grande attractivité touristique, mais elle ne possède pas d'infrastructure à la hauteur de sa renommée. Cette attractivité est due à la présence d'une Médina millénaire, riche par son patrimoine urbanistique, artistique et monumental unique dans son genre. Elle est due aussi à son arrière-pays possédant deux stations thermales, des paysages fabuleux (tels Aïn-Chkef, Zalagh et le Moyen Atlas avec ses stations de ski et ses lacs).

Dans ce système, Fès constitue un pôle central sur les grandes liaisons Est-Ouest et Nord-Sud. Cette situation appelle deux propositions :
— L'intégration d'unités touristiques en Médina, qui devraient tenir compte et respecter la trame historique.
— La création d'un ou plusieurs complexes touristiques. Dans le souci de préserver la haute qualité visuelle du site de Fès, il est suggéré un certain nombre de sites pour l'implantation du ou desdits complexes.

Un complexe pourrait contenir des unités hôtelières, des espaces de jeux et de loisirs (tennis, camping, golf, etc.) et des résidences secondaires.

Les variantes de localisation sont :

— Le versant Ouest du plateau de Dhar-Mahrez, limité au Sud par la R.S. 320. Les avantages de cette localisation sont sa relation visuelle et fonctionnelle avec la Médina (accès par Ouislane) et ses relations faciles avec les différentes entités urbaines et péri-urbaines (aéroport, Sidi-Harazem...).
— Le bled Zouagha, qui a l'avantage d'être proche du Parc de l'Oued-Fès, de la gare routière à proximité de l'O.N.C.F. et de l'entrée principale de la ville de Fès. La grande surface de ce site, soustraite à un développement intense, peut contribuer à la sauvegarde de la nappe phréatique ; la principale contrainte qu'il présente est l'existence de lotissements clandestins.
— Le terrain entre la R.P. 20 et la R.S. 305, limité au Sud par la R.S. 320. Cette situation présente l'avantage d'être sur un axe important (route de l'Atlas et ses lacs) et en relation avec le parc aménagé d'Aïn-Chkef. Cette localisation pourrait contribuer à freiner le développement linéaire de la ville.
— Les flancs du Zalagh ; la vue sur la Médina constitue le grand avantage de ce site précieux dont seul un programme ordonné et contrôlé peut sauvegarder la vulnérabilité visuelle. Par contre, son éloignement des axes de desserte et son éloignement des relations avec l'arrière-pays sont autant d'éléments à son désavantage.

Actions de sauvegarde

Bien que le tourisme joue un rôle important aux niveaux national et local, il faut se rendre compte qu'il risque d'avoir des effets néfastes sur un patrimoine culturel aussi vulnérable que celui de Fès. Il y a lieu de veiller à ce que l'exploitation commerciale de ce patrimoine, aussi justifiée soit-elle, ne détruise les bases mêmes de ce « capital culturel ».

A ce propos, des mesures énergiques s'imposent afin d'arrêter la dilapidation et le pillage d'un patrimoine artistique ancien contribuant à accélérer le processus de taudification et la ruine des monuments historiques, ainsi que la vente d'objets d'art de grande valeur.

D'autre part, les mécanismes du tourisme accélèrent la tendance à dissoudre l'artisanat d'art, dans un artisanat de production de qualité médiocre. Ici également, une action de sauvegarde et de soutien s'impose en vue de garantir l'existence de l'artisanat d'art.

IV. C.1.1.5. — LES GARES ROUTIERES

Il a été constaté une grande disparité dans la localisation des gares routières et l'existence d'un double système d'exploitation. Selon un système dit « régulier », les départs pour les grandes lignes se font, principalement, au Boulevard Mohamed V, à la Place des Alaouites et à Bab-Boujloud, avec des horaires affichés et des arrêts fixés sur le trajet. L'autre système, dit « charter », concerne les départs pour Moulay-Yacoub, Sidi-Harazem, et les souks à partir de Bab-Boujloud, Bab-el-Guissa et Bab-Ftouh, ainsi que de Aïn-Kadous. Aucun horaire n'est fixé et le car fait le cours de route.

Comme ces deux systèmes répondent à des besoins spécifiques de la population, il serait souhaitable de les renforcer. Une révision du système des gares routières est donc à prévoir, en vue d'une desserte cohérente de l'ensemble de l'agglomération. L'ensemble des gares routières a été choisi en fonction de l'axe structurant du transport en commun.

L'option de base consiste à avoir 2 gares routières principales qui se situeraient à proximité des deux gares ferrovières.

— La première à Dar-Debibagh, desservant la V.N. Aïn-Kadous et Fès-Jdid.
— La deuxième à proximité de la gare O.N.C.F. de Bab-Ftouh desservant la Médina et l'extension prévue à l'Est. Il est à souligner que la gare O.N.C.F. susvisée serait agrandie.

Pour une meilleure desserte, deux antennes sont prévues : l'une à Bab-Mahrouk, dans la carrière de Moktaa qui devrait tenir compte, dans son aménagement de la percée entre cette carrière et Hafat Moulay Idriss, contribuant à la structuration de la liaison Aïn-Azliten et Aïn-Kadous. La deuxième, de moindre importance, est prévue à Ouislane et devrait respecter la liaison piétonnière Médina-Ouislane.

IV. C.1.1.6. — LES GRANDS ACCES DE FÈS

Le problème des accès de Fès peut trouver une réponse dans les propositions de restructuration du trafic, liées à la mise en valeur du grand paysage de Fès qui doit être perçu dès l'arrivée dans l'agglomération.

• *Les possibilités d'accès principal par l'Ouest*

a) *Sur Bab-Segma*

En rive Nord du Parc de l'Oues-Fès qui devrait constituer un cadre de grande qualité dans l'approche de la Médina dont la silhouette apparaît progressivement. Il importe donc que le plan d'aménagement du parc soit conçu en conséquence et que soient étudiées les constructions pouvant altérer la perception de la silhouette traditionnelle de la cité (Fès-Jdid/Palais Royal). La façade d'Aïn-Kadous (réserves, habitat) devrait être améliorée par un mail densément planté pouvant constituer un cheminement piétonnier.

b) *Sur Debibagh*

L'accès par l'Avenue Allal-Ben-Abdallah branchée sur la « patte d'oie » de Dokkarat paraît favorable, à condition toutefois de préserver à tout prix la ceinture verte du quartier industriel et de planter densément les deux rives de l'Avenue Allal-Ben-Abdallah et de son prolongement Ouest.

• *Par l'Est*

L'accès à la ville serait conditionné par les nouveaux quartiers du développement Est préconisé. On retient que l'aspect du quartier artisanal d'Aïn-N'Okbi devrait être attentivement soigné.

• *Par le Sud*

Les routes d'Immouzer (R.P. 24) et de Sefrou (R.P. 20) devront être fondamentalement réaménagées.

a) *La R.P. 20*

Extrêmement malmenée sur son dernier tronçon entre le nouveau lycée de l'Avenue Ibn-Khatib, elle devrait faire l'objet d'un projet spécial d'aménagement portant à la fois sur l'ordonnance architecturale des façades construites et la voirie elle-même (élargissement de la chaussée, création de cheminements piétonniers latéraux, plantations). Son prolongement vers le Ouislane devrait constituer l'entrée de la Médina.

b) *La R.P. 24*

Menant à l'aéroport, elle devrait recevoir un traitement privilégié impliquant des mesures de retrait sur les douars des Ouled-Tayeb, et l'assainissement des secteurs militaires, des bordures de l'Avenue Hassan de Jordanie. Ce tronçon mérite d'être fondamentalement restructuré. Dans l'ensemble, on veillera à promouvoir un concept paysagé de l'aéroport jusqu'à l'Avenue Mohamed V, comportant en particulier, au Sud de l'Avenue Ibn-Khatib, un respect impératif de la végétation.

IV. C.1.1.7. — LE GRAND PARC DE L'OUED-FES

Acquis par la municipalité vers 1960, les ∓ 200 hectares de l'ancienne ferme expérimentale située entre l'Oued-Fès et la R.P. 1a d'une part, la « patte d'oie » des R.P. 1a et le Palais Royal d'autre part, sont destinés à la réalisation d'un vaste parc public de sports et de loisirs. Outre la satisfaction des besoins sociaux de la population, cette option doit préserver la qualité de l'accès de la Ville Ancienne par l'Ouest et laisser une ouverture paysagée du Palais Royal vers l'Ouest. Par cet équipement est également recherchée une valorisation de l'Oued-Fès, lui-même, à la mesure de son rôle et de sa vocation historique.

Les aménagements projetés sont principalement axés sur les nécessités et possibilités d'aménagement de l'Oued-Fès.

— Nécessité de décantation et d'épuration en amont de la Médina, d'où création du plan d'eau d'oxygénation.
— Possibilité d'exploiter les plans d'eau pour la baignade et les sports nautiques, d'où création d'un vaste lac artificiel en parallèle sur le cours normal de l'Oued et doté en amont de bassins de décantation. Ce lac aura approximativement 3 km de longueur pour une largeur maximale de 150 m. Il sera pourvu sur les deux rives des équipements de baignade. Le site du lac correspond approximativement aux anciens mécandes de l'Oued canalisé.

Au Nord du lac, seraient aménagés, en alternance avec de vastes boisements publics et des aires de détente libres, des équipemnts sportifs à l'échelle de l'ensemble de l'agglomération : stade d'honneur, grande salle couverte, hippodrome, etc. Ces installations gagneraient à être associées au plan d'eau et, en tout cas, ne devront pas empêcher sur l'angle de vue de la R.P. 1a, sur le Palais Royal et la silhouette de Fès-Jdid. Dans un double souci de discrétion et d'économie, la réalisation du stade d'honneur était à l'horizon envisageable au moyen des terres extraites du lac et formant une colline creuse en son centre et plantée sur ses faces extérieures.

Il importe de retenir, pour l'aménagement du parc de l'Oued-Fès, les grands principes suivants :

— Maintien de l'entité indivise du terrain et vocation exclusive à des fonctions de sports et de loisirs.
— Etude détaillée avant exécution, par des instances spécialisées, en évitant toute improvisation. Cela apparaît comme la condition sine qua non de réussite du projet et revêt par conséquent, le caractère d'urgence prioritaire.

En association avec le parc de l'Oued-Fès, la foire de Fès pourrait être implantée sur la plaine, à l'Est du quartier industriel de Dokkarat, où l'on peut disposer de 25 hectares pratiquement libres de toute servitude. Une communication directe serait possible avec le complexe sportif et le plan d'eau. Facile d'accès de la R.P. 1a et d'Aïn-Kadous, ce site exige, cependant, une ouverture sur le réseau de Dar-Debibagh.

IV. C.1.1.8. — LE PARC D'AIN-CHKEF ET LE SITE DU BOU-R'KAIS

La forêt d'Aïn-Chkef couvre plus de 50 hectares de boisement le long de l'Oued à moins de 10 km de la ville, et représente une potentialité de loisirs et de détente que la population a, depuis quelques années, spontanément exploitée.

L'efficience optimale de ce site repose cependant sur l'aménagement de l'Oued, permettant la baignade contrôlée des milliers de campeurs qui s'installent en été sur ses rives. Ces aménagements devront être très simples (empierrement des berges et du fond en certains endroits, petits barrages, etc., complétés par quelques installations sanitaires discrètes). Un café-restaurant rustique ouvert au grand public et installé à l'extrémité Sud du bois serait un équipement de base souhaitable.

L'Oued-Bou-R'Kaïs constitue, avec ses plans d'eau et ses falaises à 12 km de Fès, un paysage d'une très grande qualité qui ne manquera pas d'attirer un grand nombre de promeneurs et de baigneurs d'une grande cité comptant 1 million d'habitants. La vocation éminemment publique de ce site, qui représente pour l'instant une importante réserve, impose des mesures sévères de protection, dont l'interdiction absolue de construire dans les limites de l'aire visuelle de la vallée, et un contrôle attentif des ouvrages hydrauliques ou de voirie pouvant altérer l'équilibre paysagé existant.

IV. C.1.1.9. — LES LIAISONS PIETONNIERES

Les enquêtes de transports ont mis en évidence l'importance des déplacements piétonniers - qui concernent 45 % de l'ensemble des déplacements de la population.

Une étude spéciale doit être consacrée aux cheminements piétonniers comme *éléments structurants de l'espace urbain.* On devra prêter une attention particulière à :

— Leur tracé.
— Leur dimensionnement.
— Leur traitement de surface (revêtement), et en général au détail architectural de leur aménagement, dans un souci de qualité.

De leur efficience fonctionnelle dépendent, pour une large part, les relations entre les grandes entités urbaines. La qualité de leur traitement contribue à la qualité de l'image de la ville, c'est-à-dire de la perception quotidienne de la ville par ses habitants. A cet égard, ces cheminements piétons que l'on parcourt au pas sont beaucoup plus importants que les voies automobiles peu propices à l'observation du cadre environnant.

Les principaux cheminements à étudier seraient, par ordre de priorité (mais sans exclusive) :

• *La liaison Dar-Debibagh - Fès-Jdid - Médina*

Empruntant des voies existantes, cette liaison piétonnière doit être affirmée par un traitement spécifique (dallages, plantations, traversées de jardin Biarney, de Bab-Lameur - cf. Projet S.U. 1967). Entre Fès-Jdid et la Médina, ces cheminements s'intègrent dans les aménagements de la promenade monumentale.

Un deuxième passage important traverse la zone des jardins de Bab-Jiaf - Bab-Riaffa, impliquant un élargissement conséquent, au moins unilatéral, de la R.P. 1 et de l'Avenue Allal el-Fassi, la suppression des murs répressifs des établissements scolaires riverains (à remplacer par des clôtures plus « transparentes » et l'aménagement d'ouvertures sur le paysage, notamment vers le Sud/Sud-Est, en relation avec l'implantation des établissements publics projetés qui y seront ultérieurement raccordés.

• *La liaison Dar-Debibagh - Aïn-Kadous, éventuellement dédoublée*

En bordure Est du parc de l'Oued-Fès, le long des remparts du Palais Royal et à l'Ouest (prolongement passage el-Korri) par un large passage à niveau de la voie ferrée.

Ultérieurement, avec la réalisation des extensions Ouest d'Aïn-Kadous, ce quartier pourra être directement relié à Dokkarat par une deuxième traversée du parc.

• *La liaison Bab-Mahrouk - Aïn-Azliten - Aïn-Kadous (Ben-Debbab)*

Longeant la voie automobile proposée à travers les carrières de Moktaa et Hafat Moulay Idriss, en relation avec les aménagements publics prévus dans ces carrières (sports, jardins publics, équipements divers, gare routière).

Cette liaison devra être doublée au niveau supérieur par des aménagements adéquats à l'Est de l'hôpital Ibn-el-Khatib et à l'Ouest de la casbah des Cherrarda-s.

• *La liaison Bab-Jdid - Dhar-Mahrez*

En relation avec les équipements et aménagements éventuels des versants Nord-Est du plateau de Dhar-Mahrez et de l'Ouislane.

• *La liaison de Bab-Ftouh - Bab-Khoukha - extensions Est*

A étudier dans le cadre de l'aménagement du nouveau quartier, cette liaison devrait être aussi indépendante que possible de la R.P. 1, et raccordée en épi ou en continuité avec la gare mixte O.N.C.F. gare routière.

A Aïn-Kadous, il convient d'aménager l'Avenue 201 en belvédère sur Dar-Debibagh et le Saïs (voir propositions particulières Aïn-Kadous), ainsi qu'une structuration piétonnière transversale (Nord-Sud) à la voirie automobile (Est-Ouest).

IV. C.1.2. — PROJETS PONCTUELS AU NIVEAU MEDINA

IV. C.1.2.1. — PROJET CENTRE MEDINA

L'intervention au niveau du centre Médina vise le rétablissement de l'équilibre entre fonctions religieuses, culturelles, économiques et artisanales qui constituait la spécificité la plus remarquable de l'espace central historique de Fès.

Sur le plan technique, le projet comprendra plusieurs volets à la fois, tels que :

— La réorganisation du réseau piétonnier et de ses flux dans une zone qui est en même temps le tronçon principal du croissant structurant central, grâce à l'augmentation des passages et des parcours en direction Est-Ouest.

— La réorganisation du commerce, des services et de la production dans la partie centrale de la trame historique, en donnant priorité au regroupement de l'artisanat d'art et en y affectant des souks faisant partie du noyau autour de Moulay Idriss et la Qaraouiyine.

— L'augmentation et l'équipement de l'espace public en y introduisant des espaces de loisirs, des activités culturelles et des fonctions compatibles avec la morphologie de la trame, et susceptibles de réanimer les équipements traditionnels partiellement désaffectés.

Etant donné que ces études, notamment les deux premières qui précèdent la troisième, sont encore en cours, il serait prématuré de vouloir se fixer d'ores et déjà sur des emplacements définitifs pour tel ou tel équipement culturel à prévoir. Néanmoins, vu la volonté de les intégrer dans l'espace historique entre le centre de la rive gauche et le centre de la rive droite, et vu le désir de les concevoir en liaison fonctionnelle avec les grands monuments historiques à réhabiliter, les alternatives d'implantation ne sont pas très nombreuses. En plus, quelques zones et terrains spécifiques attirent, par leur signification, leur ambiance ou leurs potentialités physiques, une attention particulière. Leur évaluation pourrait avoir, de leur côté, une répercussion sur les options en matière de réorganisation du réseau piétonnier et des activités commerciales. C'est pourquoi on discutera, dans les paragraphes suivants, des principaux équipements à prévoir et de quelques alternatives d'emplacement qui pourraient leur convenir, suivant la connaissance actuelle des facteurs qui y interviennent.

La série d'opérations envisagées devrait inverser les tendances actuelles qui mènent à l'abandon et à la dégradation progressive. Les interventions, selon le cas, devraient se faire par la réhabilitation, la restauration, la réanimation et le réaménagement, ceci en respectant la trame et en sauvegardant les structures et les éléments architecturaux des bâtiments historiques. Leur utilisation se ferait en fonction de leurs facultés d'adaptation, ces opérations pourraient concerner aussi l'implantation d'édifices complémentaires, offrant des possibilités d'exploitation plus larges. La réhabilitation du centre serait accompagnée de celle de certains bâtiments limitrophes du centre, tels que certains palais abandonnés.

• *Centre d'Etudes Islamiques*

Amputé aujourd'hui de sa fonction culturelle par le transfert de l'université Qaraouiyine hors des murs de la ville, le centre ne garde de son animation que celle du secteur économique. La conception de foyers de vie intellectuelle rendrait au centre une dimension essentielle et un rayonnement international.

a) *Sur le terrain en ruine des fondouk-s Chemaïne et Sbitriyîn*

Un premier avantage se trouve dans sa situation significative entre les deux sanctuaires Moulay Idriss et la Qaraouiyîne, et dans la proximité avec la Zaouia de Sidi-Ahmed-Tijani. Cette situation permettrait un rapport direct avec les mosquées, et notamment l'organisation de cours saisonniers à l'intérieur de la Qaraouiyîne, ce qui contribuerait à la réanimation fonctionnelle de cet espace. En plus, une liaison avec la médersa Cherratine, la plus grande et la plus récupérable des médersas de Fès, serait facile à obtenir. Une analyse concernant tout l'îlot correspondant a été réalisée, montrant que certaines maisons entre Chemaïne et la médersa Cherratine sont désaffectées.

L'inconvénient de cette solution est la concurrence qui existe entre les fonctions culturelles à introduire et les activités commerciales qui auraient tendance à récupérer les fondouks si ceux-ci étaient rendus à leur ancienne fonction. Ce conflit ne pourra être résolu que dans le cadre d'un projet global, prévoyant la réorganisation du commerce et de l'artisanat sur certains tronçons du croissant structurant central, et notamment dans le rayon de Sbitriyîn et Bou-Touil. Par ailleurs, l'implantation de l'institut devrait se faire sans toucher aux boutiques donnant sur rue en vue de maintenir la continuité du réseau soukier.

Un deuxième avantage est le fait que le terrain des fondouks désaffectés offre une surface relativement grande, propice à l'implantation d'un programme important, et laissant la voie ouverte à plusieurs variantes.

b) *La médersa Mesbahia et son îlot*

La médersa, dont ne subsiste que la salle des prières, aurait l'avantage d'être en face d'une entrée principale de la mosquée Qaraouiyîne et de ne pas faire partie du réseau soukier. Cependant, l'espace offert par l'îlot semble très exigu et nécessiterait la désaffectation de plusieurs maisons actuellement habitées, au cas où l'on voudrait relier la médersa avec le fondouk Titaouine, en vue de gagner de l'espace supplémentaire.

c) *La médersa Seffarine*

Sa situation offrirait l'avantage d'une liaison avec la bibliothèque de la Qaraouiyîne, accolée contre le dos de celle-ci. Cependant, la médersa se trouve en plein quartier artisanal et il semble bien difficile, à première vue, d'y implanter un centre d'études sans aménagements majeurs qui risqueraient de changer la structure de ce monument.

d) *Sur la colline des Andalous*

Relié à la mosquée des Andalous, le centre aurait l'avantage de réactiver cette mosquée qui est une des plus anciennes et des plus importantes de la Ville Ancienne. Cet emplacement quoique moins riche en traditions que le noyau de la rive gauche, pourrait contribuer au rehaussement qualitatif de la zone centrale de la rive droite. Une analyse plus détaillée sera entamée en vue d'évaluer les terrains ou les bâtiments disponibles.

• *Le centre artisanal*

L'avenir de l'artisanat dépend de l'existence d'un centre pouvant contribuer au renouvellement et à la promotion de cette activité si représentative pour la Médina.

Le programme de ce centre des Arts et Métiers devrait comprendre des administrations, des ateliers et des salles d'exposition susceptibles d'orienter et de stimuler l'intérêt de l'habitant et du visiteur de la ville, ainsi qu'une école des Arts et Métiers qui pourrait être conçue comme annexe indépendante du centre, éventuellement dans un palais désaffecté.

Deux variantes sont possibles pour l'implantation de ce centre :

a) *Médersa Seffarine et fondouk Mechatine*

Situé entre plusieurs quartiers artisanaux du cœur de la ville, cet emplacement semble tout indiqué pour une utilisation pareille. Les corps des bâtiments existants, considérés « monuments historiques », pourraient recevoir, avec un minimum d'aménagement, le centre administratif et le centre d'exposition. L'école, par contre, pourrait être localisée dans le Palais Tazi.

b) *Terrain des tanneurs*

L'emplacement présente l'avantage d'offrir une grande superficie (8 000 m^2) qui serait libérée par le transfert éventuel des tanneurs. Cette surface pourrait recevoir sans difficulté tout le programme du centre des Arts et Métiers ; cependant l'option de base adoptée pour cet endroit étant celle d'espace vert aménagé (voir projet Bou-Khereb), l'implantation d'un tel programme devrait tenir compte des contraintes d'intégration du volume, de la trame et du paysage. De plus, ce terrain se trouve assez éloigné du centre historique.

• *Les centres d'accueil*

La capacité d'accueil de la Médina étant nettement en deça de ses besoins, elle est plus qualitativement mal résolue. Les unités d'accueil devraient obligatoirement s'intégrer à la Médina (contre-exemple : Hôtel des Mérinides), et devraient respecter la morphologie de sa trame et de ses cadres bâtis (contre-exemple : Palais Jamaï). Un centre d'accueil pourrait promouvoir le développement au centre Médina de cette capacité manquante.

Plusieurs emplacements seraient possibles :

a) *L'angle de la rue Boutouil, entre la Mesbahia et le fondouk Titaouine*

Cet emplacement présente l'avantage d'être à proximité immédiate de la Qaraouiyine, avec la possibilité d'aménagement de la Mesbahia et de l'étage supérieur du fondouk Titaouine. Une liaison entre ces deux bâtiments ne serait possible qu'au prix de la destruction des neuf petites maisons, en partie malsaines, qui les séparent. Une étude plus détaillée devra évaluer les avantages et les inconvénients d'une telle opération, ainsi que les possibilités de dégager une placette publique à l'angle de Boutouil.

b) *Autres possibilités complémentaires ou alternatives*

Un groupe de maisons situées à Derb-Touil se prêterait à la conception d'un foyer d'accueil ou d'étudiants. Ce choix d'emplacement et son aménagement permettraient la jonction de Derb-Touil au bout de Znikt-Hejjama, et la liaison de ceux-ci au réseau primaire à l'angle de Boutouil. De même, le fondouk Nejjarine serait tout indiqué pour être réhabilité en un hôtel-foyer d'accueil.

• *Projets parallèles*

Pour garantir la réussite de l'opération de la réhabilitation du centre Médina, d'autres interventions devraient s'inscrire dans l'optique de développement escompté. De ces interventions découlent des projets parallèles dont la liste ne peut être exhaustive.

a) *Une partie des monuments (médersas, fondouks)*

Situés autour de la Qaraouiyîne, ils pourraient être réintégrés dans le système des espaces publics.

b) *Les fondouks Berka, Titaouine, Kettanine, etc.*

Ils pourraient contribuer à la réorganisation de l'artisanat et du commerce. Des lieux de rencontre et de détente devraient y être incorporés.

c) *Le terrain des tanneurs de Sidi-Moussa*

Il pourrait être relié, par une intervention minime au grand Tallaa, et servir ainsi d'espace public relié au réseau primaire. Aménagé en espace de rencontre et équipé d'un théâtre en plein air (Halgua), il pourrait devenir un des espaces les plus attractifs du centre.

d) *L'espace de l'îlot des 6 maisons entre la rue Chemmaïne et Kissaria*

Il pourrait être intégré dans l'aire commerciale.

CONCLUSION

L'opération ne se limite pas à la restauration physique de certains monuments. Elle vise la réanimation fonctionnelle dans un cadre urbain restructuré et amélioré. Elle pourrait ainsi contribuer à une revalorisation de la Médina au sein de l'agglomération et du déclenchement d'un nouveau dynamisme qui ne serait pas uniquement commercial.

TABLE DES MATIERES

Préface de Mohammed el Fasi 9

PREMIERE PARTIE

Chapitre Premier : *L'appel au Monde de l'UNESCO* 17
Chapitre II : *La fondation de Fès* 21
Chapitre III : *Fès, de sa fondation au XVIIème siècle* 33
Chapitre IV : *La structure sociale et politique de la ville aux XVIIème et XVIIIème siècles* 59
Chapitre V : *Dans les rues de Fès el Bali* 71
Chapitre VI : *Les anciennes corporations en Médina au XXème siècle* 79
Chapitre VII : *La famille fassie* 95
Chapitre VIII : *L'art hispano-mauresque à Fès* 107
Chapitre IX : *La Qaraouiyine* 135
Chapitre X : *Le musée Batha* 151
Chapitre XI : *Chronologie résumée de l'histoire de Fès* 155

DEUXIEME PARTIE

RENOVER UNE MEDINA MILLENAIRE

Chapitre XII : *La parole est au Maire de Fès* 161
Chapitre XIII : *Les problèmes de l'environnement* 171
Chapitre XIV : *L'eau à Fès : la « rivière des Perles »* 181
Chapitre XV : *L'exode rural vers la Médina vu par l'UNESCO* 193
Chapitre XVI : *Fès, capitale de l'artisanat marocain* 197
Chapitre XVII : *L'évolution industrielle et universitaire à Fès au cours des dernières années* 205

TROISIEME PARTIE

SI FÈS NOUS ETAIT CONTEE

Quelques textes anciens et modernes

Chapitre XVIII : *Fès, patrimoine marocain et universel à sauvegarder* (Extrait d'une conférence de M. Mohamed Mezzine) 217

Chapitre XIX : *Eloges et mérites de Fès, par Abou Al Hassan El Djaznaï* 225
Chapitre XX : *Fès, chez les géographes arabes du Moyen-Age* 229
Chapitre XXI : *La famille fassie dans l'œuvre de Sefrioui* 235
Chapitre XXII : *Les contes fassis* 243
Chapitre XXIII : *Fès dans le rayonnement de la culture islamique* 249
Chapitre XXIV : *L'architecture traditionnelle musulmane à Fès* (Extrait de l'étude de M. Claude Fritsch rédigée pour l'UNESCO) 255

BIBLIOGRAPHIE

Les sources de l'histoire de Fès (bibliographie sélective) 263
Histoire 266
Géographie 268
Culture-Religion 270
Economie 272
Urbanisme 273
Artisanat 273
Arts du Livre 273
Armes 274
Broderie 274
Céramique 275
Tannerie 275
Tissage 276

ANNEXES

Annexe n° 1 : *Pour la sauvegarde de la Ville de Fès* (appel de M. Amadou-Mahtar M'Bow, Directeur général de l'UNESCO 277
Annexe n° 2 : *Les directives essentielles établies par le schéma directeur d'urbanisme de la Ville de Fès* 281

Achevé d'imprimer
sur les presses de I.R.B.
61300 L'Aigle
Dépôt légal : Mai 1982
N° d'éditeur : 1224